Danièle Bourdais · Sue Finnie · Anna Lise Gordon

OXFORD UNIVERSITY PRESS

OXFORD
UNIVERSITY PRESS
Great Clarendon Street, Oxford OX2 6DP

Oxford New York
Athens Auckland Bangkok Bogotá Buenos Aires
Calcutta Cape Town Chennai Dar es Salaam Delhi
Florence Hong Kong Istanbul Karachi
Kuala Lumpur Madrid Melbourne
Mexico City Nairobi Paris São Paulo Shanghai Singapore
Taipei Tokyo Toronto Warsaw

and associated companies in
Berlin Ibadan

Oxford is a trade mark of Oxford University Press

First published 1996
Reprinted 1997, 1999 (twice), 2000

ISBN 0 19 912206 7

Acknowledgements

The authors would like to thank the following for their contributions to *Envol*: Jenny Gwynne, Dick Capel Davies, Stephen Hawkins, Nathalie Varichon. Thanks also, for their assistance, to Monique and René Bourdais, Françoise Cordero, Marie-Claude Fournier, Betty Hollinshead, Danièle Kotan, Association le Rire Médecin.

The authors and publishers would like to thank Marie-Thérèse Bougard, Elspeth Broady, Eleanor Caldwell, Edward Coffey, Malcolm Hope, Teresa Huntley, Diana Kent, Robin Pickering and Kate Seager, for their contributions in the formative stages; also Tudor Arter, Iris Ashkenaze, Colin Humphrey, Andy King, Arthur Miller, June de Silva, Rod Slater, Sue Wakefield-Morrey and their students, for their feedback on sample materials.

The publishers would like to thank the following for permission to reproduce photographs: Danièle Bourdais pp.7, 9 (top centre and right, bottom left), 121; John Brennan p.175 (bottom right); Brittany Ferries pp.74 (top right), 77 (bottom left); Dick Capel-Davies pp.21 (top), 33, 42, 59 (top), 71, 77 (bottom right), 81, 92, 103, 119, 129, 141 (bottom), 147, 163, 176 (bottom), 189, 195; Sue Finnie p.77 (top right); Futuroscope p.198; Richard Garratt pp.102, 140 (bottom right), 170 (c), 175 (top left and right, bottom left), 176 (top); Mary Glasgow Magazines p.50 (centre and bottom); Ronald Grant Archive pp.21 (bottom), 145 (top left), 146 (top); Robert Gwynne p.212; Tony Lees pp.6 (nos.4 and 9), 49 (left), 75 (top right); Life File p.170 (bottom); Moviestore Collection pp.145 (top right, centre left and right, bottom left and right), 157; OUP pp.6 (top right, bottom left and right), 12, 29 (c), 49 (right), 54, 66 (bottom), 74 (bottom right), 105 (top), 128, 183, 184 (top right), 185 (bottom right), 193 (a), 194 (bottom left and top right); Orion Publishing p.100 (top Left), 146 (bottom); Rex Features pp.11, 15, 44 (top), 74 (top left), 79 (top right and bottom right), 116, 124, 126, 127, 140 (top left and right), 158, 170 (f), 184 (bottom left), 187; Martin Sookias pp.43, 55, 158, 193 (e); Jeff Tabberner pp.77 (top left), 108; AB Productionspp.28, 29 (bottom). All other photography by David Simson.
Cover photographs by Oxford Scientific Films (foreground) and The Image Bank.
The illustrations are by:
Kathy Baxendale pp.10, 100, 138; Michel-Marie Bougard pp.22, 54, 57, 70, 98 (top), 139 (bottom), 150, 161, 166, 199, 209; Anna Brookes pp.32, 34, 41 (top), 68, 99, 118 (top and left), 168, 171, 172, 174, 177, 178; Phill Burrows pp.14, 33, 41 (bottom), 62, 64, 69, 117, 130, 148, 149, 190, 195, 197; Elitta Fell pp.118, (middle right) 155, 183, 186; Celia Hart pp.7, 112 (top); Bob Harvey pp.25 (right), 99, 207; Stephen Hawkins p.86; Pete Lawrence p.110; Lyn O'Neill pp.21, 31 (bottom), 37, 58, 104,167, 208; Oxprint pp.38, 144; Bill Piggins pp. 30, 53 (bottom), 76, 107, 114, 122, 135, 173, 196, 203; Tony Simpson pp.17, 24, 31 (top), 80, 96, 192; Tim Slade pp.48, 65, 94, 127, 139 (top), 162, 182; Bruno Le Sourd pp.56, 61, 163, 189, 201, 204; Judy Stevens pp.13, 72, 97, 98 (bottom), 115, 152; Martin Ursell pp.134, 142, 191; Russell Walker pp.39, 88.

French handwriting is by Kathy Baxendale, Danièle Bourdais and Yohann Dieul.

The publishers would like to thank the following for permission to reproduce copyright material:
Astérix chez les Bretons, Editions Albert-René; Okapi, Phosphore, Bayard Presse; Babysitter, l'horreur, de Fanny Joly, Collection Je bouquine, Bayard Presse; Si mon père était un ourson, de Maurice Carême, Fondation Maurice Carême; Les Récrés du petit Nicolas, Les Vacances du petit Nicolas, de Sempé/Goscinny, Editions Denoël; Le Cancre, de Jacques Prévert, Paroles, Editions Gallimard et Hugues Bachelot; La Dentellière, de Pascal Lainé, Editions Gallimard; Provence vacances, de Georges Jean, Collection Folio Cadet Or, Gallimard Jeunesse; La Clé sur la porte de Marie Cardinal, Editions Grasset; Histoires Pressées, de Bernard Friot, Collection Zanzibar, Editions Milan; Mikado , Les Clés de l'actualité, Milan Presse; Miss Starclub. Les Acadiens, paroles de Michel Fugain et Maurice Vidalin, musique de Michel Fugain, Editions musicales le minotaure; Bravo monsieur le monde, paroles de Pierre Delanoe, musique de Michel Fugain, Editions musicales le minotaure, avec l'aimable autorisation de Polygram Music.
La Dernière Séance, Eddy Mitchell, EM Productions.

Every effort has been made to contact copyright holders of material reproduced in this book. Any omissions wil be rectified in subsequent printings if notice is given to the publishers.

The recordings were produced by Marie-Thérèse Bougard and Charlie Waygood, and made at Post Sound Studios, London.

Printed in Spain

Welcome to Envol!

You're about to "take off" in French with a new course book: *Envol*.
After working your way through the book, you will be well prepared to get top marks in your GCSE or Standard Grade exam; you will also be well equipped to study French at a higher level, perhaps using *Essor*, *Envol*'s partner book.

What's in Envol?

There is a contents list on pages 4–5.

Départ

The first eight pages provide a quick recap of some of the language and information about the francophone world you have already covered.

Unités 1–16

There are 16 units of work, each on a different topic.

Révisez!

After every two units, there are two revision pages.
The arrow means you should turn back to the pages listed to revise the key language before doing the activities.

Lecture

After the revision pages, there are extracts from modern French literature for you to enjoy reading.

Révisez tout!

The final revision unit provides exam practice, with tips to help you revise effectively.
Finally, there is a grammar summary and a French–English word list.

Making the most of Envol

Envol aims to help you take responsibility for your own learning. So, be well organised. Learn the **Expressions-clés** and keep a note of other new words and expressions you meet that you think might be useful.

When you come across a new point of grammar in a unit, re-read the explanation in the **Zoom** later. Refer to the relevant pages at the back of the book for more detailed explanation. Grammar is about understanding how a language works and enables you to use the words you know accurately and effectively.

After a lesson, look back through the pages you have been working on. Use the revision pages to help you sort out any areas you are unsure of. Use *Envol* to help you feel confident in French.

Bonne chance en français avec Envol!

de toute l'équipe d'*Envol*

What's in a unit?

At the beginning of each unit is a "menu" of the main topics.

The first page is usually a brain-storming activity to remind you what you already know about the topic and the language connected with it. Then there are a variety of features such as interviews, documentaries, quizzes and letters.
Note these symbols used with activities:

= listen to the recording on cassette

S = this recording is also on the *Envol en solo* cassette

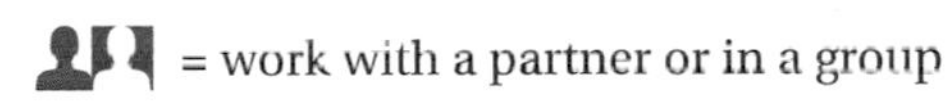

= work with a partner or in a group

= use a dictionary

Zoom sur ...

All the grammar you need to know is explained and practised as it occurs in a unit. The arrow tells you where to find more help in the grammar pages at the back of the book.

Expressions-clés

These are key expressions for you to learn as you go along.

Opinions

It is important that you know how to express your own thoughts, ideas and feelings in French, so at least one opinion activity or discussion appears in each unit.
Expressions utiles are useful expressions to help you make your point clearly.

Astuces

In each unit, one section focuses on a specific skill area with practical hints to help you learn.

Interlude

A taste of French culture, for enjoyment.

Ça se dit comme ça!

A special focus on pronunciation and intonation.

Interview

A series of interviews with French people, recorded at their places of work in France. The symbol is a reminder that you can see the same people in the *Entreprise* video.

Savez-vous ... ?

A checklist to help you review what you have covered and decide whether you have learned the language of the unit or need to look at something again.

Table des matières

Départ

- La France: des faits, des chiffres
- Bienvenue en Francophonie!
- Pays, langues et nationalités
- La rentrée: parler en classe
- Savez-vous bien travailler?

1 La population française

2 Le mont Blanc

3 L'espérance de vie d'une Française

4 Record mondial de vitesse en train

5 Record européen du nombre de cinémas

6 Les Français habitant à l'étranger

7 La Révolution française

8 Les animaux domestiques en France

9 Les départements en France

10 Les autoroutes en France

1 Regardez la page 6 et reliez chaque chiffre à la bonne photo.
Exemple: *1 = 58 millions*
Puis écoutez la cassette pour vérifier vos réponses.

2 a En groupe, préparez un jeu du *vrai ou faux.*
Exemple: *Il y a 75 départements en France. – Faux.*
Jouez avec un autre groupe. Qui gagne?
b A deux, préparez un quiz sur la France. Trouvez d'autres chiffres et posez les questions en classe. Qui sont les champions?
Exemples: *la hauteur de la Tour Eiffel, le nombre des stations de métro à Paris.*

3 Inventez un quiz sur votre pays, pour une classe-partenaire, par exemple. Trouvez des photos, écrivez les chiffres et enregistrez les réponses.
Exemples: *la population du pays, le nombre de régions.*

Rappel: les nombres

Jusqu'à 70, c'est facile. Ensuite, rappelez-vous!

71 = soixante et onze
80 = quatre-vingts
81 = quatre-vingt-un
90 = quatre-vingt-dix
91 = quatre-vingt-onze
99 = quatre-vingt-dix-neuf
100 = cent
101 = cent un
200 = deux cents
201 = deux cent un
1 000 = mille
1 001 = mille un
1 995 = mille neuf cent quatre-vingt-quinze
5 987 = cinq mille neuf cent quatre-vingt-sept
1 000 000 = un million

Les sept langues de France

La langue nationale de la France, c'est le français, bien sûr, mais vous entendez parler d'autres langues dans les régions. Il y a en effet six langues régionales principales: l'alsacien, le breton, le basque, le catalan, l'occitan et le corse.

Il y a des émissions de télé en breton, par exemple, des journaux en basque et en occitan. Depuis 1951, les jeunes peuvent apprendre leur langue régionale à l'école (depuis 1974 en Corse). En 1987, ils étaient 8 139 en France à suivre un cours de langue régionale.

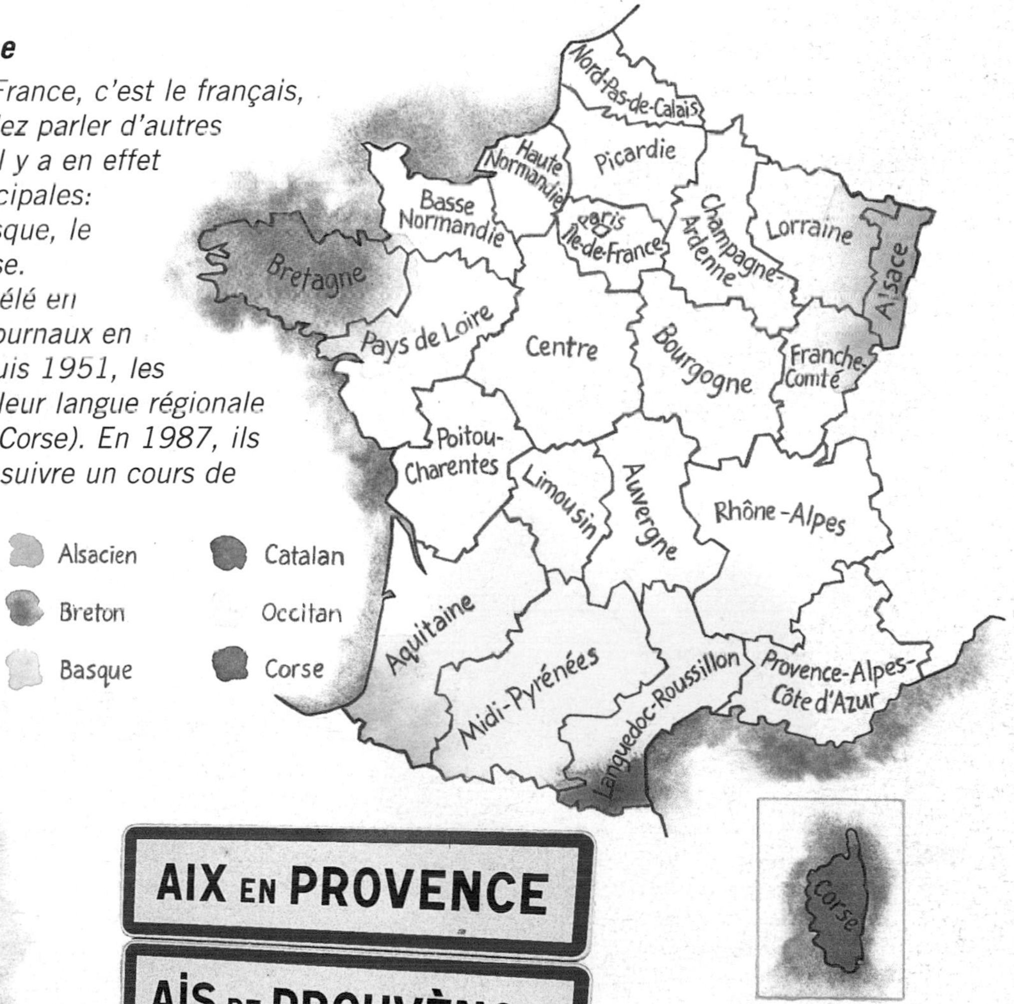

1994 UZTAILA . 14 OSTEGUNA
ETB 1
14.25: Ninja dortokak.
Marrazki bizidunak.
14.50: Munduko Futbol Txapelketa.
15.20: Urak dakarrena.
15.50: Futbola Munduko Kopa 94.
Brasil-Suedia.
18.10: Euskadi gaztea.
Musika saioa.
18.40: Superbat.
18.45: Doraemon, katu kosmikoa.
Marrazki bizidunak.
19.10: Jetman.

Franco-échos

Partez à la rencontre de jeunes francophones du monde entier.

Idriss Saraoui, tunisien – Sousse, Tunisie

Tunisie
Population 9 725 000 dont 12 500 Français, 88 000 Italiens.
Langues arabe (langue officielle), français, berbère, italien.

Laline Ramgoolan, mauricienne d'origine indienne – Curepipe, Ile Maurice

Ile Maurice
Population 1 298 000 – Créoles, Indiens, Européens, Chinois.
Langues créole, français, anglais (langue officielle), bhojpouri, hindi, ourdou, tamil, chinois.

Estelle Duang Van Minh, double nationalité française et vietnamienne – Hanoi, Viêt-nam

Viêt-nam
Population 90 000 000 (différentes ethnies).
Langues vietnamien (langue officielle), chinois, anglais, russe, français.

François Lapointe, québécois – Montréal, Québec (région francophone du Canada)

Canada
Population 28 930 000
Langues anglais (60,5%), français (23,8%), autres (13%, dans l'ordre: italien, allemand, ukrainien, chinois, portugais, néerlandais, polonais, amérindien, grec).

Populations: chiffres de Quid 1995, prévisions pour l'an 2000.

1 Lisez l'article page 8 et écoutez les interviews. Notez les langues parlées par chaque jeune.

2 Interviewez votre partenaire. Donnez le plus possible de détails!
Exemple:
A: Tu es de quelle nationalité?
B: Je suis britannique, d'origine chypriote. Mes parents sont chypriotes turcs. Ils sont ici depuis 35 ans.
A: Tu parles quelles langues?
B: Je parle couramment anglais. Je comprends bien le turc, je parle un peu mais j'écris mal. J'apprends le français depuis quatre ans.

3 Avec votre partenaire, recréez les quatre interviews.
Exemple:
A: Idriss, tu es de quelle nationalité?
B: Je suis tunisien …

Expressions-clés

Tu es de quelle nationalité?
Je suis anglais(e)/écossais(e)/gallois(e)/irlandais(e).
Je suis d'origine irlandaise/indienne/australienne.
J'ai la double nationalité.

Tu parles quelles langues?
Je parle (couramment/bien/assez bien) français.
Je comprends / J'écris } bien/assez bien / un peu/mal { l'italien. / le chinois.
J'apprends le grec depuis deux ans.
Attention: ici, il faut le présent avec depuis!
Ma langue maternelle, c'est l'ourdou/le gallois.

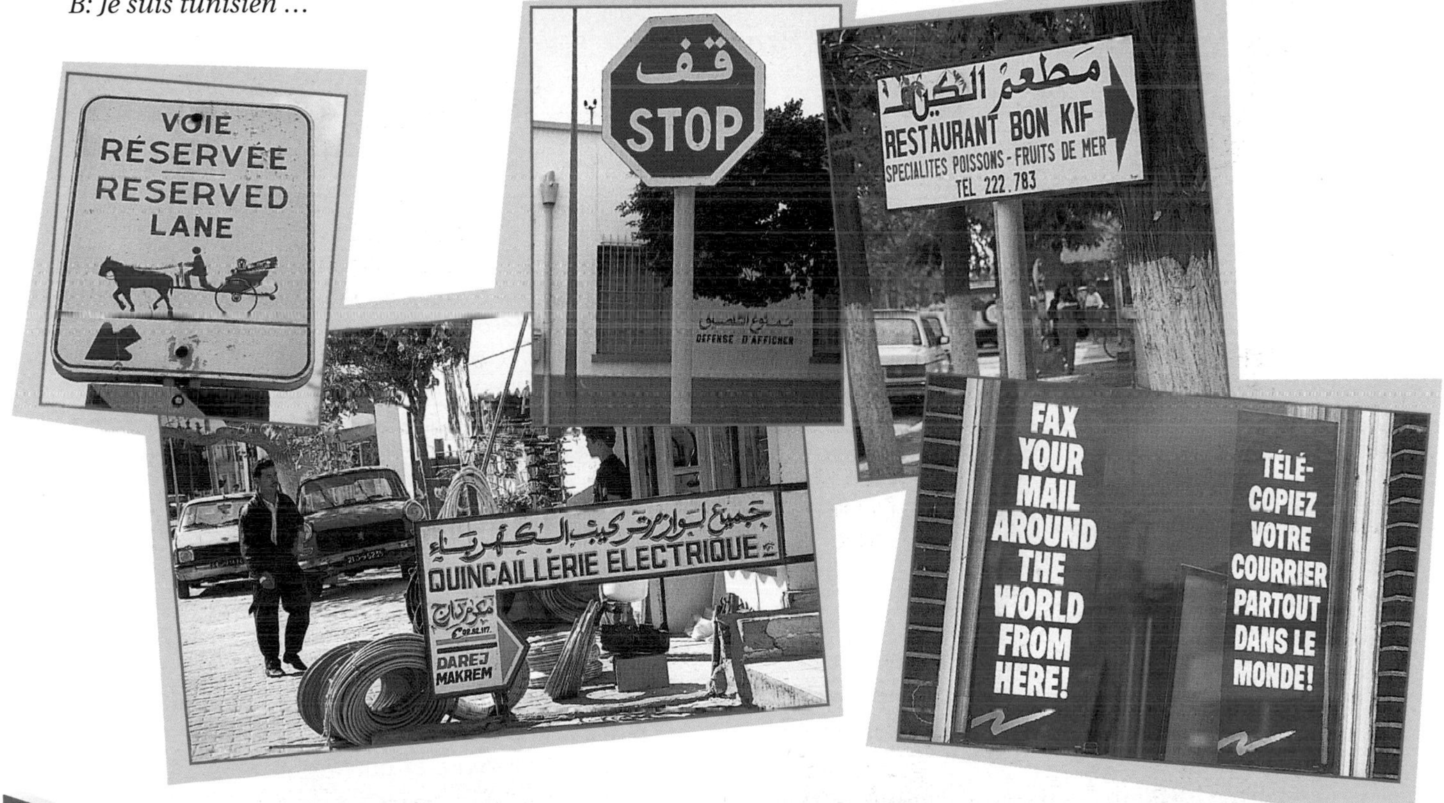

ZOOM sur les pays, langues et nationalités

1 Faites une liste des pays, langues et nationalités mentionnés dans l'article page 8 et les interviews. Qui a la liste la plus longue?

2 Recopiez et continuez le tableau à droite avec tous les pays de l'article. Ajoutez d'autres pays. Cherchez ou vérifiez les terminaisons masculines et féminines dans le dictionnaire.

PAYS	LANGUE(S)	NATIONALITÉ(S)	
		masculin	féminin
Tunisie	arabe, français, berbère, italien	tunisien	tunisienne
Viêt-nam	vietnamien	vietnamien	vietnamienne

À l'heure de la francophonie

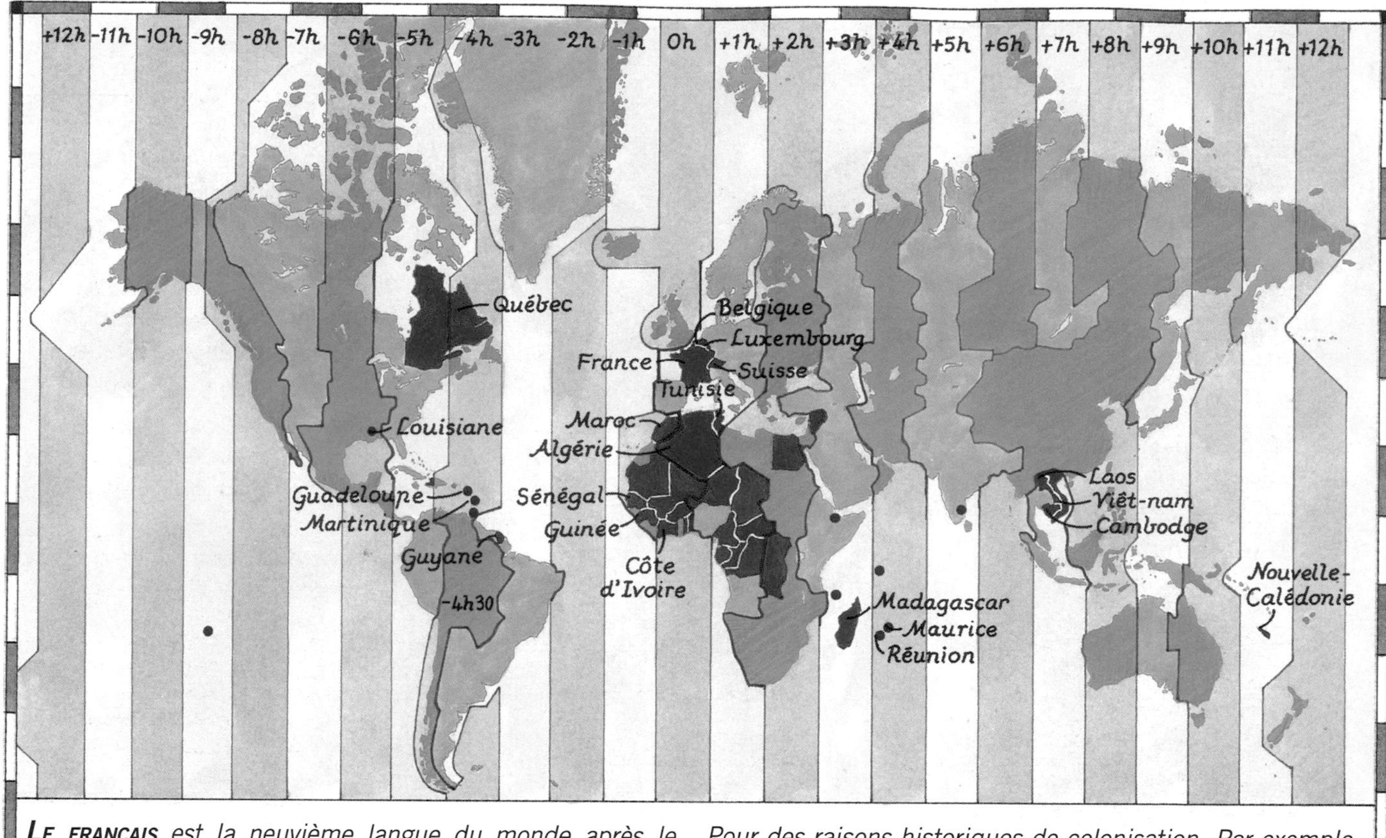

LE FRANÇAIS *est la neuvième langue du monde après le chinois, l'anglais, le hindi, l'espagnol, le russe, l'arabe, le portugais et le japonais. On parle français dans 44 pays. On compte environ 123 millions de francophones.*

Pourquoi parle-t-on français aux quatre coins du monde? Pour des raisons historiques de colonisation. Par exemple, à partir de 1830, la France colonise des pays d'Afrique. Vers 1853, elle annexe des îles du Pacifique, des pays d'Asie (Viêt-nam, Cambodge, Laos). On continue à parler français dans ces pays, même après l'indépendance.

1 a Regardez la carte. Imaginez: vous êtes à Paris. A quelle heure allez-vous téléphoner ... ?
- pour parler à un cousin au Québec à 18 h 30 heure locale
- pour appeler l'ambassade de France au Sénégal, entre 10 h 15 et 14 h 45 heure locale
- pour parler à un ami en Nouvelle-Calédonie à 20 h 15 heure locale.

b Quel est le meilleur moment de la journée pour organiser une conférence-satellite des pays francophones?

2 Regardez la carte et écoutez la cassette. Eric et Fadila ne sont pas d'accord sur l'heure dans différents pays. Dites qui a raison.

3 Lisez l'article. Retrouvez:
- le nom de neuf langues
- le nombre de francophones dans le monde
- la date du début de la colonisation de l'Asie par la France.

Rappel: l'heure

Quelle heure est-il? Il est ... heures.
A quelle heure ... ? A ... heures.

Dites l'heure, ensuite dites les minutes:
Il est une heure vingt.
Il est une heure et quart/et demie.

Dites l'heure, ensuite dites les minutes en moins:
Il est deux heures moins vingt.
Il est deux heures moins le quart.

Le système de 24 heures:

le matin:	1 h	2 h	3 h	...	11 h	12 h
l'après-midi:	13 h	14 h	15 h	...	23 h	00 h

1:15 = Il est une heure quinze.

13:30 = Il est treize heures trente.

Interlude

Les Acadiens de Michel Fugain

Y a dans le sud de la Louisiane
Et dans un coin du Canada
Des tas de gars, des tas de femmes
Qui chantent dans la même langue que toi.
Mais quand ils jouent de la musique
C'est celle de Rufus Thibodeaux
Qui rêve encore de l'Amérique
Qu'avait rêvé leur grand-papa
Qui pensait peu, qui pensait pas.

refrain:
Tous les Acadiens, toutes les Acadiennes
Vont sauter, vont danser sur le violon.
Ils sont américains et elles sont américaines:
La faute à qui, donc? La faute à Napoléon.

Le coton, c'est doux, c'est blanc, c'est chouette
Pour se mettre de la crème sur les joues,
Mais ceux qui en font la cueillette
Finissent la journée sur les genoux.
Alors, le soir, ils font de la musique,
Comme celle de Rufus Thibodeaux
Pour oublier que l'Amérique,
C'est plus celle de leur grand-papa.
Ça a bien changé depuis ce temps-là.
refrain

Quand ils ont bossé six jours de file
Pour une poignée de dollars dévalués,
Ils montent dans la vieille Oldsmobile
Et foncent dans la ville d'à côté
Pour écouter de la musique –
Celle du grand Rufus Thibodeaux
Et pour repeupler l'Amérique
A la manière de grand-papa.
(Y a plus que ça qui ne change pas!)
refrain

les Acadiens = habitants de l'Acadie, une région du Canada français
y a* = il y a
des tas de gars* = beaucoup d'hommes
Rufus Thibodeaux = un musicien cajun
c'est plus* = ce n'est plus
faire la cueillette = cueillir, ramasser
bosser* = travailler
foncer* = aller très vite
repeupler = augmenter la population
*français familier

Zoom sur tu, vous et les verbes

1 *Tu* ou *vous*? Recopiez et faites deux listes.

On dit *tu* à ... | On dit *vous* à ...

- un copain
- un commerçant
- un prof
- un enfant
- un membre de sa famille
- un adulte qu'on ne connaît pas
- plusieurs personnes
- un autre jeune
- un animal

A noter: Dans certains pays francophones, surtout en Afrique, on utilise souvent le *tu* au lieu du *vous*.

2 Il y a trois groupes de verbes réguliers français. Pouvez-vous classer les verbes suivants en trois groupes?

chanter finir écrire parler apprendre habiter choisir vérifier comprendre lire

Connaître le groupe, ça aide à apprendre les terminaisons. Par exemple, au présent:

Verbes réguliers du 1er groupe comme *parler:*

je parl**e**	nous parl**ons**
tu parl**es**	vous parl**ez**
il/elle/on parl**e**	ils/elles parl**ent**

Verbes réguliers du 2ème groupe comme *finir:*

je fin**is**	nous fin**issons**
tu fin**is**	vous fin**issez**
il/elle/on fin**it**	ils/elles fin**issent**

Verbes du 3ème groupe comme *répondre:*

je répond**s**	nous répond**ons**
tu répond**s**	vous répond**ez**
il/elle/on répond	ils/elles répond**ent**

Attention au troisième groupe!
écrire: j'écris, nous écri**v**ons
lire: je lis, nous li**s**ons
comprendre: je comprends, nous comprenons

14a,b

C'est la rentrée!

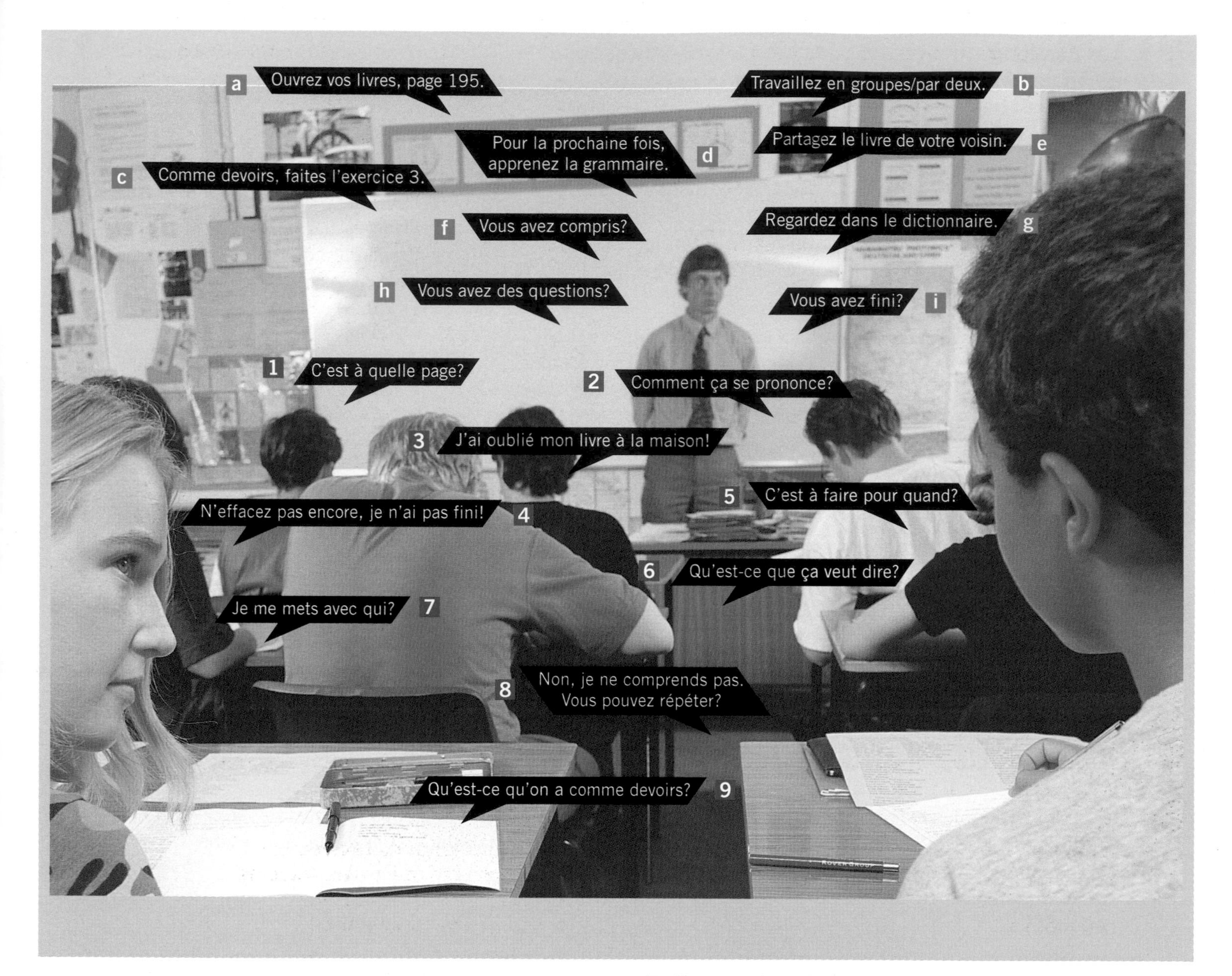

1 Lisez et reliez les phrases qui vont ensemble.
Exemple: *1a*

2 Pour vérifier, écoutez ces scènes dans un cours d'anglais en France.

Ça se dit comme ça!

Regardez ces mots. Ça s'écrit comme en anglais, mais ça ne se prononce pas de la même façon.

1 Ecoutez et répétez. Imitez la prononciation!

2 *A* dit en anglais un mot dans la boîte: *B* doit dire le même mot mais avec la prononciation française. Puis changez de rôle.

crocodile **rap** accident Togo *super* rare
France **attention** *restaurant* rock
assistant *table* ambulance *place* **rose** **train**
intelligent **francs** six Europe *prince*
lion *Paris* **formidable** **orange**

ASTUCES

À vos marques!

Après les grandes vacances, la routine de l'école, c'est dur! Voici des idées pour vous aider. Quelle suggestion préférez-vous? Ensuite, lisez les commentaires!

Pour reprendre la routine
- ▲ téléphoner aux copains de classe
- ● ranger son coin-travail
- ■ relire les notes de l'année dernière

Pour ne pas se fatiguer trop vite
- ● se relaxer avant et après l'école
- ▲ ne pas travailler le week-end
- ■ faire de l'exercice avant et après les devoirs

Faire les devoirs
- ■ juste après l'école
- ● tôt le matin
- ▲ tard le soir

Pour s'entraîner à parler en français
- ▲ parler tout(e) seul(e)
- ■ travailler avec un copain ou une copine
- ● enregistrer des cassettes

Pour s'entraîner à écouter du français
- ■ échanger des cassettes avec un(e) correspondant(e)
- ▲ écouter la radio française
- ● regarder des films en français

Pour apprendre les mots nouveaux
- ■ écrire des phrases utiles avec les mots
- ● enregistrer les mots sur cassette
- ▲ faire des listes alphabétiques

Commentaires:

Vous avez une majorité de ■:
La rentrée ne vous fait pas peur, vous êtes prêt(e) à travailler. Bonne chance!

Vous avez une majorité de ●:
Le travail, c'est dur mais vous êtes motivé(e). Bon courage!

Vous avez une majorité de ▲:
Vous avez encore la tête en vacances! Allez, un petit effort!

Savez-vous ... ?
- dire les chiffres et les nombres, dire l'heure
- dire les noms de pays et les nationalités
- dire quelles langues vous parlez, et comment
- communiquer en français en classe
- comment se remettre au travail

Et en grammaire ... ?
- les adjectifs de nationalité
- *depuis*
- *tu* et *vous*
- les terminaisons régulières des trois groupes de verbes (au présent)

UNITÉ 1

L'amitié, mode d'emploi

- L'amitié, c'est quoi?
- Comment se faire des copains
- Parler des problèmes, trouver des solutions
- Filles et garçons: une amitié possible?

Aa comme amusant(e)
Bb comme beau ou belle
Cc comme compréhensif ou compréhensive
Dd comme différent(e)
Ee comme énergique
Ff comme franc ou franche
Gg comme généreux ou généreuse
Hh comme honnête
Ii comme intelligent(e)
Jj comme juste
Kk
Ll comme loyal(e)
Mm comme modeste
Nn comme naturel(le)
Oo comme ouvert(e)
Pp comme patient(e)
Qq
Rr comme riche
Ss comme sociable
Tt comme tolérant(e)
Uu comme unique
Vv comme volontaire
Ww
Xx
Yy
Zz comme zinzin!
(zinzin = un peu fou/folle!)

1 Ecoutez le rap et répétez l'alphabet!

2 Fermez le livre. Retrouvez le plus de mots possible! Qui gagne?
Exemple:
A: Amusant.
B: Amusant et beau.
A: Amusant, beau et compréhensif.

3 a Décrivez votre ami(e) idéal(e) en six mots.
b Qui a les mêmes mots que vous, dans la classe?
Exemple:
A: Comment est ton ami(e) idéal(e)?
B: Pour moi, elle est amusante, juste, …
C: Et pour moi, il est énergique, intelligent, …

4 Trouvez d'autres mots pour décrire un(e) ami(e).
Exemple: *A comme actif/active, B comme bavard(e), C comme calme, …*

Ça se dit comme ça!

L'alphabet en français

presque comme en anglais:	**F L M N O S Z**
avec le 'é' de thé:	**B C D G P T V**
avec le 'a' de pas:	**A H K**
avec le 'i' de si:	**I J X**
avec le 'u' de rue:	**Q U**
avec le 'e' de je:	**E**

R, c'est comme 'air', **W** 'double V' et **Y** 'i grec'.
Pour **LL**, on dit: deux 'l', **RR** deux 'r', etc.

é comme dans thé = e accent aigu
è comme dans père = e accent grave
ê comme dans crêpe = e accent circonflexe
ë comme dans Noël = e tréma
ç comme dans garçon = c cédille

Se faire des copains

Vous êtes aux Francofolies, festival francophone de musique à La Rochelle. Il y a des concerts super, des jeunes très sympa. Faites-vous de nouveaux copains! Mais quoi dire?

1 Ecoutez les trois conversations d'Eric pendant un concert. Dans chaque conversation, quels renseignements sont demandés ou donnés?
- **a** le nom
- **b** l'âge
- **c** la nationalité
- **d** la ville/le pays
- **e** l'adresse
- **f** le numéro de téléphone
- **g** ce qu'on aime/n'aime pas

2 Ecoutez encore une fois. Repérez et notez:
- comment demander les renseignements de l'activité 1
- trois façons de dire on aime/on n'aime pas
- comment on dit: *Me too* et *Neither do I.*

3 a Réécoutez. Les quatre jeunes savent-ils se faire des amis? Donnez une note à Eric, Angelo, Alice et Marc. Expliquez vos notes.
0: pas du tout 1: assez bien 2: très bien

b Trouvez ce qu'on dit quand:
- *1* on ne veut pas donner son opinion
- *2* on veut arrêter poliment la conversation
- *3* on préfère ne pas parler
- *4* on veut poser la même question à l'autre

- *a* Et toi?
- *b* Laisse-moi tranquille.
- *c* Excuse-moi, mais …
- *d* Ça dépend.

4 Maintenant, à vous!
- **a** Ecoutez et répondez.
- **b** Vous interprétez pour Lisa, une amie britannique. Ecoutez et posez des questions.

5 Faites les jeux de rôle.
- **a** *A*: *B* vous parle, il/elle est sympa mais vous êtes très timide.
B: *A* semble sympa. Posez beaucoup de questions!
- **b** *A*: Vous êtes seul(e), vous voulez parler à *B*. Insistez!
B: Vous ne trouvez pas *A* sympa du tout.
- **c** *A* et *B*: Vous parlez, c'est sympa. Discutez, échangez votre adresse, etc.

6 Imaginez! Vous avez vu un garçon/une fille super! Ecrivez un mot pour vous présenter et poser des questions.

Expressions-clés

- Tu t'appelles comment?
  - Je m'appelle .../Moi, c'est ...
- Tu peux épeler, s'il te plaît?
- Tu as quel âge?
  - J'ai ... ans.
- Tu es de quelle nationalité?
  - Je suis ...
- Tu habites où?
  - J'habite à (*ville*) en/au (*pays*).
- Est-ce que tu aimes ... ?
  - Oui, j'aime bien/j'aime beaucoup/j'adore.
  - Non, je n'aime pas (du tout)/je déteste.
- Qu'est-ce que tu aimes faire?
- Tu veux mon adresse?
- Tu me donnes ton adresse et ton numéro de téléphone?
  - C'est xx, rue ... à (*ville*).
  - C'est le xx xx xx xx.

L'amitié avec un grand A

1 Des jeunes des quatre coins du monde francophone parlent de l'amitié. Ecoutez les interviews et lisez les résumés. Repérez comment ils disent:

(Clémence)
a she's been my best friend for five years
b we get on really well
c we need to be together

(Antoine)
a I tell him everything
b you can count on him
c you trust him

(Marie-Maud)
a we don't see each other a lot
b we love writing to each other
c we stay friends even if we're far apart

Clémence Aka, 15 ans, ivoirienne, Abidjan, Côte d'Ivoire
Pauline est ma meilleure amie depuis cinq ans. C'est une fille sympa, dynamique et très amusante! On s'entend très bien: on aime les mêmes choses! On adore travailler au marché, on aime beaucoup aller nager avec les copines et ambiancer avec les garçons. Une grande amitié, c'est quand on a besoin d'être ensemble.

Antoine Mariana, 16 ans, français, Fort-de-France, Martinique
François est un bon copain depuis trois ans. Il est calme, patient, généreux, compréhensif. On est différents, on n'aime pas les mêmes choses: je préfère sortir en bande et j'aime bien le sport, François déteste ça. Mais on habite contigu et on parle beaucoup. Je lui dis tout, il me comprend. Une grande amitié, c'est quand on peut compter sur un ami, quand on a confiance en lui, même si on est différents.

Marie-Maud Siron, 15 ans, québécoise, Montréal, Canada
Laura est mon amie depuis deux ans. Elle est ouverte, intelligente, tolérante. Je l'adore! Mon chum est jaloux! Laura, c'est mon idéal: je voudrais être comme elle! On ne se voit pas beaucoup, mais on adore s'écrire et se téléphoner. Ce qu'on préfère, c'est passer des vacances ensemble ... à discuter! Une vraie amitié, c'est quand on reste amies même si on est loin.

Mots francophones
(Afrique) ambiancer = faire la fête
(Martinique) habiter contigu = être voisins
(Québec) un chum = un petit ami

2 Lisez les résumés page 16 et trouvez:
- **a** dix adjectifs pour décrire un(e) ami(e)
- **b** huit raisons pour être ami(e) avec quelqu'un
- **c** quatre façons de dire ce qu'on aime faire
- **d** six activités de loisirs.

3 Choisissez un rôle – Clémence, Antoine ou Marie-Maud – et répondez au questionnaire. Votre partenaire pose chaque question.

Questionnaire de l'amitié

1. Comment est votre meilleur(e) ami(e)?
2. Pourquoi est-il/elle votre meilleur(e) ami(e)?
3. Qu'est-ce que vous aimez faire ensemble?
4. Pour vous, la vraie amitié, c'est quoi?

4 Préparez des réponses personnelles au questionnaire. Ensuite, discutez avec votre partenaire. N'oubliez pas, vous dites *tu* à votre partenaire!

Exemple:
A: Comment est ton meilleur ami?
B: Eh bien, il est sympa, sérieux, ...
ou
A: Comment est ta meilleure amie?
B: Euh ... elle est sympa, sérieuse, ...

5 Ecoutez Cyril qui parle de son amie Anika.
- **a** Prenez des notes et répondez au questionnaire.
- **b** Ecrivez un résumé de l'interview de Cyril, comme les résumés page 16.

Cyril Tondini, 15 ans, français, Nice, France

Les mots de l'amitié

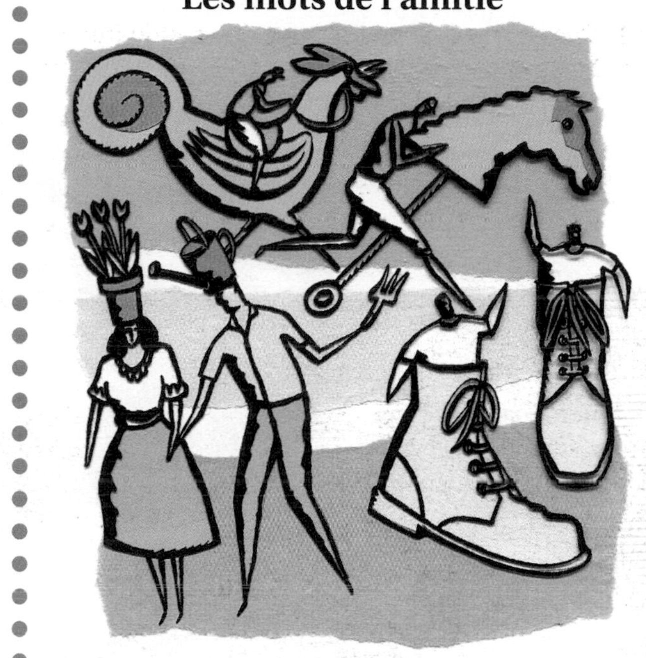

Proverbe: Qui se ressemble s'assemble

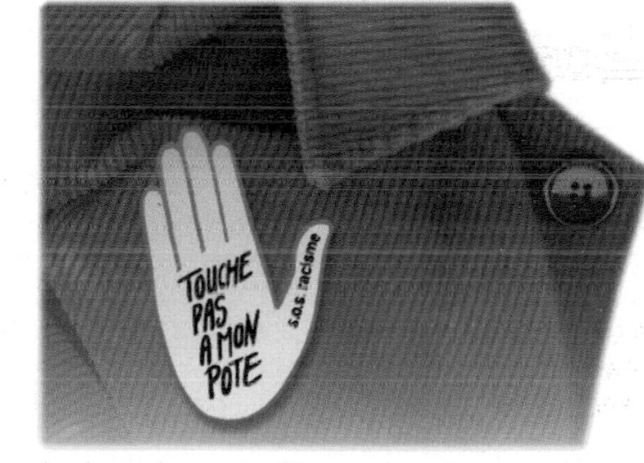

Le slogan des années 80 contre le racisme.
(mon pote = mon copain)

Expressions-clés

On est ami(e)s depuis ... ans
C'est mon/ma meilleur(e) ami(e), parce que ...
il/elle est ...
on s'entend très bien
on aime les mêmes choses
on a besoin d'être ensemble
on se comprend très bien
il/elle me comprend
on peut compter sur lui/elle
j'ai confiance en lui/elle
... même si on est loin/différents
je peux tout lui dire

UNITÉ 1

Salut, les copains!

Vous savez vous faire des amis? Faites ce test!

1 *Pour aller à l'école, vous préférez*
- ★ le bus
- ♠ le vélo

2 *Vous arrivez à l'école*
- ♠ une minute avant les cours
- ★ 15 à 20 minutes avant les cours

3 *A midi, vous mangez*
- ♠ un bon sandwich sur un banc
- ★ un mauvais repas à la cantine!

4 *Un petit boulot le samedi?*
- ★ vous vendez des CD au marché
- ♠ vous répondez au téléphone dans un bureau

5 *Comme sport, vous choisissez*
- ★ le basket
- ♠ la natation

6 *Pour partir en week-end, vous prenez*
- ♠ un nouveau jeu vidéo
- ★ un vieux jeu de cartes

Résultats

Vous avez une majorité de ♠:
Vous n'aimez pas beaucoup les contacts. Vous êtes solitaire, timide? Vous préférez être avec un(e) vrai(e) ami(e)? N'oubliez pas, les copains, c'est important aussi!

Vous avez 3 ★ et 3 ♠:
Vous êtes ouvert(e), vous aimez les contacts et vous avez sans doute beaucoup de copains. Mais vous aimez aussi être seul(e)... Cela semble très raisonnable!

Vous avez une majorité de ★:
Vous êtes très sociable, très bavard(e). Vous adorez avoir de nouveaux contacts. N'oubliez pas de vous reposer de temps en temps!

ZOOM sur les adjectifs qualificatifs

Un adjectif qualificatif, c'est quoi?
Un mot utilisé pour décrire quelqu'un ou quelque chose.
Exemple: Ma **meilleure** amie mange un **bon** repas.

1 Trouvez deux adjectifs commençant par D, et deux par J, aux pages 14–16 en une minute!

Les adjectifs changent au féminin. Comment?
La règle générale, c'est d'ajouter un **-e** ...
Exemple: Il est **amusant**, elle est **amusante**.
... mais pas toujours!

2 Voici cinq terminaisons d'adjectifs au masculin: -e, -if, -eux, -el, -c. Trouvez le féminin à la page 14.

3 Reliez les terminaisons du masculin et du féminin.

fran**c**	**e**
sport**if**	**che**
natur**el**	**ive**
génér**eux**	**elle**
ouver**t** / gran**d**/vrai	**euse**

3a

Attention! bon – bon**ne** beau – **belle**

Où sont placés les adjectifs?
En général, APRES le mot décrit.
Exemples: un ami **anglais**, un boulot **intéressant**
Attention! Ils sont parfois AVANT le mot décrit.
Exemple: ma **meilleure** amie

4 Trouvez aux pages 15 et 16 six adjectifs placés avant le mot décrit.

Quels adjectifs vont avant le mot?
Rappelez-vous l'**ATAQ**!

Apparence:	beau, joli
Taille:	petit, grand, gros
Age:	jeune, vieux, nouveau
Qualité:	bon, meilleur, mauvais, vrai, même

3c

5 C'est mathématique!
Exemple: *a J'ai un bon copain français. J'ai une bonne copine française.*
a copain + bon + français [copine] = J'ai ...
b frère + grand + généreux [sœur] = J'ai ...
c garçon + petit + sportif [fille] = C'est ...
d chien + beau + blanc [chienne] = J'ai ...
e homme + modeste + franc [femme] = C'est ...

Quand ça va mal ...

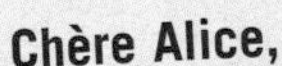 **1** Quels mots à droite comprenez-vous sans le dictionnaire? Essayez de deviner le sens des autres. Comparez avec un(e) partenaire. Vérifiez dans le dictionnaire.

désespéré	*égoïste*	*aborder*
se moquer	*j'en ai marre*	*un gars*
caractère	*je souffre*	*mûr*
timide	*on se dispute*	*prétentieuse*
méchant	*arrogante*	*le conseil*
rigolo	*ça m'énerve*	

chère alice

Chère Alice,
« Je suis désespéré. J'ai 14 ans. Je n'ai pas d'amis, personne ne m'aime, tout le monde se moque de moi au collège. Je n'ai pas trouvé ma personnalité. Je ne sais pas quel caractère choisir. Chaque jour, j'essaie quelque chose: gentil, méchant, rigolo ou égoïste. Rien ne marche. En fait, je suis timide et réservé. Je t'en prie, aide-moi, j'en ai marre! »
François

Chère Alice,
« J'ai une meilleure amie depuis plusieurs années mais depuis plus d'un an elle est devenue l'amie d'une autre fille. Quand elles sont ensemble, elles m'oublient complètement. Je suis tolérante, alors je souffre en silence. On se dispute de plus en plus. Maintenant, elle est arrogante et prétentieuse. Mais c'est ma meilleure amie et je l'aime beaucoup ... Je ne sais pas quoi faire. »
Pascale

COURRIER DE MANUEL

Salut, Manuel
J'ai une amie parfaite: elle est bonne à l'école, elle est belle et elle réussit dans tout. Elle fait même partie du conseil étudiant. Ça m'énerve. Je suis très jalouse d'elle. J'aimerais bien lui dire, mais je ne sais pas comment. Aide moi!
Une fille jalouse!

Cher Manuel
Quand j'aborde un gars pour parler d'un sujet en particulier, il n'est jamais sérieux. Jusqu'à présent, je n'ai pas trouvé un gars assez mûr pour être un bon ami. J'aimerais parler de mes problèmes et poser des questions sérieuses à un ami garçon ...
Christelle

2 Lisez ces lettres parues dans des magazines français et québécois. Qui a quel problème?

a La meilleure amie de ...... a une autre amie et a changé.
b ...... ne sait pas comment avoir d'amis.
c ...... est très jalouse de sa meilleure amie.
d ...... voudrait être amie avec un garçon.

3 Quel conseil donneriez-vous à:

François?
a Essaie de parler à une autre personne timide et réservée.
b Accepte ta personnalité et ça ira mieux.

Pascale?
a Ne vois plus ton amie pendant un moment: tu vas peut-être lui manquer.
b L'amitié n'est pas éternelle: essaie de te faire une autre amie.

la fille jalouse?
a Demande à ton amie pourquoi elle est amie avec toi! Tu es peut-être son idole!
b Demande à ton amie si tu peux l'aider à faire quelque chose.

Christelle?
a Ne juge pas les garçons trop vite: on n'est pas amis en un jour. Patience!
b Ne parle pas de choses trop sérieuses au début, attends de connaître la personne.

4 a Ecoutez l'émission SOS Copains. Quel est le conseil de l'expert dans chaque cas?
b Réécoutez. Quel est le conseil supplémentaire, dans chaque cas?

Filles et garçons: une amitié possible?

OPINIONS

L'amitié filles–garçons existe?

L'amitié entre les filles et les garçons, on en parle beaucoup dans les journaux pour ados, dans les films, dans les séries télévisées comme *Hélène et les garçons* mais existe-t-elle vraiment? Bien sûr! Regardez autour de vous! Vous voyez des bandes de copains, filles et garçons: ils vont au ciné ou au café ensemble, ils discutent des heures au téléphone, ils se font de petits cadeaux, ils ont des passe-temps en commun, ils s'amusent, ils sont bien ensemble. Si ce n'est pas ça l'amitié, alors, c'est quoi?!

1 a L'article dit que l'amitié filles–garçons existe. Trouvez les six arguments dans le texte.
b Pouvez-vous trouver d'autres preuves?

2 Nous avons interrogé huit jeunes Français. Avant d'écouter, devinez combien pensent que l'amitié filles–garçons est possible. Ecoutez la cassette pour vérifier.

3 Ecoutez encore et lisez. Reliez les débuts et les fins de phrases. (Il y a plusieurs possibilités.)

1 C'est possible
2 C'est important
3 C'est impossible
4 C'est difficile
} parce que …

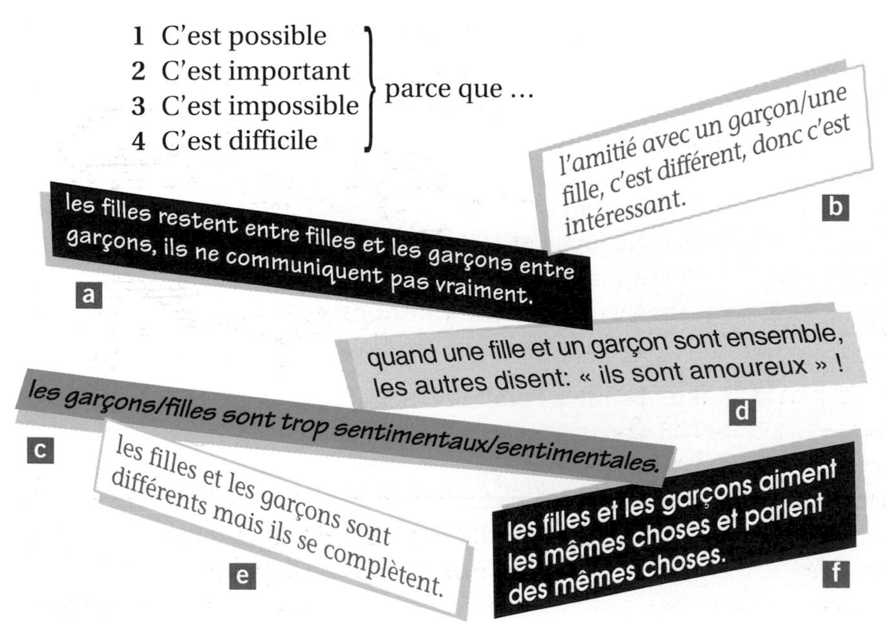

4 a A votre avis, cette amitié est possible? Pour bien exprimer votre opinion, réécoutez la cassette et repérez les expressions utiles.
b Faites un sondage d'opinion dans la classe. Donnez votre opinion. Ensuite, en groupes, résumez les résultats dans un article ou un reportage sur cassette.

Expressions utiles

- **Pour demander une opinion:**
  A votre/ton avis, ...?
  Selon vous/toi, ... ?
  Pour vous/toi, ...?
- **Pour donner son opinion:**
  A mon avis, c'est ...
  Selon moi, c'est ...
  Pour moi, c'est ...
  Moi, je pense/crois que ...
  Personnellement, je crois que ...
- **Pour hésiter:**
  (des petits mots pour prendre son temps avant de parler!)
  Euh ...
  Alors ...
  Eh bien ...
  Ben ...
  Combinez-les! – Ben, alors ... euh ...

Zoom sur le pluriel

Quel est la marque type du pluriel des noms et des adjectifs?
On ajoute un **-s**.
Exemple: J'ai des copine**s** intelligente**s**.

1 Trouvez dix exemples dans cette unité.

Quand n'ajoute-t-on pas un -s?
Quand le nom ou l'adjectif finit par **-s**, **-z** ou **-x**.
Exemple: J'aime les passe-temps sérieux.

2 Trouvez un exemple dans le test page 18.

Quelles sont les autres terminaisons du pluriel?
les noms et les adjectifs en **-al → -aux**
les noms et les adjectifs en **-eau → -eaux**

3 Trouvez deux exemples page 20.

1b,3b Il y a des pluriels irréguliers ... à apprendre.

Interview avec un animateur (club de jeunes)

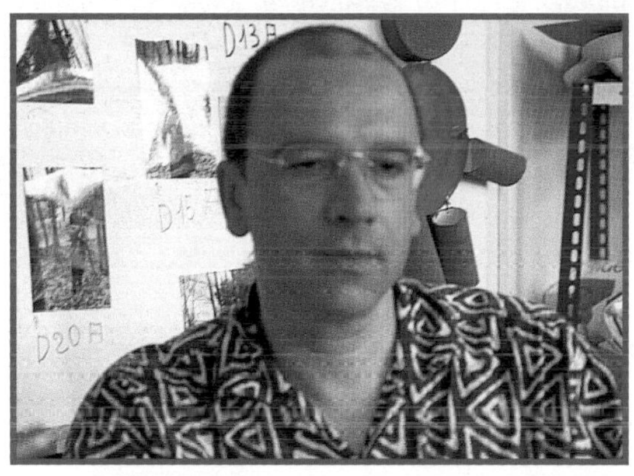
Jean-Luc Alliot, animateur socio-culturel dans un club de jeunes près de Nantes

1 Ecoutez et répondez.
- **a** Quel âge ont les jeunes du club?
- **b** Combien de jeunes viennent régulièrement?
- **c** Quels sont les horaires du club?

2 Que dit Jean-Luc?
- **a** Les filles et les garçons s'entendent bien, ou ne s'entendent pas bien?
- **b** Les filles sont plus mûres et plus responsables, ou moins mûres et moins responsables que les garçons?

Etes-vous d'accord avec lui?

Interlude

Trente ans d'amitié

L'histoire du film Mina Tannenbaum, c'est l'histoire d'une amitié entre deux filles, Mina et Ethel. Nées le même jour de 1958 dans la même clinique, elles se rencontrent dix ans après et deviennent inséparables. On les voit pendant les années 70, dans les boums, avec les garçons; elles sont très différentes, se disputent beaucoup mais restent amies, jusqu'à la fin des années 80. C'est là que le drame se produit ... Une histoire à la fois drôle et triste, des actrices extraordinaires. A ne pas rater.

A vos plumes!

1 Ecrivez un petit poème rigolo sur l'amitié!

Mon ami, c'est comme un parapluie ...
Quand il pleut dans ma vie
Je peux compter sur lui

UNITÉ 1

Zoom sur le présent

Quand utiliser le présent?

A Pour dire ce qui se passe d'habitude.

B Pour décrire ce qui se passe quand on parle.

C Pour parler d'un futur très proche.

D Pour raconter une histoire passée de façon vivante.

Attention! Il y a une seule forme du verbe français pour deux en anglais:

I play/I'm playing = je joue

I phone/I'm phoning = je téléphone

Pour insister sur le fait que ça se passe maintenant, utilisez *être en train de* + l'infinitif.

Exemple: Je suis en train de jouer.

14

1 Quelle définition – A, B, C ou D – correspond à ces phrases?

a Il revient me voir la semaine prochaine.

b Je ne peux pas y aller maintenant, je fais mes devoirs.

c J'avais 13 ans, je détestais l'eau et je ne savais pas nager. Et voilà qu'un jour je tombe dans un lac!

d Je téléphone à ma meilleure amie tous les week-ends.

ASTUCES

L'écriture française

1 Regardez l'alphabet à la page 14. Quelles différences remarquez-vous entre les styles d'écriture français et anglais?

2 Dans chaque paire, quel mot est écrit par un Français?

a	sociable	sociable
b	unique	unique
c	kiwi	kiwi
d	jazz	jazz
e	chewing gum	chewing-gum
f	fruit	fruit
g	violent	violent
h	document	document
i	xylophone	xylophone

3 Lisez cette lettre. Regardez bien les chiffres. Que remarquez-vous?

4 Répondez à Sylvain. Essayez d'imiter l'écriture française!

Le 28 mai 1997

Salut!

Je m'appelle Sylvain. J'ai 15 ans. Mon anniversaire, c'est le 31 mai. Je suis français. J'habite 47, rue des Clos, à Fort-de-France, la capitale de la Martinique. J'apprends l'anglais depuis 5 ans. J'adore ça! Et toi? Ecris-moi. Amitiés

Sylvain

Savez-vous ... ?

- prononcer l'alphabet
- décrire un(e) ami(e)
- vous présenter et vous faire des amis
- décrire des problèmes et donner des conseils
- donner votre avis sur l'amitié filles–garçons
- lire l'écriture française

Et en grammaire ... ?

- les adjectifs (masculin/feminin, position)
- le présent (quand et comment l'utiliser)
- le pluriel des noms et des adjectifs

UNITÉ 2

Histoires de famille

- La famille, c'est quoi?
- Comment décrire votre famille
- Découvrir les personnages d'un feuilleton français
- Parents–ados: peuvent-ils se comprendre?

Arbre généalogique

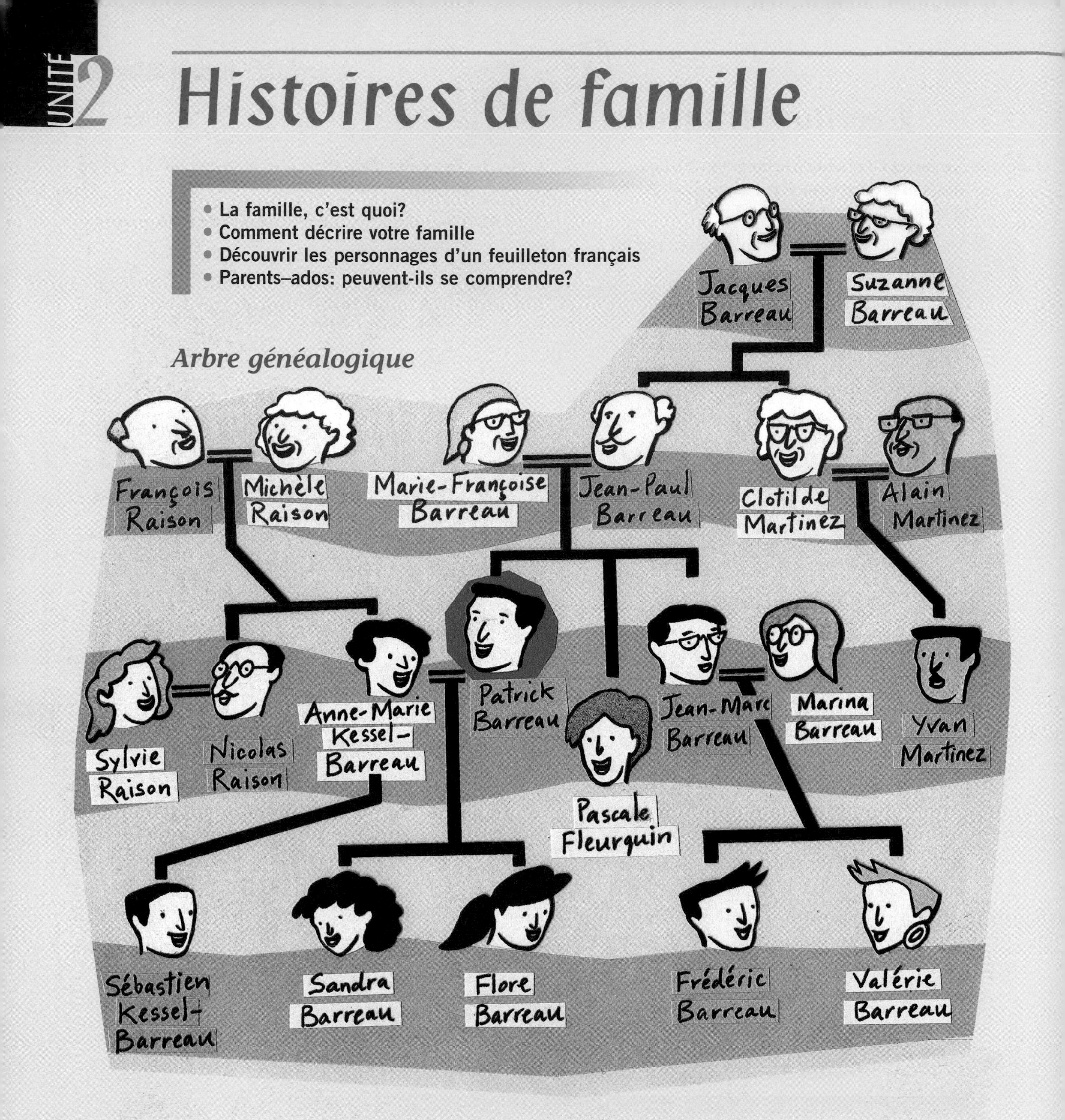

1 Nommez tous les membres de la famille de Patrick Barreau.
Exemple: *Suzanne Barreau, c'est sa grand-mère.*

2 *A* choisit une personne et parle de sa famille. *B* devine qui c'est. Puis changez de rôle.
Exemple:
A: Ses cousines s'appellent Flore et Sandra.
Son cousin s'appelle Sébastien.
Sa sœur s'appelle Valérie, et ...
B: C'est Frédéric Barreau.

La famille, c'est quoi?

1 Ecoutez quatre jeunes (Carine, Edima, Fabrice et Violette) qui téléphonent à une émission de radio sur la famille.

a Trouvez une image pour chaque personne.

b Qui habite où?
- Bastia, en Corse
- Evry, près de Paris
- Conakry, en Guinée
- Crans, en Suisse

c Répondez aux questions.

Carine

1 Que sait-on de son frère?
2 Que sait-on de son neveu?
3 Comment s'entend-elle avec sa sœur?
4 Comment s'entend-elle avec ses grands-parents?

Edima

1 Combien de frères et sœurs a-t-elle?
2 Combien sont-ils souvent à la maison pour dormir?
3 Comment s'entend-elle avec sa famille?
4 Quand est-ce qu'elle va à l'école?

Fabrice

1 Quelle est la situation de ses parents?
2 Que dit-il de son père?
3 Que dit-il de sa mère?
4 Que dit-il de sa sœur?

Violette

1 Pour elle, la famille, c'est qui?
2 Chez qui habitait-elle avant?
3 Combien de frères et sœurs a-t-elle?
4 Que pense-t-elle de la grand-mère de son mari?

2 Imaginez que vous êtes un(e) de ces jeunes, et décrivez votre famille par écrit. Ajoutez d'autres détails si vous voulez. Commencez: *Pour moi, la famille, c'est ...*

Portraits de famille

Nantes, le 3 juillet

Chère Joanna,
Merci pour la description de ta famille.
Aujourd'hui, je vais te parler un peu de ma famille, qui est plutôt originale. Dans ma famille nous sommes huit. J'habite avec mes parents, mon grand-père, mon frère et mes trois sœurs.

Mon grand-père est à la retraite. Il est veuf et il vit chez nous depuis la mort de ma grand-mère il y a quatre ans. Mon père a quarante-cinq ans, il est professeur de philosophie dans un lycée. Ma mère travaille à mi-temps, elle est voyagiste.

J'ai une grande sœur qui s'appelle Florence. Je m'entends vraiment bien avec elle. Elle est très gentille. Elle a dix-neuf ans. Elle est étudiante, elle fait sciences politiques à l'université. J'ai une autre sœur qui est au collège avec moi. Elle a treize ans et elle s'appelle Mathilde. Elle est paresseuse et ne fait rien pour aider à la maison, alors je suis toujours fâchée contre elle.

J'ai aussi une petite sœur. Elle s'appelle Ming et elle est d'origine vietnamienne. Mes parents l'ont adoptée. Elle a huit ans et elle est très bavarde. Mon frère Marshall a été adopté aussi. Il est mi-américain, mi-vietnamien. Il n'a que six ans. Il est très timide et très gentil. Comme c'est le seul garçon, tout le monde le chouchoute un peu.

En plus, nous avons des animaux domestiques qui font partie de la famille. Nous avons un chat – qui est mon préféré. Il est tout noir et s'appelle Noiraud. Marshall a deux poissons rouges, et Mathilde a une perruche.

Voilà donc le portrait de ma famille. Parfois c'est la pagaille chez nous, mais au fond tout le monde s'entend bien. Dans ma prochaine lettre, je te parlerai un peu de mon collège.
A bientôt!

Grosses bises,

Nathalie

1 Lisez la lettre.

a Choisissez deux des adjectifs suivants pour décrire la famille de Nathalie:
nombreuse éclatée heureuse ennuyeuse

b Trouvez l'expression qui veut dire:
il ne travaille plus
sa femme est morte
elle travaille dans une agence de voyages
je ne me dispute pas avec elle
elle parle beaucoup.

c Que pense Nathalie de ses trois sœurs: Florence, Mathilde et Ming?

d Combien d'animaux a la famille? Lesquels?

2 Qui fait partie de votre famille? Ecrivez une lettre à un(e) correspondant(e) français(e) et décrivez votre famille.

3 Interviewez votre partenaire sur sa famille, et parlez de votre famille. Si vous préférez, prenez le rôle d'un des jeunes, page 25.

Expressions-clés

As-tu des frères et sœurs?
Je suis fils/fille unique.
J'ai un frère/un demi-frère.
J'ai une sœur/une demi-sœur.

Mon père/Ma mère s'appelle ...
Mes parents sont séparés/divorcés.
Mon père est mort/Ma mère est veuve.
Mon frère s'est marié avec ...

Que fait ton père/ta mère?
Où travaille ton frère/ta sœur?
Mon père/Ma mère est technicien(ne)/au chômage.
Il/Elle travaille comme dentiste/gendarme.
Il/Elle travaille dans une usine/chez Renault.

As-tu un animal domestique?
J'ai/Nous avons un hamster/un lapin.

Dictionnaire = Dépannage

ASTUCES

Je suis l'aîné d'une famille de cinq enfants. Je dois toujours faire le boulot de la maison tout seul. J'ai des frères de 11 et 7 ans et des sœurs de 13 et 9 ans, et on ne leur demande rien. Alors souvent, je suis de mauvaise humeur et je boude. Mes parents ne sont pas très compréhensifs. Je rêve de faire une fugue, mais je ne suis pas assez courageux pour le faire. Aidez-moi!

Pierre-Nicolas

1 Lisez la lettre. Notez les mots que vous ne connaissez pas. Que faire? Pour chaque mot, suivez ce processus:

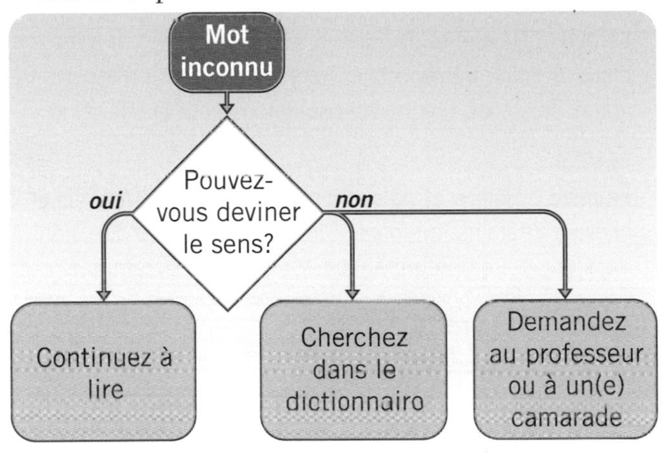

2 Un dictionnaire bilingue offre beaucoup de renseignements. Par exemple, cherchez le mot **aîné** dans votre dictionnaire. Comparez avec notre extrait. Avez-vous les mêmes renseignements?

terminaison féminine — *prononciation* — *mot nouveau*

aîné, -ée [ene] **1** *adj (de deux personnes)* elder; *(de plus que deux personnes)* eldest; **mon frère a.**, my elder brother; *(plus de deux frères)* my eldest brother **2** *n* elder or eldest (child); **l'a. ne va pas encore à l'école**, the eldest doesn't go to school yet; **nos aînés**, our elders; **il est mon aîné**, he is older than I (am)

exemple d'usage — *petits chiffres distinguent noms, adjectifs, verbes, etc* — *info grammaticale*

3 Reliez l'abréviation et l'explication grammaticale.

n nm nf nm/f vt vi adj adv pron conj

verbe transitif nom verbe intransitif
conjonction nom masculin adjectif
adverbe pronom nom féminin
nom masculin ou féminin

p.214

4 Masculin ou féminin? Utilisez votre dictionnaire pour le savoir:
humeur chiffre prononciation
lunettes feuilleton camarade

5 Dans le dictionnaire, trouvez:
- trois noms masculins qui commencent par la lettre M
- trois noms féminins qui commencent par la lettre F
- trois adjectifs qui commencent par la lettre P
- trois verbes qui commencent par la lettre C.

Inventez une phrase comme exemple d'usage pour chaque mot.

6 Trouvez l'intrus! Dans chaque groupe, quel mot ne va pas avec les autres? Cherchez dans votre dictionnaire les mots que vous ne connaissez pas.

costaud
célibataire
mince
svelte

myope
crépu
bouclé
chauve

un gendre
un cadet
un placard
un neveu

Certains mots ont plusieurs sens, indiqués dans l'exemple par les lettres **(a)**, **(b)**, etc.

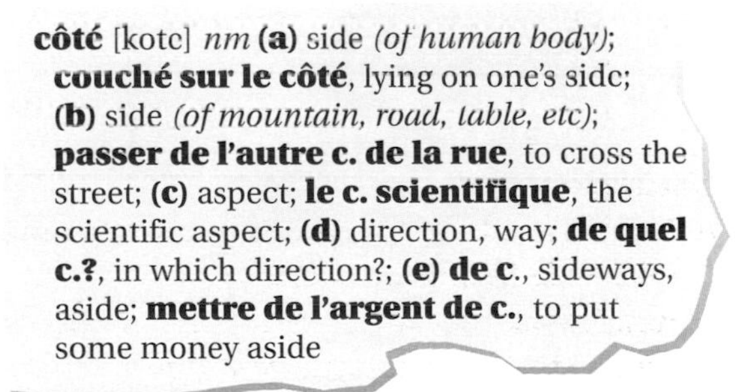
côté [kote] *nm* **(a)** side *(of human body)*; **couché sur le côté**, lying on one's side; **(b)** side *(of mountain, road, table, etc)*; **passer de l'autre c. de la rue**, to cross the street; **(c)** aspect; **le c. scientifique**, the scientific aspect; **(d)** direction, way; **de quel c.?**, in which direction?; **(e) de c.**, sideways, aside; **mettre de l'argent de c.**, to put some money aside

7 Traduisez ces phrases en anglais. Utilisez le dictionnaire pour vous aider à trouver la définition exacte.

a Elle met sa main sur la **poignée** et ouvre la porte.
b Elle prend une **poignée** de bonbons.
c J'ai tous mes papiers dans ma **serviette**.
d Il y a une **serviette** dans la salle de bains.
e Ma tante travaille à la **caisse** au supermarché.
f Mon petit frère met ses jouets dans une **caisse**.
g Quand j'arrive chez moi, mon chien agite sa **queue**.
h Mes copains font la **queue** devant le cinéma.
i Nous allons à toute **vitesse**.
j Mon vélo a dix **vitesses**.

Premiers baisers

Premiers baisers, c'est un feuilleton familial à la française. Près de quatre millions de téléspectateurs français suivent sur TF1 les aventures de Justine, une jeune Française, de sa famille et de ses copains de lycée.

17.30 LES GARÇONS DE LA PLAGE: sitcom française. **Un jour pourri**. Avec Tom Schacht (Tom), Francis Darmon (Mo), Cédric Rosenlecker (Pat), Richard Lornac (Bob). 3343

18.00 PREMIERS BAISERS: sitcom française. Avec Camille Raymond (Justine), Boris Haguenauer (François), Magalie Madison (Annette), Fabien Remblier. 4072

18.30 LE MIRACLE DE L'AMOUR: sitcom française. **La punition**. Avec Hélène Rollès (Hélène), Patrick Puydebat (Nicolas), Laly Meignan (Laly), Sébastien Courivaud (Sébastien).

PORTRAITS EXPRESS DES PERSONNAGES

La famille

JUSTINE

L'héroïne. Une fille un peu naïve qui vit ses premières aventures d'adolescence. Elle a 15 ans. Elle est jolie et sympathique. Elle est assez petite. Elle a les cheveux blonds, mi-longs, un peu frisés, et les yeux marron.

HELENE

La grande sœur de Justine. Elle a 19 ans, étudie la psychologie et vit sur le campus universitaire. Elle est grande et mince. Elle a les cheveux blonds, très longs, avec une frange, et les yeux marron.

ROGER

Le père d'Hélène et de Justine. Un papa-copain. Il a les cheveux noirs, très courts et les yeux marron. Il n'est pas très grand. Très cool, il écrit des feuilletons pour la télévision.

MARIE

La mère d'Hélène et de Justine. Elle a les yeux marrons et les cheveux châtains, mi-longs. Elle est attachée de direction dans une boîte d'informatique. Une femme dynamique.

Les copains

JEROME

Il est blond aux yeux bleus et il a 18 ans. C'est le petit ami de Justine. Bon élève, bon copain.

ANNETTE

C'est la bonne copine de Justine. Sympa, mais un peu collante. Elle fait rire tout le monde avec sa voix, ses grimaces et sa coiffure démodée. Elle est petite. Elle a des nattes et porte de grosses lunettes.

FRANÇOIS

Le meilleur ami de Justine et secrètement amoureux d'elle. Il est grand et mince. Il a les cheveux noirs et il porte des lunettes.

ISABELLE

La rivale de Justine. Elle a 16 ans, elle est très belle et tous les garçons sont amoureux d'elle. Tous, sauf Jérôme ... le seul qui l'intéresse. Elle a les cheveux longs et blonds.

LUC

18 ans, très beau. Il est grand et mince et il a les cheveux bruns. Il est vendeur dans un magasin de disques en attendant de devenir musicien professionnel. Annette est amoureuse de lui, mais c'est Justine qui l'attire.

SUZY ET SUZON

Ce sont de vraies jumelles. Elles ont 16 ans. Elles sont australiennes et sont venues faire leurs études en France. Elles sont petites et minces et toutes les deux ont les cheveux blonds, bouclés. Elles partagent tout ... même les coups de cœur.

1 Lisez les portraits express.
a Qui a les cheveux blonds, un peu frisés?
b Qui porte des lunettes?
c Qui a une frange?
d Qui est grand et mince?
e Ecrivez six questions sur les personnages de *Premiers baisers*. Posez les questions à votre partenaire.

2 Virginie, Loïc, Pauline et Damien parlent de *Premiers baisers*. Ecoutez. Qui est la vedette préférée de chacun(e)?

3 Décrivez un des personnages. Votre partenaire devine qui c'est. A tour de rôle!

4 Regardez les photos. Quelle actrice choisissez-vous pour jouer le rôle de Deborah?

DEBORAH
C'est la nièce de Roger et Marie. Elle vivait en Australie mais elle est venue en France pour faire ses études. On la surnomme Debbie, elle a 16 ans, elle est jolie, intelligente et réfléchie. Elle est assez grande. Elle a les cheveux bruns, très longs, et de grands yeux marron.

5 Choisissez trois personnages d'un feuilleton (ou un film) que vous connaissez. Ecrivez des portraits express.

6 Ecrivez une lettre ou enregistrez une cassette pour un(e) correspondant(e) français(e): décrivez les personnages d'une émission de télévision, d'un film ou d'un livre.

a

b

c

Expressions-clés

- Il/Elle est (très/assez) grand(e)/petit(e).
- Il/Elle est (très/assez) mince/gros(se).
- Il/Elle mesure 1,70 mètre.
- Il/Elle a les yeux bleus/gris/marron/verts.
- Il/Elle a les cheveux
  noirs/bruns/châtains/roux/blonds/gris/blancs.
  longs/mi-longs/courts/bouclés.
- Il a des moustaches/une barbe.
- Il/Elle porte des lunettes.

Zoom sur les verbes pronominaux

Un dimanche en famille

Chez la famille Pyjama

On se réveille à dix heures.
On se lève à midi.
On ne s'habille pas.
On ne se coiffe pas.
On mange un hamburger devant la télé.
L'après-midi on s'ennuie.
Le soir on s'installe devant la télé pour voir le film.
On se couche tard, après le film.
On s'endort tout de suite.

Chez la famille Lycra

On se réveille à six heures.
On se lève tout de suite pour faire des exercices.
On se douche et on s'habille en dix minutes.
On se détend à la piscine.
On mange une bonne salade au déjeuner.
L'après-midi on s'entraîne au tennis avec des amis.
On se repose cinq minutes.
Le soir on se dispute pour promener le chien.
On se couche à une heure raisonnable.

1 Lisez les programmes. Ecoutez Pierre Pyjama et Léa Lycra. Trouvez trois détails qui manquent dans leur description.
Exemple: *Famille Pyjama – on se réveille à 10 h.*

Dans les verbes pronominaux, il y a un pronom entre le sujet et le verbe.

Je **me** lève à huit heures.
Comment tu **t'**appelles?
Il **s'**appelle Pierre.
Elle **se** moque de moi.
Nous **nous** couchons.
Vous **vous** ennuyez?
Ils **se** réveillent de bonne heure.
Elles **s'**entendent bien avec lui.

Dans beaucoup de verbes pronominaux, le sujet du verbe est aussi le complément du verbe:

Je lave la voiture.
sujet verbe complément

Je me lave.
sujet complément verbe

17

2 Recopiez et complétez les phrases.

a Nous ...... levons à sept heures tous les matins.
b Je ...... dispute souvent avec ma sœur.
c Tu ...... couches avant minuit?
d Mon père ...... réveille à six heures.
e Elles ...... disputent tous les jours.
f Vous ...... habillez avant le petit déjeuner?
g Marie ...... coiffe.
h Je ne ...... ennuie pas ici.
i Vous ...... amusez?

3 *A* est Léa Lycra. *B* pose des questions sur son dimanche. Ensuite, *B* est Pierre Pyjama, et *A* est l'interviewer.
Exemple: *B: Vous vous réveillez à quelle heure?*
A: Je me réveille à six heures.

4 Racontez le dimanche de:

a la famille Groscerveau, qui s'intéresse aux activités intellectuelles, ou de la famille Bonappétit, qui s'intéresse à la cuisine.
b votre famille.

Utilisez quelques-uns de ces verbes:
se réveiller se lever s'habiller s'amuser
se promener se détendre s'ennuyer
se disputer se coucher s'endormir
... et d'autres verbes, au choix.

Interlude

Si mon père était un ourson

Si mon père était un ourson,
Ma tante Alice, un gros pigeon,
Si mon oncle était un trapèze,
Ma sœur Anne, un bâton de chaise,
Si ma marraine était un mât,
Mon grand frère, un œuf sur le plat,
Si mon maître était une autruche
Et l'école, une vieille cruche,
Je ne sais pas comment irait
Le monde étroit que je connais,
Mais je rirais, ah, je rirais
A faire sauter les volets.

Maurice Carême: poète belge,
né en 1899, mort en 1978.
L'Arlequin, © Fondation Maurice Carême

1 Ecrivez un poème. Commencez:
Si mon père était ... ou *Si ma copine était* ...
Une suggestion pour la fin du poème:
La vie serait plus belle! ou ... *plus rigolote!*.

Ça se dit comme ça!

Il faut bien prononcer le *r* français!

1 Ecoutez la prononciation, et répétez.
ma mère, mon père, ma sœur, c'est dur
je me réveille, je ris, à Rouen, au revoir
libre, grand, tragique, mon frère
le dernier métro, ferme la porte, arc-en-ciel

Pour prononcer le *r* en français:
- mettez la pointe de votre langue derrière les dents inférieures
- ne bougez pas la langue
- faites vibrer les cordes vocales.

2 Dites les phrases suivantes. Ecoutez la cassette pour vérifier votre prononciation.
a Regarde, ça marche!
b Mon père travaille dans un restaurant.
c Mon grand frère est rigolo.
d Je préfère les roses rouges.
e Rira bien qui rira le dernier.

3 Ecrivez et dites des phrases avec beaucoup de *r*.

UNITÉ 2 OPINIONS

Parents et adolescents: peuvent-ils se comprendre?

1 a Lisez les reproches.
Qui parle: un(e) adolescent(e) ou un parent?
Faites deux listes: Côté ados   Côté parents

b Ecoutez les adolescents et les parents pour vérifier vos listes.

2 a A votre avis, quels sont les trois reproches les plus sérieux de chaque côté?

b Discutez avec un(e) partenaire. Trouvez d'autres reproches à ajouter aux deux listes.

3 Ecoutez Elise. Quel reproche trouve-t-elle juste? Quel reproche trouve-t-elle injuste?

4 a Choisissez trois reproches dans la liste et imaginez que vos parents vous font ces reproches. Donnez votre opinion personnelle.

Exemple: *Rentrer à dix heures pendant la semaine, c'est acceptable, mais le week-end, ce n'est pas juste.*

b Comparez avec un(e) partenaire: quels sont les reproches de ses parents, et qu'est-ce qu'il/elle en pense?

Expressions utiles

C'est juste.	C'est injuste./Ce n'est pas juste.
C'est acceptable.	Ce n'est pas acceptable.
Je suis d'accord.	Je ne suis pas d'accord.
Ils ont raison.	Ils ont tort.
C'est vrai.	C'est faux./Ce n'est pas vrai.

Zoom sur la négation (1)

Elle range sa chambre.

Elle **ne** range **pas** sa chambre

Elle a rangé sa chambre.

Elle **n'a pas** rangé sa chambre.

Pour les verbes au présent, au futur ou à l'imparfait:
ne + verbe + pas = négation

Pour les verbes au passé composé:
ne + avoir/être + pas + participe passé = négation

Attention!
Dans le langage parlé, on ne dit pas toujours le **ne**.
Exemple: Non, je veux **pas** ranger ma chambre!

Après une négation, normalement **du/de la/des** = **de**
Exemples:
J'ai **des** frères. Je n'ai pas **de** sœur.
Je ne mange pas **de** viande, mais je mange **du** poisson.

1 Mettez ces phrases à la forme négative:
- **a** Je suis paresseux.
- **b** Elle a parlé à sa petite sœur.
- **c** Nous sommes restés à la maison.
- **d** Tu as des crayons?
- **e** Ils ont compris ce que j'ai dit.

12

D'autres formes négatives:
ne + jamais   ne + rien   ne + personne

2 **a** Trouvez des exemples de phrases négatives parmi les reproches, page 32. Combien y en a-t-il de chaque type?
b Ecrivez d'autres reproches avec ne + pas/jamais/rien/personne.

Interview avec un libraire

Thierry Morice, libraire à la librairie Les Enfants Terribles à Nantes

1 Ecoutez l'interview. Selon Thierry, quelles sont les trois qualités nécessaires pour être un bon libraire?
- **a** On doit aimer la lecture.
- **b** On doit être attentif aux autres.
- **c** On doit être bien organisé(e).
- **d** On doit savoir écouter.

2 Quel jour:
- **a** font-ils la journée continue?
- **b** y a-t-il le plus de clients?
- **c** les papas viennent-ils?

3 Qui sont les acheteurs?
- **a** les enfants
- **b** les parents
- **c** les grands-parents

Savez-vous ... ?
- parler de votre famille
- décrire une personne: son apparence physique et sa personnalité
- parler de la routine quotidienne
- comprendre et réagir aux reproches entre parents et adolescents
- utiliser un dictionnaire bilingue
- prononcer le *r* français

Et en grammaire ... ?
- les verbes pronominaux au présent (*je me couche, tu te couches*, etc)
- les formes négatives: *ne + pas, ne + jamais, ne + rien, ne + personne*

Révisez! Unités 1 et 2

Révisez pages 14, 16, 18

1 a Lisez les descriptions et suggérez un ou deux adjectifs pour chaque personne.

Chantal joue au football tous les samedis et elle va à la piscine trois fois par semaine. Elle est ......

Je peux toujours compter sur **Frédéric**. J'ai confiance en lui et je partage souvent des secrets avec lui. Il est ......

Elodie adore sortir avec ses amis. Le week-end, elle aime surtout aller en disco ou au café. Elle a beaucoup d'amis. Elle est ......

Marc aime bien le collège. Il aime faire ses devoirs et il trouve toutes les matières très faciles. Il a toujours de bonnes notes. Il est ......

Révisez page 26

b Décrivez quatre membres de votre famille: dites ce qu'ils aiment et n'aiment pas faire. Est-ce que votre partenaire peut trouver un adjectif pour chacun d'eux?

Révisez pages 28, 29

c Regardez les illustrations et décrivez Chantal, Marc, Elodie et Frédéric.
Exemple: *Chantal est grande. Elle a les cheveux courts et elle porte des lunettes.*

Révisez page 11

2 a Quand vous êtes en France, il faut utiliser *tu* et *vous* correctement. Recopiez et complétez ces phrases, avec le pronom et la forme correcte du verbe.
Exemple: *1 Viens ici, Toutou!* ***Tu es*** *un bon chien!*

1 Viens ici, Toutou! ...... es/êtes un bon chien!

2 Ecoutez bien! Comme devoirs ce soir, ... dois/devez finir cet exercice.

3 Maman, est-ce que ...... peux/pouvez réparer ma chaîne-stéréo?

4 Salut, Paul! ...... viens/venez en disco ce soir?

5 Bonjour, madame. Je cherche un cadeau pour mon frère. As/Avez- ...... des patins à roulettes?

b Posez des questions. Demandez à:

1 une pâtissière si elle a des éclairs au chocolat.
2 votre correspondant(e) le nom de son chat.
3 votre copine si elle veut aller en disco ce soir.
4 votre professeur si elle peut réexpliquer la grammaire.
5 votre tante la date de son anniversaire.
6 vos cousins s'ils aiment la musique classique.

Révisez page 30

c Faites un sondage sur la routine quotidienne. Préparez cinq questions pour votre professeur, et cinq pour votre partenaire.
Exemple:

Professeur	Partenaire
Vous vous réveillez à quelle heure?	Tu te réveilles à quelle heure?

Révisez pages 16, 17, 20 et 32

3 **a** Lisez cette lettre. Cherchez cinq mots (maximum) dans le dictionnaire.

b Vrai ou faux? Corrigez les phrases fausses.

1 Richard va à Fouesnant au mois de juillet.
2 Maud a un caractère agréable.
3 Philippe et Maud jouent souvent au football.
4 Les copains de Philippe comprennent bien son amitié avec Maud.
5 Philippe n'est pas amoureux de Maud.
6 Selon ses parents, Philippe doit faire plus de travail scolaire.

c Imaginez que vous êtes Richard. Ecrivez une réponse à Philippe.

Fouesnant, le 16 juillet

Cher Richard,

Salut! J'attends avec impatience ta visite le mois prochain. J'ai déjà organisé plein de choses à faire! Ma meilleure amie, Maud, est impatiente de faire ta connaissance aussi.

Je t'ai souvent parlé de Maud, non? C'est une super copine depuis trois ans. C'est une fille sympa, sociable et amusante. On s'entend très bien et j'ai confiance en elle, même si c'est une fille! On n'aime pas toujours les mêmes choses (j'adore le foot par exemple et elle déteste tous les sports!), mais on se comprend bien.

Mais cette amitié est devenue un problème pour moi. J'en ai marre de mes copains – ils se moquent de moi en disant que pour un garçon, c'est impossible d'avoir une meilleure amie. Ils disent que nous sommes amoureux, mais ce n'est pas vrai! A mon avis, les filles et les garçons sont différents, mais ils se complètent. Le pire, c'est mes parents: ils commencent à se plaindre aussi, ils me font tout le temps des reproches et disent que je téléphone trop à Maud, que je sors trop souvent avec elle et que je dois faire plus de devoirs!

Qu'en penses-tu? Que dois-je faire?

A bientôt!

Ton correspondant, Philippe

4 Exposé

a Préparez un exposé. D'abord, choisissez un thème:

Ma famille ou **L'amitié**

Révisez

b Révisez les expressions-clés et expressions utiles pour votre thème:
Ma famille – *pages 9, 15, 26, 29, 32*
L'amitié – *pages 15, 16, 17, 20, 29*

c Ecrivez des mots-clés comme aide-mémoire. Ecoutez l'exemple de la cassette, si vous voulez.
Exemple:

L' AMITIE
description de mon meilleur ami, Clément
faire ensemble: patinoire, cassettes, tennis
l'amitié: mon opinion!

d Parlez, en utilisant vos notes comme aide-mémoire. Si possible, enregistrez-vous. Puis écoutez et essayez d'améliorer votre exposé!

La Clé sur la porte, de Marie Cardinal

La femme qui parle dans ce roman élève ses trois enfants d'une manière intéressante. L'histoire est basée sur la vie de l'auteur, mais c'est un roman et non une autobiographie. Marie Cardinal (née en Algérie en 1929) raconte sa propre vie à travers la vie de ses personnages.

Dans le premier extrait, elle explique comment et pourquoi elle a toujours laissé la porte ouverte à tous les amis de ses enfants.

Dans le deuxième extrait, page 37, elle parle de la plus jeune de ses enfants, Dorothée. Les deux autres sont Grégoire, 18 ans, et Charlotte, qui va bientôt avoir 16 ans.

J'ai trois enfants : un garçon et deux filles ; Grégoire, Charlotte et Dorothée. A la suite d'événements qui ne sont pas dramatiques je les élève seule. Mon mari vit de l'autre côté de l'océan Atlantique. Nous passons nos étés avec lui, là-bas ou ailleurs. Au cours de l'année il y a des allées et venues, surtout au moment de Noël et de Pâques.

Ici, en France, nous vivons tous les quatre. Je devrais plutôt dire tous les dix, tous les vingt. Je ne sais pas exactement à combien nous vivons dans cet appartement. En fait, je n'ai pas de maison, j'ai un quatre-pièces qui appartient à mes enfants et à leurs copains dont le nombre est variable. Le centre du groupe est composé d'une douzaine d'adolescents, autour d'eux évoluent des « groupies ».

Au début, quand j'ai dit à mes enfants que leurs amis étaient les bienvenus, je l'ai fait parce que je ne connais rien de meilleur que l'amitié et je voulais que mes enfants profitent très vite de ses plaisirs et de ses lois. Le partage, l'échange, ce n'est pas si simple. L'amitié c'est une bonne école pour la vie.

Au départ, il s'agissait d'enfants très jeunes. Ils venaient de l'école communale en courant, entre les cours du matin et ceux de l'après-midi puis un peu plus longtemps après la sortie de quatre heures et demie. Des volées de moineaux. La bicyclette, les patins à roulettes et la corde à sauter tenaient une grande place dans leur vie. [...]

Comme ils perdaient sans cesse la clé de la porte d'entrée, j'ai décidé de la laisser sur la serrure dans la journée.

Les années ont passé. Ces enfants sont maintenant des adolescents ; certains ont terminé leurs études secondaires. Beaucoup ne viennent pas du lycée. Ce sont des copains de copains : ils savent que la maison est ouverte. Il y en a qui restent, d'autres qui ne reviennent plus.

La clé est maintenant sur la porte jour et nuit.

je les élève = *I'm bringing them up*
là-bas ou ailleurs = *over there or somewhere else*
des allées et venues = *comings and goings*
tous les quatre = *the four of us*
un quatre-pièces = *a four-roomed flat*
le partage, l'échange = *sharing, exchanging views*
il s'agissait de = *there were/it was*
de l'école communale = *from the local school*
des volées de moineaux = *flocks of sparrows*
la corde à sauter = *skipping rope*
la clé de la porte d'entrée = *the front door key*
sur la serrure = *in the lock (outside)*

▶ *La Clé sur la porte, de Marie Cardinal*

Dorothée aura quatorze ans dans quelques jours. L'œil marron comme moi. Le cheveu blond et ondulé, le corps élancé. Sportive, nette, rigoureuse, tirée à quatre épingles, ravissante, excellente élève. Elle entre en troisième. Elle est née contestataire. Elle conteste tout systématiquement. Elle conteste la contestation. Je ne sais pas ce qu'elle deviendra mais je l'imagine facilement en jeune technocrate belle et intelligente, organisée, folle de design, de modes modernes, dans un intérieur bien rangé et super-cérébral.

Elle est très secrète. Je suis certaine qu'elle a une vie intérieure mais je ne la connais pas. Elle peut lire pendant des heures et des heures, rester seule dans sa chambre. Elle pique des colères terribles qui font trembler les murs et claquer les portes. Elle participe peu à la vie de son frère et de sa sœur qu'elle conteste évidemment.

Elle a de la justice un sentiment aigu et sans nuances si bien qu'elle est capable de générosité et de mesquinerie : c'est juste que les gens soient absolument égaux, c'est injuste qu'elle fasse son lit si sa sœur n'a pas fait le sien... Il n'y a pas à discuter, elle manipule très bien la dialectique, elle ne lâche jamais le morceau quand elle le tient. Les discussions avec elle sont épuisantes à cause de ses « c'est juste », « c'est injuste ».

ondulé = *wavy*
le corps élancé = *a slender body*
tirée à quatre épingles = *dressed immaculately*
ravissante = *beautiful*
contestataire = *argumentative*
conteste = *argues with/protests about*
la contestation = *protest*
pique des colères = *gets into rages/tantrums*
a de la justice un sentiment aigu = *has a keen sense of justice*
mesquinerie = *meanness*
que les gens soient = *that people should be*
qu'elle fasse son lit = *that she should make her bed*
ne lâche jamais le morceau = *never lets go of something*

UNITÉ 3

La superforme

- Que faire (et ne pas faire) pour être en forme
- Expliquer, quand vous êtes malade
- Demander des conseils et des articles à la pharmacie
- Prendre rendez-vous
- Pour ou contre le tabac?

j'ai mal à la tête
blessé
en forme
malade
faible
se faire mal
l'exercice
l'hôpital
avoir bonne mine
la pharmacie
un accident
un remède
une maladie
un médicament
un régime équilibré
le pharmacien
il a de la fièvre
une ambulance
aller bien
une infirmière
j'ai un rhume
le médecin
faire du sport
le bras cassé
la santé
une ordonnance
une alimentation saine

1 Ecrivez les mots ci-dessus sous les titres.

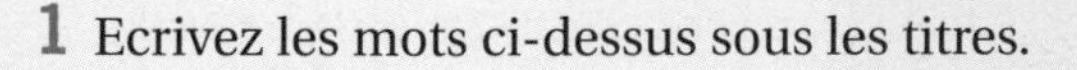

EN FORME	MALADE
faire du sport	l'hôpital

2 Choisissez six mots et faites des phrases.
Exemple: *Appelez une ambulance, vite!*

Huit règles d'or

1 Trouvez une image pour chaque règle.
Exemple: *1d*

2 Ecoutez la cassette.
Trouvez les bonnes images pour chaque personne.
Exemple: *1 = c et h*

3 Ecrivez la liste des règles en ordre d'importance pour vous (1 = très important, etc).
Ensuite, ajoutez des astuces à la liste.
Exemples: *Eviter l'alcool, jouer au football ...*

4 Que fait votre partenaire pour être en forme?
Posez des questions.
Exemple:
A: Tu fais de la natation?
B: Oui, une fois par semaine./Non, je n'aime pas ça.

5 Préparez un questionnaire: *Etes-vous en forme?*
Utilisez votre questionnaire avec une autre classe ou avec vos parents. Présentez les résultats.

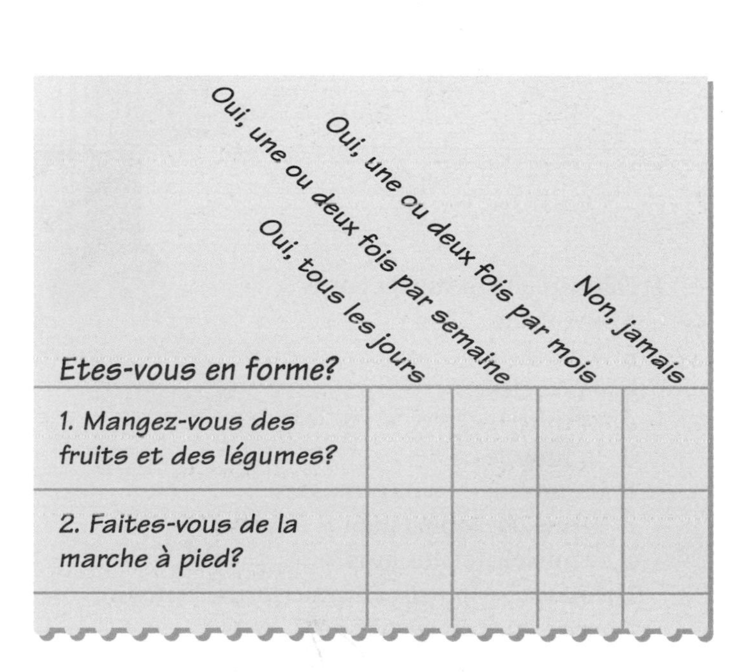

Etes-vous en forme?	Oui, tous les jours	Oui, une ou deux fois par semaine	Oui, une ou deux fois par mois	Non, jamais
1. Mangez-vous des fruits et des légumes?				
2. Faites-vous de la marche à pied?				

UNITÉ 3

Les muscles en superforme

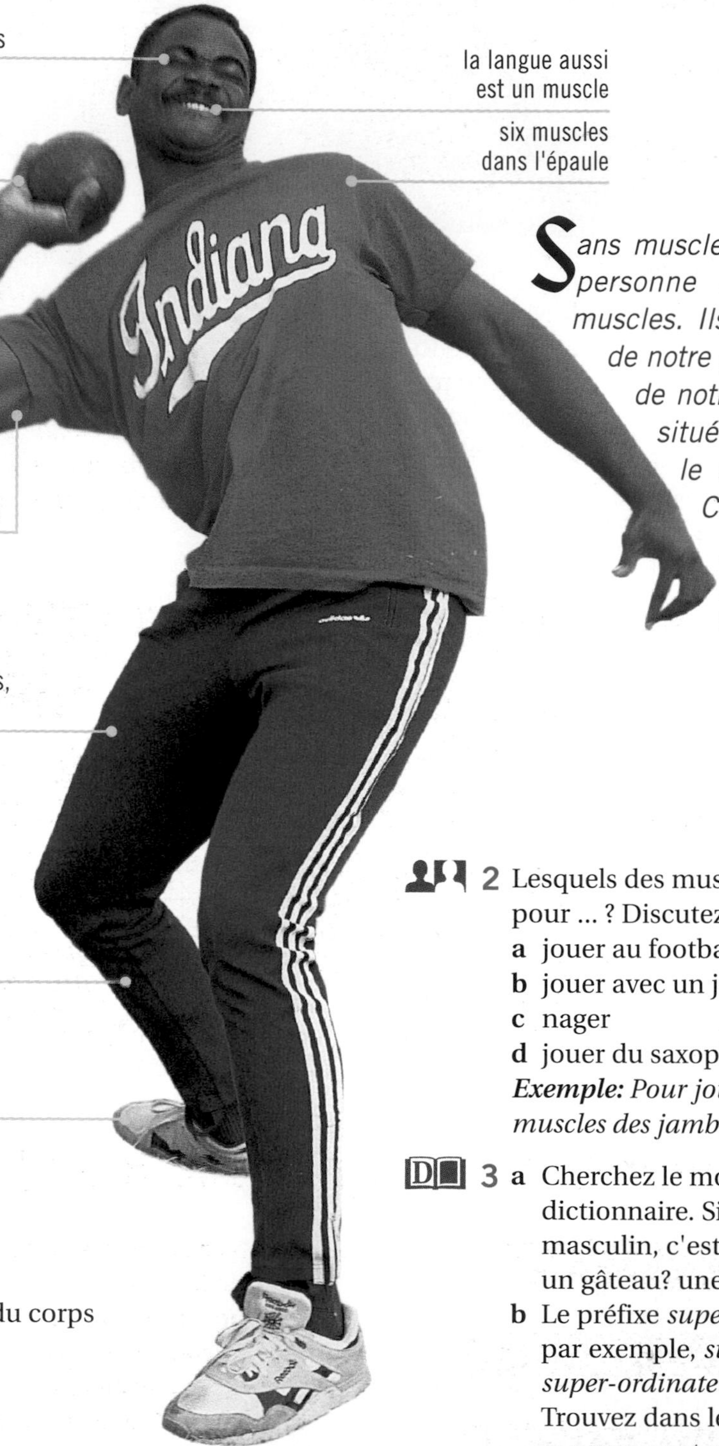

les muscles des yeux sont nos muscles les plus rapides

la langue aussi est un muscle

dix-neuf muscles dans la main

six muscles dans l'épaule

vingt muscles dans l'avant-bras

quatre muscles dans le bras

le muscle le plus gros de notre corps est le quadriceps, situé dans la cuisse

quatorze muscles dans la jambe

vingt muscles dans le pied

Sans muscles, pas de mouvement. Chaque personne a quatre cent trente-quatre muscles. Ils représentent trente pour cent de notre poids total. Le plus gros muscle de notre organisme est le quadriceps, situé dans la cuisse. Le plus petit est le stapedius, situé dans l'oreille. Ce muscle pèse à peine trois grammes. Les muscles sont au plus haut de leur forme entre treize heures et seize heures.

1 Dans quelle partie du corps trouve-t-on ... ?

- **a** 4 muscles
- **b** 6 muscles
- **c** 14 muscles
- **d** 19 muscles
- **e** les muscles les plus rapides
- **f** le muscle le plus petit
- **g** le muscle le plus gros

Vos muscles sont-ils en superforme le matin, l'après-midi ou le soir?

2 Lesquels des muscles mentionnés utilise-t-on pour ... ? Discutez.

- **a** jouer au football
- **b** jouer avec un jeu vidéo
- **c** nager
- **d** jouer du saxophone

***Exemple:** Pour jouer au football, on utilise les muscles des jambes, ...*

3 **a** Cherchez le mot ***super*** dans le dictionnaire. Si c'est un nom masculin, c'est: de l'essence? un gâteau? une moto?

super 1 *nm ...*
2 *préf ...*
3 *adj inv ...*

b Le préfixe *super* + mot = mot nouveau, par exemple, *superforme, supermarché, super-ordinateur.*
Trouvez dans le dictionnaire d'autres mots qui commencent par le préfixe *super.*

c Si c'est un adjectif, *super* est invariable (il ne change jamais – *un film super, une ambiance super, des amis super*). Utilisez votre dictionnaire pour trouver lesquels des adjectifs suivants sont invariables: malade, marron, mastoc, médical, mignon, mille, musclé.

Qu'est-ce que tu as?

1 a Ecoutez les cinq conversations. Notez les symptômes de chaque personne.
Exemple: *1 mal au ventre*

b Quelqu'un exagère. Qui est-ce?

2 Ecoutez encore une fois. Trouvez l'équivalent français de:

a Are you hungry?
b I feel sick.
c I'm thirsty.
d He's got a headache.
e You're right.
f I'm very hot.

– Ça va, Patrick?
– Non, ça ne va pas très bien.
– Qu'est-ce que tu as?
– J'ai mal au ventre.
– Mais alors, va te reposer.
– Oui, oui. Tu as raison.

– Salut, Elodie. Mais – qu'est-ce que tu as?
– Je me suis cassé le bras.
– Bzzzzz!
– Aïe! La guêpe – elle m'a piquée!
– Fais voir! Ah, là là! Tu n'as pas de chance!
– Ouille ouille! Ça pique!
– Viens avec moi. On va acheter de la crème antiseptique à la pharmacie.

3 Décrivez chaque personne dans les dessins.
Exemple: *a Elle a peur, elle a mal aux dents. Il a sommeil.*

4 Prenez les rôles des personnages dans les dessins. Inventez des dialogues.
Exemple:
B: Ça va?
A: Non, ça ne va pas bien.
B: Qu'est-ce que tu as?
A: J'ai peur.
B: Ne t'en fais pas. J'ai un peu sommeil, mais je suis un excellent dentiste.

Zoom sur les pronoms: me (ou m') et te (ou t')

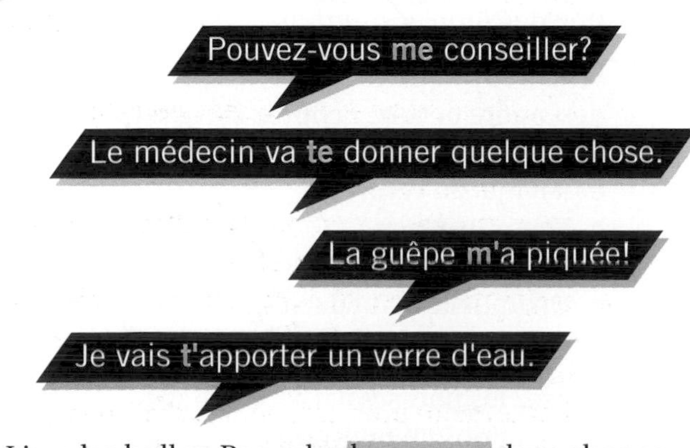

1 Lisez les bulles. Regardez le pronom dans chaque phrase. Quel est l'équivalent en anglais?

10b

2 Recopiez ces phrases et soulignez les pronoms.

a Ça te fait mal?
b Il me donne une ordonnance.
c Je t'apporte un verre d'eau.
d Le pharmacien m'a conseillé d'appeler le médecin.

Ensuite, traduisez les phrases en anglais.

3 Complétez ces phrases avec **me/m'** ou **te/t'**.

a Je ...... conseille de consulter un médecin.
b Ma mère ...... a donné des pastilles.
c J'ai mal à la tête. Pouvez-vous ...... donner de l'aspirine?
d Attends, je vais ...... aider.

Interview avec une kinésithérapeute

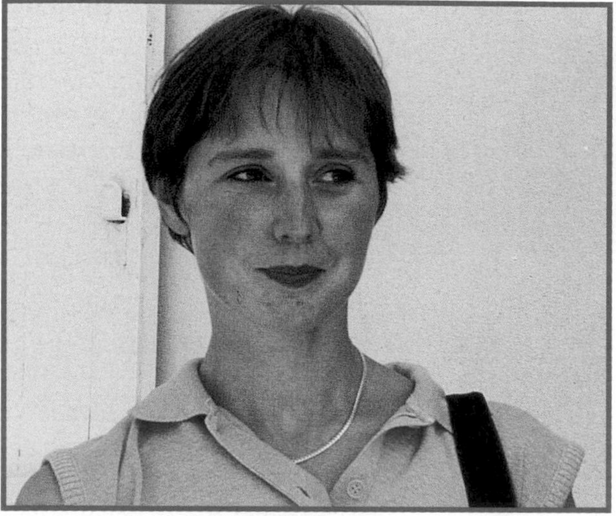
Sandrine Pelletier, kinésithérapeute

1 Ecoutez l'interview. Quelle partie du corps a le plus de problèmes?
a les jambes **b** le dos **c** le cou

2 Quels sont les trois sports mentionnés?

3 Après une séance de kinésithérapie, il peut y avoir (choisissez deux réponses):
a un peu de relaxation sous une lampe
b une heure de gymnastique
c un petit travail de musculation
d une discussion.

4 Que dit Sandrine sur le nombre de séances nécessaires?
a Tous les clients viennent une fois par semaine.
b On peut aider certains clients en deux séances, mais pour d'autres, le traitement dure des années.
c Pour quelque chose de simple, un minimum de quinze séances est nécessaire.

5 Aimeriez-vous devenir kinésithérapeute? Pourquoi (pas)?

une entorse = *sprain*
une luxation = *dislocation*
une séance = *session*
une tendinite = *tendinitis*

Se débrouiller dans un magasin ASTUCES

Dans un magasin, n'oubliez pas:
- dites *bonjour* au vendeur ou à la vendeuse
- parlez distinctement
- utilisez les formules de politesse: *s'il vous plaît, pourriez-vous ... ?, merci bien,* etc.

On entend souvent les mêmes expressions dans un magasin. Préparez vos réponses avant d'entrer.

Bonjour, mademoiselle/monsieur.
Vous désirez?
C'est tout?
Ça fait ... francs, s'il vous plaît.
Et avec ça?

solo

Ça se dit comme ça!

Si l'intonation change, le sens change.
Ecoutez quelques extraits des conversations de la page 33.
Pour une question, est-ce que la voix monte ↗ ou descend ↘ ?

– Il a de la fièvre?
– Oui, il a de la fièvre.
– Il a mal à la tête?
– Oui, il a mal à la tête.

Ecoutez encore une fois. Pour une affirmation, est-ce que la voix monte ↗ ou descend ↘?

1 Question ou affirmation? Ecoutez et notez **?** pour une question, ✓ pour une affirmation.

2 Lisez ces phrases à haute voix. Faites monter ou descendre la voix. Ecoutez la cassette pour vérifier.
a Tu as soif?
b Il a mal au ventre.
c Vous allez bien?
d Elle a perdu l'appétit.
e On appelle le médecin?
f Ça va mieux?

3 Relisez les phrases a–f, mais changez les affirmations en questions, et les questions en affirmations! Ecoutez la cassette pour vérifier.

À la pharmacie

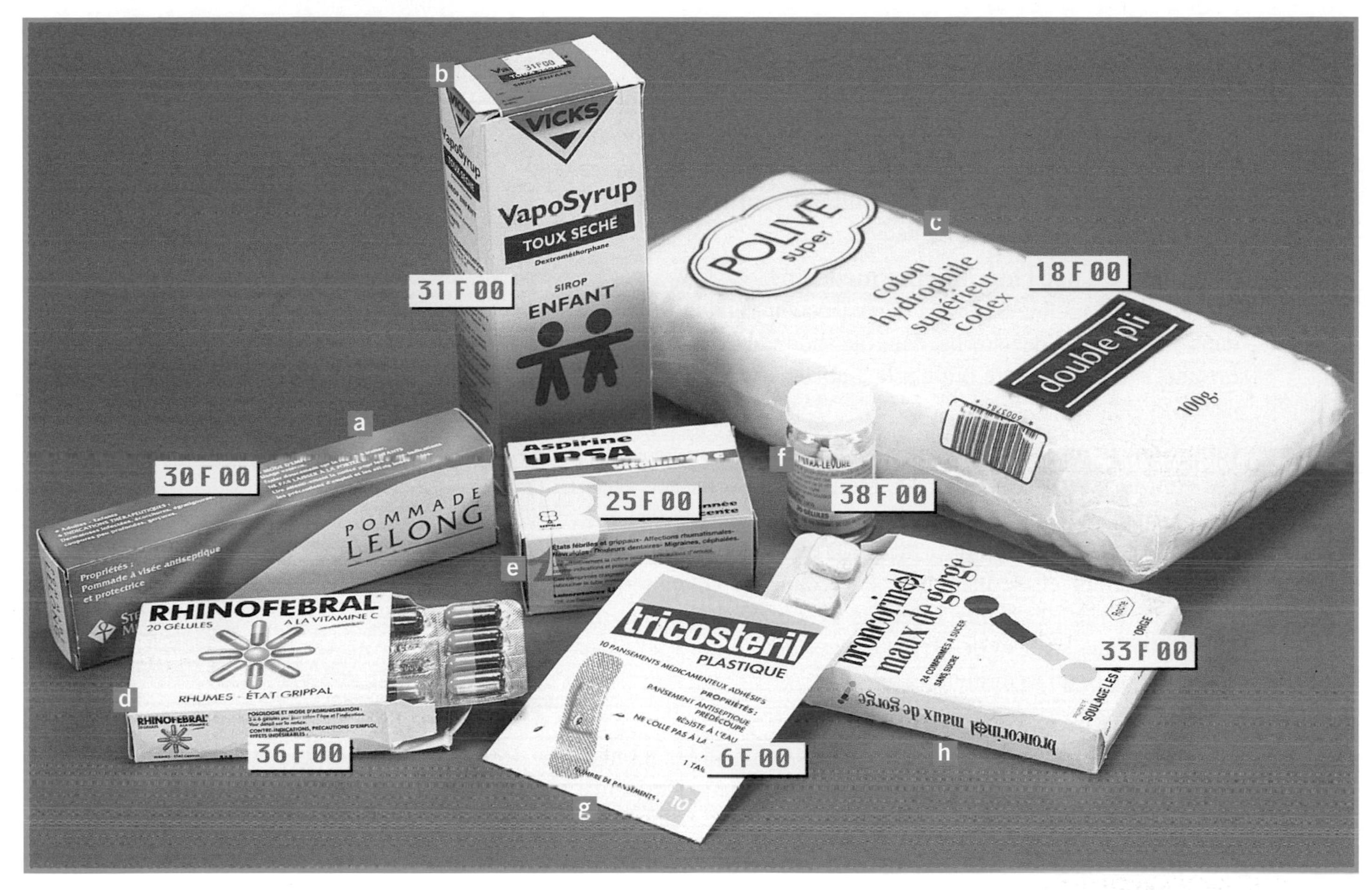

1 Ecoutez la cassette.

a Qu'est-ce qu'ils achètent?
Exemple: 1 a

b Notez trois façons différentes de demander quelque chose dans un magasin.

c Notez trois façons différentes de demander un conseil.

d Calculez le total que chaque client doit payer.

2 **a** Vous avez 80 francs. Composez une trousse de secours.
A est le pharmacien/la pharmacienne.
B achète les articles les plus importants.
Ensuite, changez de rôle.

b *A* est malade. Choisissez entre: avoir mal à la tête, mal au cœur, du mal à dormir, une indigestion, de la fièvre.
B donne des conseils et recommande un remède.

Expressions-clés

- **Pour demander quelque chose dans un magasin:**
  Du sirop/De la crème/De l'aspirine/Des pansements, s'il vous plaît.
  Je voudrais / Donnez-moi } du coton, (s'il vous plaît).
  Vous avez / Avez-vous } du sirop, (s'il vous plaît)?
- **Pour demander un conseil:**
  Vous avez / Avez-vous } quelque chose pour la gorge?
  Pouvez-vous me conseiller un remède?
  Qu'est-ce que vous me recommandez?
- **Pour donner un conseil:**
  Prenez ces comprimés/ce médicament.
  Nous avons / Il y a } de la crème.
  Vous avez besoin d'un pansement/d'une ordonnance.
  Je vous recommande / Je peux vous recommander } ces pastilles.
  Je vous conseille de consulter votre médecin.

Interlude

Le Rire médecin

Depuis 1991, une troupe de clowns professionnels entre dans des hôpitaux de Paris et de Nantes pour rendre visite aux enfants malades. Ils travaillent en collaboration avec les équipes médicales, mais les remèdes qu'ils offrent sont la musique, la farce, la magie, les jeux et la rigolade ....

Comment est née l'idée du Rire médecin?
La créatrice, Caroline Simonds (alias Docteur Girafe) a travaillé dans une troupe de clowns dans les hôpitaux de New York. Ensuite, elle a voulu faire profiter la France de son expérience de clown-docteur.

Comment se passe une journée de travail?
Les clowns – Dr Chou-Fleur, Dr Moustique, Dr Basket, etc – travaillent par équipe de deux et viennent deux jours par semaine. Quand ils arrivent à l'hôpital, le matin, ils prennent un café avec le personnel avant de se maquiller. Puis, dans les chambres, les salles d'attente, les soins intensifs et l'hôpital de jour, ils improvisent des séances de jeux et de musique. Tout dépend des enfants et de ce qu'ils désirent.

Y a-t-il une formation particulière?
Les clowns sont des professionnels (musiciens, conteurs, jongleurs et magiciens) qui apprennent à adapter leur jeu à l'univers hospitalier.

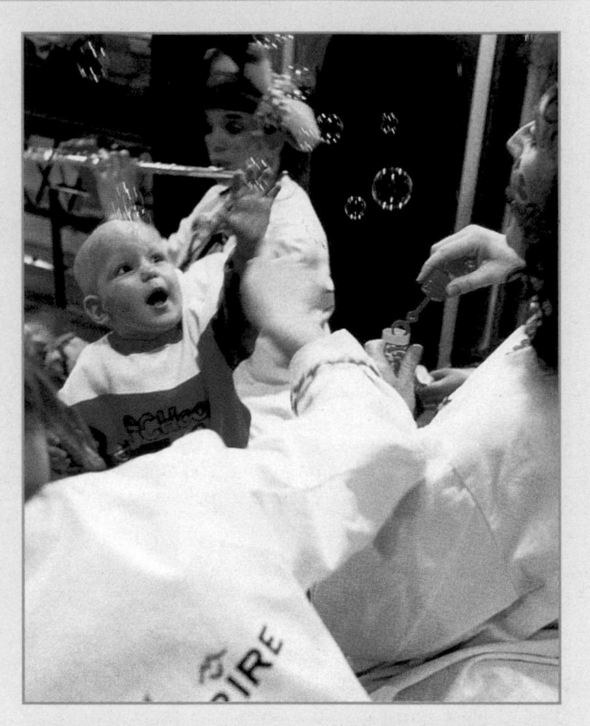

1 Pouvez-vous suggérer d'autres formes de remèdes non-médicaux?
Exemple: Des musiciens, avec des instruments simples à donner aux enfants.

On prend rendez-vous

1 Ecoutez les quatre conversations. Trouvez le rendez-vous qui correspond à chaque personne.
Exemple: 1 c

2 Recréez une des conversations ensemble.

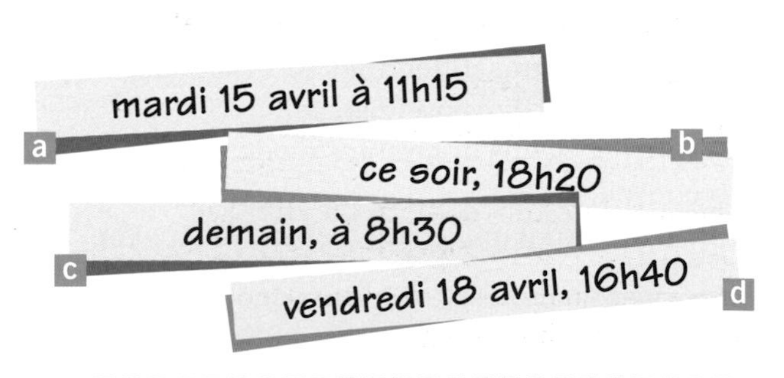

Expressions-clés

Je voudrais voir/prendre un rendez-vous avec le médecin/le dentiste/l'oculiste, s'il vous plaît.
Est-ce que je pourrais voir/prendre un rendez-vous avec le médecin/le dentiste?
C'est urgent.
Quand est-ce que vous pouvez venir?
Quel jour/Quelle heure vous convient le mieux?
Le plus tôt possible/Demain/Aujourd'hui, si c'est possible.
Vers dix heures/Dans la matinée/Dans l'après-midi.

OPINIONS

Pour ou contre le tabac?

Hélène, qui habite Daguenne, pose la question d'aujourd'hui:

« J'essaie, dans mon collège, de mener une campagne antitabac. Je voudrais savoir ce que vous en pensez. Pourquoi ceux qui fument, fument-ils? Quel plaisir cela peut-il apporter? D'autre part, approuvez-vous l'idée de ne plus fumer dans les lieux publics? »

A « J'AI QUATRE RAISONS DE NE PAS FUMER »

Hélène, comme toi, je suis contre le tabac. A mon avis, ceux qui fument le font pour frimer, et je ne vois pas du tout ce que ça leur apporte. Je suis d'accord d'interdire de fumer en public, pour moins inciter les gens à fumer.

Si ça peut te faire plaisir, Hélène, moi, je ne fume pas, pour quatre raisons. La première : je veux faire du vélo. La deuxième : ça coûte cher. La troisième : je veux protéger ma santé. La quatrième : je ne sais pas ce que ça rapporte.

Fabrice, Landéon (35).

B « JE FUME, LA SEULE CHOSE QUE JE PEUX DIRE, C'EST DE NE PAS COMMENCER »

Si j'écris, c'est parce que, moi-même, je fume. Je n'ai pas honte de l'avouer. Je ne suis ni pour ni contre le tabac. La seule chose que je peux dire, c'est de ne pas commencer, parce que c'est difficile de s'arrêter.

J'ai commencé à fumer l'an dernier à cause de mes amis, et, maintenant, j'y suis habituée. Quand je suis énervée, je prends une cigarette et je me détends. J'ai du plaisir à fumer. Gros bisous à tous les lecteurs.

Joseline, Paris 17e.

C « ON PEUT SE CALMER AUTREMENT QU'EN FUMANT »

Hélène, ta question est super intéressante. Je suis à 100 % de ton côté. Je me demande également pourquoi des jeunes de notre âge fument. C'est très souvent pour « faire comme les autres », « pour être bien vu des copains » ...

Une fois que l'on est pris dans « le jeu », on ne peut plus s'en passer. On fume pour se calmer les nerfs, mais il y a, sans doute, des moyens moins chers pour ça, et sûrement moins dangereux!

Anne-Claire, Romagnat (63).

D « ON FUME POUR MONTRER AUX COPAINS QU'ON EST "CAPABLE" »

Je trouve que la question est très intéressante. Pour moi, les campagnes antitabac ne servent presque à rien. En effet, les gens qui fument ne vont pas s'arrêter comme ça.

Le plaisir apporté? Pour certaines personnes, ça sert à se calmer, mais, en fait, c'est le plaisir de montrer aux copains qu'on est « capable ».

A l'école, j'ai des copains qui fument (en cachette, bien sûr!) et qui me proposent des cigarettes, de temps en temps. J'en ai accepté quelques-unes. De toute façon, c'est à toi de faire ton choix : tu fumes ou non. »

Stéphane, Genay (69).

Okapi

1 Lisez les lettres. Qui est pour? Qui est contre?

2 Répondez aux questions.
- **a** Qui fume quand elle est énervée?
- **b** Qui trouve les campagnes antitabac inutiles?
- **c** Qui veut interdire de fumer en public?
- **d** Qui trouve que les cigarettes coûtent cher?
- **e** Qui a commencé à fumer l'an dernier?
- **f** Quel sport fait Fabrice?

3 Ecoutez les auditeurs qui téléphonent à une émission de radio sur le tabac.
- **a** Combien de jeunes sont pour le tabac? Combien sont contre?
- **b** Ecoutez de nouveau. Vrai ou faux?
  - *1* En France un jeune sur dix fume.
  - *2* Les adolescents français fument plus que les adolescents d'autres pays européens.
  - *3* 50% du prix d'un paquet va à l'Etat.
  - *4* Si les parents fument, les enfants risquent d'en subir les conséquences.
  - *5* Le tabac ne cause pas de rides.

4 Ecoutez l'émission encore une fois et relisez les lettres. Faites une liste des arguments *pour* et des arguments *contre*.

5 Donnez votre avis.
- **a** Ecrivez une lettre à *Okapi* pour répondre aux questions d'Hélène.
- **b** Enregistrez avec d'autres étudiants une émission de radio où les auditeurs téléphonent pour donner leur avis sur le tabac.

Expressions utiles

pour	contre
Je suis pour ...	Je suis contre ...
Je suis d'accord.	Je ne suis pas d'accord
C'est vrai.	Ce n'est pas vrai/C'est faux.
Tu as/Vous avez raison.	Tu as/Vous avez tort.
Moi aussi.	Moi non plus.
C'est bien/formidable.	Ce n'est pas bien.
C'est une (très) bonne idée.	C'est scandaleux!

ZOOM sur les pronoms: le (ou l'), la (ou l'), les

10b

Question: Qu'est-ce que c'est qu'un **pronom**?
Réponse: C'est un petit mot qui évite la répétition d'un **nom**.

Exemples:
Tu aimes **les pastilles**? Oui, je **les** aime beaucoup.
Tu connais **mon dentiste**? Mais oui, je **le** connais bien.
Elle cherche **la pharmacie** et elle **la** trouve.

Où est le pronom en français: avant ou après le verbe? Comparez avec l'anglais.

Je la préfère.	*I prefer it.*
Elle l'adore.	*She loves it.*
Il les déteste.	*He hates them.*

10e

1 Lisez les gros titres. Cherchez les pronoms. Dans chaque titre, quel mot est représenté par le pronom?
Exemple: *Voici un comprimé. Vous le prenez tout de suite.*
le = le comprimé

Votre corps est en danger! Les microbes l'attaquent!

Les épidémies mortelles:
est-ce possible de les combattre?

SIDA: les scientifiques cherchent un vaccin. Quand vont-ils le trouver?

La grippe: comment la soigner?

2 Complétez les réponses avec *le, la* ou *les.*
Exemple: *Il prend ses comprimés? Oui, il les prend.*

a Tu connais le dentiste ici? Oui, je ...... connais bien.
b Vous regardez la télévision? Oui, je ...... regarde de temps de temps.
c Ils prennent ces vitamines? Bien sûr, ils ...... prennent tous les jours.
d Tu préfères le vélo bleu? Oui, je ...... préfère.

Question: Où va le **pronom** quand il y a une **négation**?

Exemples:
Elle ne **le** regarde pas.
Ils ne **les** comprennent pas.
Vous ne **la** portez pas pour aller au lycée.
Je ne **le** trouve jamais.

Réponse: Après **ne** et avant le verbe.

3 Remplacez par des pronoms les mots soulignés.
Exemple: *Le médecin ne touche pas la blessure.*
Le médecin ne la touche pas.

a Je ne prends pas ce médicament le soir.
b Le pharmacien ne regarde pas la piqûre.
c Il n'utilise pas cette crème antiseptique.
d On n'appelle pas l'ambulance tout de suite.

Question: Où va le **pronom** quand il y a **un verbe et un infinitif** dans une phrase?

Exemples:
Tu dois **le** faire tout de suite.
L'infirmière? Nous voulons **la** voir avant de partir.
Vous voulez **l'**acheter?
Je peux **les** chercher demain.

Réponse: Entre le verbe et l'infinitif.

4 Remplacez par des pronoms les mots soulignés.

a Je veux voir Michel demain.
b Je dois donner cette ordonnance au pharmacien.
c Vous allez appliquer la crème deux fois par jour.
d Il peut essayer mes comprimés.

Question: Quel pronom remplace une idée ou un groupe de mots?

Exemples:
Faire de l'exercice, c'est essentiel. Tout le monde le sait.
On ne donne pas d'aspirine à une personne qui saigne: ne l'oubliez pas!
Il faut éviter certains aliments, je le sais.

Réponse: **le** ou **l'**.

Jeu-test: Pourrez-vous vivre jusqu'à 100 ans?

1. Vous avez un livre qui appartient à un copain qui habite à deux kilomètres de chez vous.
- a) Je ne fais rien. S'il le veut, il viendra le chercher. — 1 point
- b) Je le donnerai à mon copain la prochaine fois que nous serons ensemble. — 2 points
- c) Je vais chez lui à pied ou à vélo pour le lui rendre. — 3 points

2. Vous avez une minute. Faites des abdominaux. Quel est votre total?
- a) Entre 1 et 5 abdominaux. — 1 point
- b) Entre 6 et 10 abdominaux. — 2 points
- c) 11 abdominaux ou plus. — 3 points

3. Le week-end, une copine vous invite à sortir.
- a) Je préfère rester à la maison et regarder la télévision. — 1 point
- b) Je propose une sortie au cinéma ou une promenade. — 2 points
- c) Je propose un match de tennis ou une randonnée. — 3 points

4. Faites du jogging pendant cinq minutes. Comment ça va?
- a) Ça va bien. Je suis en forme. — 3 points
- b) Ça va. Je ne suis pas trop fatigué(e). — 2 points
- c) Ça ne va pas. Je suis très fatigué(e). — 1 point

5. Que pensez-vous du sport au collège?
- a) Je l'adore. — 3 points
- b) Je le déteste. — 1 point
- c) Ça dépend des jours. — 2 points

6. Regardez-vous souvent la télévision?
- a) Je ne la regarde pas tous les jours. — 3 points
- b) Je la regarde une ou deux heures par jour maximum. — 2 points
- c) Je la regarde plus de deux heures par jour. — 1 point

7. Pour fêter votre anniversaire, vous choisissez:
- a) un hamburger et des frites. — 1 point
- b) une pizza ou un repas chinois. — 2 points
- c) une salade. — 3 points

8. Quel est votre dessert préféré?
- a) Les desserts, je ne les mange jamais. — 3 point
- b) Je mange des fruits ou un yaourt. — 2 points.
- c) Je préfère un gâteau au chocolat. — 1 points

9. Est-ce qu'il est important pour vous d'être en forme?
- a) très important — 3 points
- b) assez important — 2 points
- c) Je n'y pense pas. — 1 point

Notre analyse:

Entre 22 et 27 points: Bravo! Vous avez toutes les chances de vivre jusqu'à 100 ans. Mais attention: ne devenez pas fanatique de la forme.

Entre 15 et 21 points: Vivre jusqu'à 100 ans, pourquoi pas? ... avec un tout petit peu plus d'effort!

Entre 9 et 14 points: Si vous avez envie de vivre jusqu'à 100 ans, vous avez intérêt à mener une vie plus active. Faites du sport

Savez-vous ... ?

- dire ce que vous faites pour être en forme
- dire ce qui ne va pas quand vous êtes malade
- demander des conseils et acheter quelque chose dans une pharmacie
- prendre un rendez-vous chez le médecin ou le dentiste
- donner votre avis sur le tabac
- en intonation, faire la différence entre une question et une affirmation

Et en grammaire ... ?

- les expressions construites avec *avoir*
- *me, te* (pronoms d'objet direct et indirect)
- *le, la, l', les* (pronoms d'objet direct)

UNITÉ 4

Collège et collégiens

- La visite d'un collège
- C'est comment l'école, ailleurs?
- Des Français parlent de l'école en Grande-Bretagne
- Préparez-vous à l'examen!
- Les délégués de classe

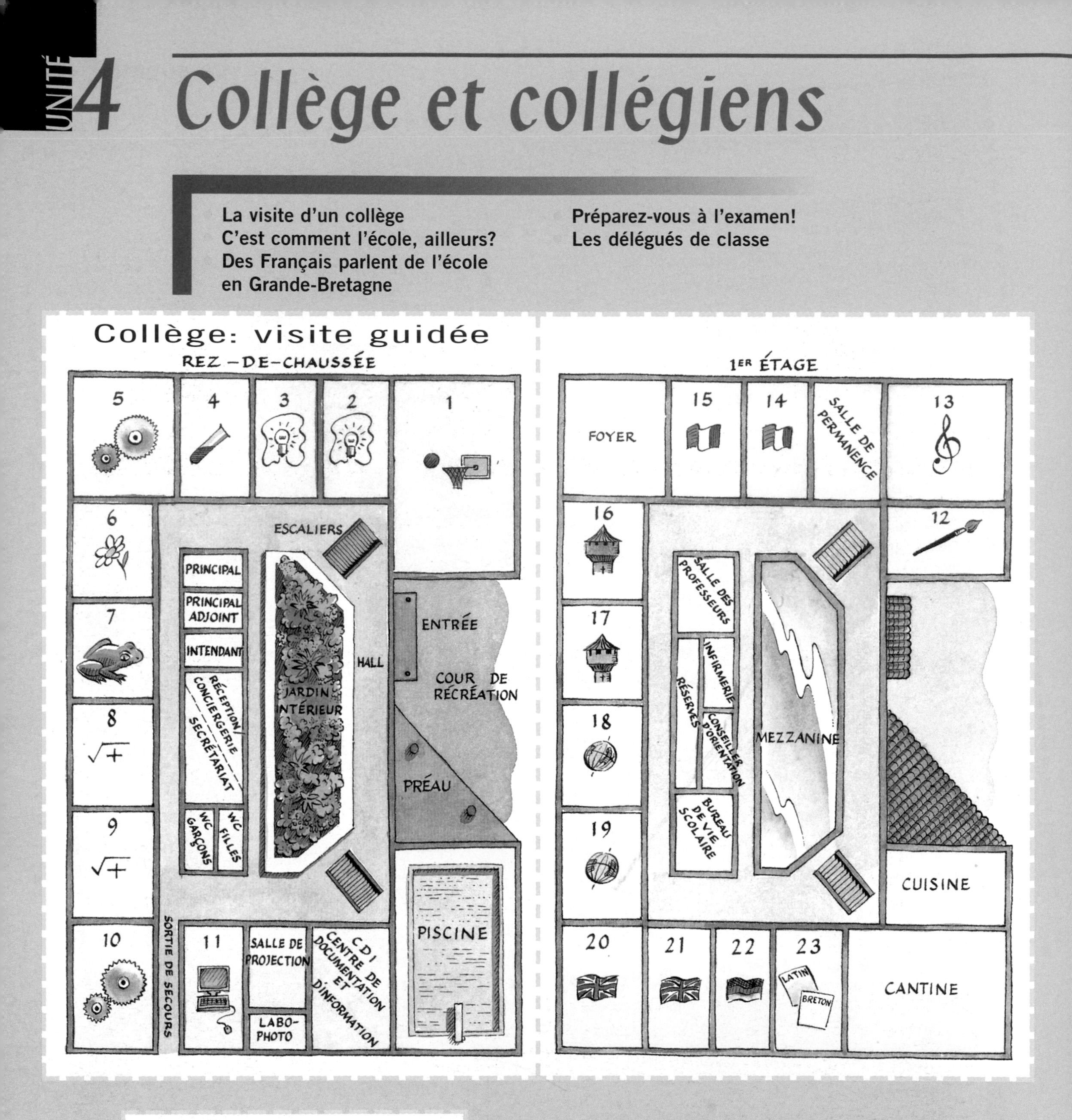

Les matières
allemand anglais chimie dessin
EMT (éducation manuelle et technique)
EPS (éducation physique et sportive)
français géographie histoire
informatique latin/langue régionale
mathématiques musique physique
sciences naturelles

1 Reliez les salles de classe et les matières.
Exemple: 1 = EPS

2 A vous de faire le plan de votre école (en français).

3 Ecoutez. Où veulent aller les cinq personnes?

4 Ecoutez des élèves parler de l'école.
Qui fait une erreur? Quelle est l'erreur?

Reportage: L'école à travers le monde

Trois jeunes nous répondent.

Questionnaire

L'ÉCOLE
- comment s'appelle-t-elle?
- comment est-elle? (bâtiments, équipements, ambiance)
- combien y a-t-il d'élèves en tout? (et par classe?)

LES HORAIRES
- l'année scolaire commence et finit quand?
- une journée commence et finit quand?
- combien de temps dure un cours? (la récré? le déjeuner?)

LES MATIÈRES
- quelles matières étudiez-vous?
- avez-vous beaucoup de devoirs?
- préparez-vous un examen?

LA VIE SCOLAIRE
- comment allez-vous à l'école?
- mangez-vous à la cantine?
- quelles activités faites-vous en dehors des cours?

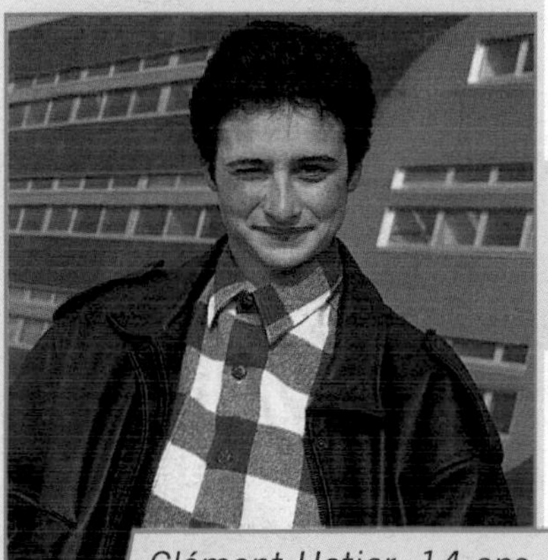

Clément Hatier, 14 ans, en troisième à l'Ecole alsacienne, à Paris

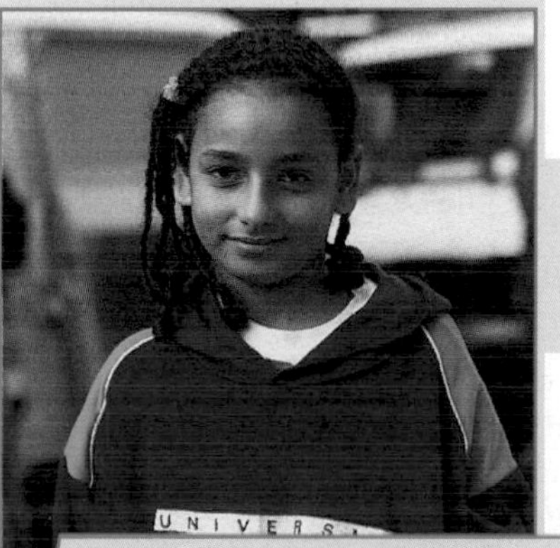

Fatimanta Sékou, 14 ans, en troisième au lycée Saint-Martin, à Bamako, Mali

Gilles Laurencin, 15 ans, en troisième à l'Ecole polyvalente Sainte-Geneviève, à Montréal

UNITÉ 4

Reportage: L'école à travers le monde

L'ÉCOLE À TRAVERS LE MONDE

Participez à notre reportage et répondez au questionnaire (page 49)! Voici des activités pour vous aider.

L'ÉCOLE

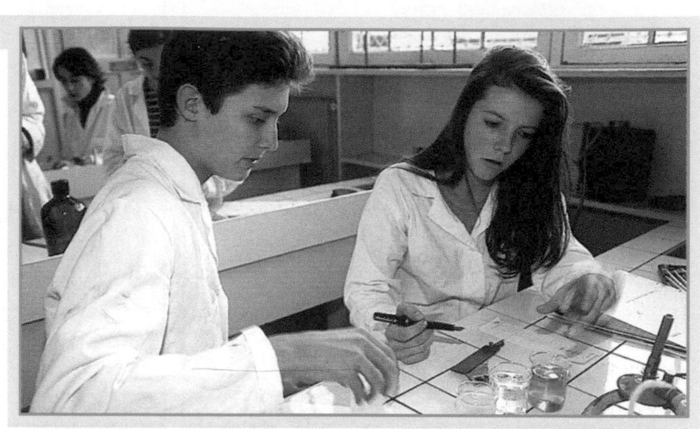

1 a Ecoutez Clément. Recopiez ce résumé et corrigez les six fautes.

Il est dans une école privée. Elle n'a pas bonne réputation. Les bâtiments sont grands, mais vieux et mal équipés. L'ambiance est très sympa. Il y a environ 600 élèves, de 10 à 18 ans. Il y a 35 élèves par classe.

b A vous de décrire votre école. Dites si vous l'aimez et pourquoi.

LES HORAIRES

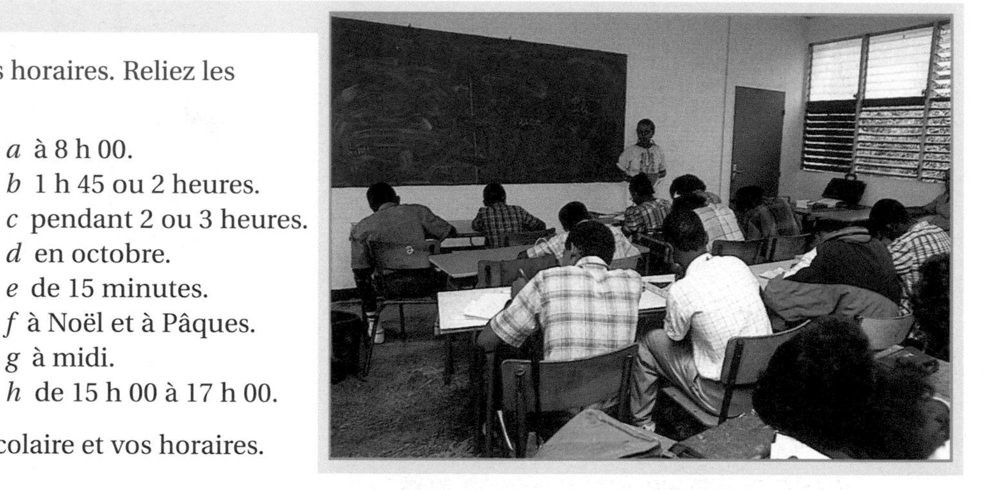

2 a Ecoutez Fatimanta parler de ses horaires. Reliez les débuts et les fins de phrases.

1 La rentrée, c'est ...	*a* à 8 h 00.
2 Les cours commencent ...	*b* 1 h 45 ou 2 heures.
3 On a une récréation ...	*c* pendant 2 ou 3 heures.
4 Le déjeuner est ...	*d* en octobre.
5 L'après-midi, on a cours ...	*e* de 15 minutes.
6 Chaque cours dure ...	*f* à Noël et à Pâques.
7 Le soir, on fait des devoirs ...	*g* à midi.
8 On est en vacances ...	*h* de 15 h 00 à 17 h 00.

b A vous de décrire votre année scolaire et vos horaires.

LES MATIÈRES

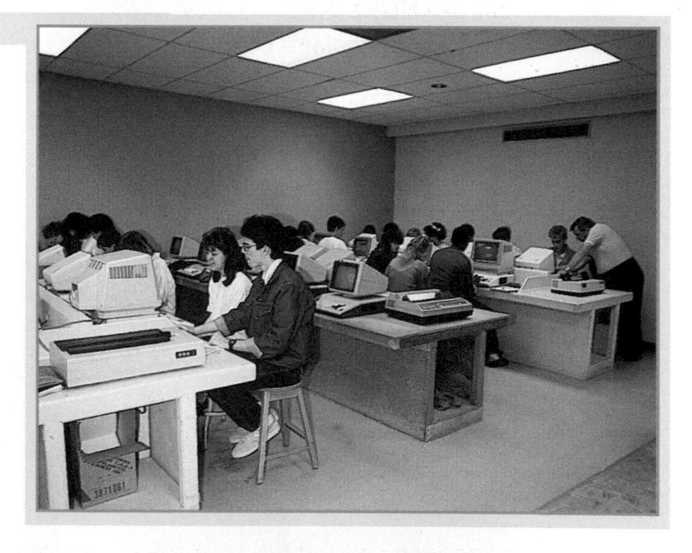

3 a Ecoutez Gilles décrire les matières scolaires au Québec. Faites trois listes: *1* ses cours obligatoires, *2* cours obligatoires cette année, *3* cours en option.

anglais art dramatique biologie français
géographie histoire latin maths sciences
technologie éducation physique
éducation au choix de carrière
enseignement moral et religieux
formation personnelle et sociale

b Quelles matières sont décrites ici?

a En ......, on apprend à choisir un métier et à organiser ses études.

b En ......, on apprend comment être en bonne santé et comment bien vivre en société.

c En ......, on étudie les valeurs morales et religieuses de notre communauté.

c A vous de parler de vos matières!

Mots francophones

(Mali) l'ouverture = la rentrée des classes
la fermeture = la fin de l'année
le droudrou-ni = voiture bâchée, taxi

(Québec) le dîner = le déjeuner

LA VIE SCOLAIRE

4 Réécoutez les trois interviews et répondez de mémoire.

a Les transports. Complétez:

Clément: Je vais à l'école en ...... ou avec ma mère, en ....

Fatimanta: Eh ben, comme j'habite loin, j'y vais en .... D'autres élèves vont à ...... ou à ....

Gilles: J'y vais à ...... ou en ...... , ça dépend. Quand il y a trop de neige, je prends l'...... .

b Le déjeuner. C'est quelle école?

a On mange du riz au gras et du founiou à la cantine.

b Ce n'est pas bon à la cantine. On mange chez nous ou chez des copains.

c On mange à la cafétéria ou des sandwiches dans la cour ou au foyer.

c Quelles activités extra-scolaires sont mentionnées par les trois jeunes?

a faire partie d'une équipe de sport

b participer au journal de l'école

c s'occuper d'une radio scolaire

d faire une visite, une excursion, un voyage

e créer un club d'aide au tiers-monde

f organiser des fêtes

g être membre d'un club

d Décrivez votre vie scolaire (transport, cantine, activités et clubs) à votre correspondant(e), par écrit ou sur cassette.

5 Maintenant, vous êtes prêt(e)s à faire le reportage entier sur votre école. Ecrivez un article et/ou enregistrez l'interview de votre partenaire.
Choisissez un style:
- utilisez beaucoup de questions (comme pour Clément)
- donnez le plus possible de détails (comme Fatimanta)
- parlez une ou deux minutes (comme Gilles)

Pour vous aider: regardez le questionnaire page 49 et les expressions-clés.

Expressions-clés

Mon école s'appelle ...
C'est une école moderne/bien équipée.
Il y a ... élèves (par classe).
Je suis en classe de ...

Les cours commencent/finissent à .../durent ...
La récré/Le déjeuner dure ...
L'année scolaire va de ... à ...
On est en vacances en .../à ...

Comme matières obligatoires/optionnelles, je fais ...
Je suis bon(ne)/nul(le) en ...
J'adore/Je déteste le/la/les ...
J'ai ... heures de devoirs.
Je prépare l'examen, le ...

Je vais à l'école à pied/en bus.
Je mange à la cantine/au foyer/à la maison.
Je suis membre du club de photo.
Je fais partie de l'équipe de foot.
Je suis allé(e) en voyage/en excursion à ...

UNITÉ 4

Points de vue

« Comment imaginez-vous l'école en Grande-Bretagne? »
On a posé cette question à des élèves français.

Dans toutes les écoles anglaises, on doit porter un uniforme. Moi, je trouve ça ridicule.
Etienne

Je pense que les élèves britanniques participent beaucoup à la vie de leur école: ils sont membres de clubs, ils font beaucoup d'activités avec leurs profs en dehors des cours. Moi, je trouve ça sympa.
Patrick

Moi, j'imagine les écoles anglaises comme dans les livres de Dickens: des bâtiments vieux et moches, des profs froids et sévères, une ambiance glacée, pas beaucoup d'équipements, une cour de récréation minuscule!
Sylvain

Leur emploi du temps n'est pas très chargé: les cours commencent tard le matin, ils finissent tôt l'après-midi et ils ne durent pas longtemps. Je crois aussi qu'il y a plus de vacances qu'ici.
Sonia

Pour moi, les Anglais travaillent moins que nous: les matières sont plus faciles et ils ont moins de devoirs le soir. L'après-midi, ils font seulement du sport ou des matières artistiques.
Aïcha

Je crois que dans les écoles britanniques, on fait beaucoup de voyages. Par exemple, ils viennent souvent en France, en échange. Je trouve ça bien.
Luc

Attention! Beaucoup de Français disent *anglais* pour dire *britannique*.

1 a Lisez les réponses. Vous êtes d'accord? Pas d'accord?

b Ecrivez ou enregistrez vos réactions. Expliquez pourquoi vous êtes ou n'êtes pas d'accord. (Utilisez les expressions de l'unité 3, page 45!)

2 Dites comment vous imaginez les écoles en France. Discutez en classe.

3 En groupes, écrivez ou enregistrez un résumé de la discussion pour votre classe-partenaire.

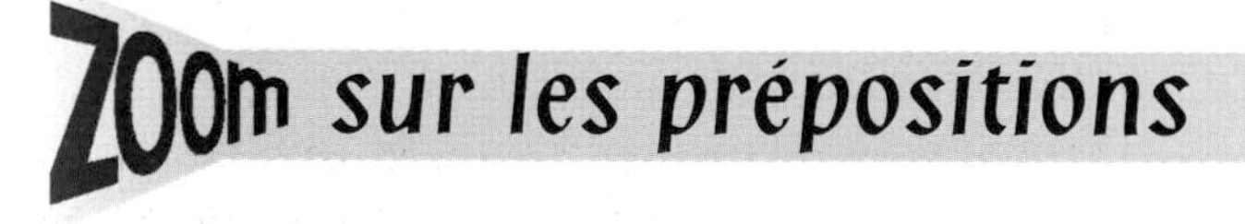

à après avec chez dans de depuis
devant en entre par pendant pour
près de sauf sous sur vers

Qu'est-ce que tous ces petits mots ont en commun? Ils viennent avant d'autres mots ou groupes de mots: ce sont des prépositions.

Chaque préposition a différentes significations. Ça dépend des mots qui la suivent.
Exemples avec *à*, *en* et *de*:
à midi à Paris à vélo
en juin en France en bus en anglais
de 8 h à 10 h de l'école de français

1 Retrouvez le plus possible de ces prépositions aux pages 49–52. Qui gagne?

Attention!

à + la = à la	de + la = de la
à + le = au	de + le = du
à + l' = à l'	de + l' = de l'
à + les = aux	de + les = des

2 Recopiez et complétez avec la bonne préposition: *à*, *de* ou *en*

– Tu vas ...... l'école ...... train?
– Non, je vais ...... l'école ...... pied ou ...... vélo. L'école n'est pas loin ...... la maison.
– Tu as cours ...... quelle heure?
– Je commence ...... 9 h et j'ai une récré ...... 10 h 15 ...... 10 h 30.
– Quand es-tu ...... vacances?
– ...... juillet ...... septembre et aussi deux semaines ...... décembre et ...... Pâques.

Cap sur l'examen!

Des trucs et des conseils pour vous préparer à passer les examens en douceur!

1 Apprends à t'organiser: si tu travailles trop, ou trop tard, tu risques de saturer et tu n'arriveras plus à mémoriser. N'oublie pas de te relaxer: par exemple, tu peux faire du sport ou une promenade pour t'oxygéner!

2 Si tu n'as pas envie de paniquer à la dernière minute, commence à réviser bien avant l'examen: ça te permet de prendre ton temps. Un bon truc: essaie de lire tes notes à haute voix dix minutes tous les soirs.

3 Fais travailler ta mémoire visuelle: recopie tes notes sur un beau cahier et écris les points-clés ou le vocabulaire sur des Post-it. Puis tu peux les coller un peu partout (cuisine, WC...), ça t'aide à mémoriser! Pour la mémoire auditive, enregistre-toi sur une cassette et écoute-la souvent.

4 Si l'oral te fait peur, entraîne-toi à parler avec un partenaire. Le jour de l'examen, mets des vêtements confortables, pense à respirer lentement et imagine que le prof est un ami de la famille!

5 Si tu veux être en forme, mange bien. Si tu ne peux pas t'empêcher de grignoter, remplace les friandises par des fruits secs. Fais attention à ne pas trop boire d'excitants (thé, café ou Coca). Remplace par de l'eau gazeuse.

6 Evite absolument de prendre des médicaments anti-stress: ils risquent de te rendre malade. Pour éviter le stress pendant cette période difficile, trois règles d'or: bien dormir, bien manger, bien se détendre.

7 Deux jours avant l'examen, les profs conseillent à leurs élèves d'arrêter de travailler. Ils recommandent aux esprits fatigués de sortir s'amuser! Alors, dis à tes parents de te laisser en paix!

1 Lisez les conseils. Choisissez un titre pour chacun:

- **a** Le stress? Connais pas!
- **b** La mémoire a des yeux et des oreilles!
- **c** Jour J – 2: au repos!
- **d** Pas de panique à l'oral
- **e** Les révisions: une course de fond, pas un sprint!
- **f** Le mot-clé: l'organisation
- **g** Manger, boire, mais pas n'importe quoi!

2 Ecoutez et choisissez un conseil pour chaque jeune.

3 **a** Faites une liste de vos problèmes de révisions et d'examens.
Exemple: *Je n'arrive pas à .../C'est difficile de ...*

b A deux ou en groupe, essayez de trouver une solution aux problèmes. Vous pouvez utiliser les verbes du *Zoom*, page 54.

Zoom sur les verbes et l'infinitif

Retrouvez ces verbes dans l'article page 53.
Qu'est-ce qui vient après ces verbes?

apprendre *oublier* *éviter* *essayer*
s'entraîner *penser* *faire attention*

Ils sont tous suivis de **à** ou **de** (**d'**) plus un autre verbe à l'infinitif.
Exemples: **Apprends à** t'organiser.
N'**oublie** pas **de** te relaxer.

24

1 Trouvez d'autres exemples. Faites deux listes: verbes suivis de *à* + *infinitif* et verbes suivis de *de* + *infinitif*.

Certains verbes sont suivis de **à + personne** et de **de + infinitif**.
Exemple: Les profs **conseillent à** leurs élèves **d'**arrêter.

Certains verbes sont suivis directement d'un infinitif, sans préposition.
Exemple: Tu **veux** être en forme.

2 Trouvez d'autres exemples, page 53.

3 Recopiez et complétez les phrases avec *à* ou *de* (*d'*), si nécessaire.

- **a** On apprend ...... nager en éducation physique.
- **b** Je ne risque pas ...... oublier le date de la rentrée!
- **c** Les profs n'aiment pas ...... répéter toujours la même chose!
- **d** Je n'arrive pas ...... travailler dans le bruit.
- **e** J'ai commencé ...... écrire une lettre à mon correspondant.
- **f** Essaie ...... faire tes devoirs plus tôt.
- **g** N'oubliez pas ...... apprendre le vocabulaire!
- **h** Je veux ...... continuer mes études d'anglais.

Interview avec une surveillante

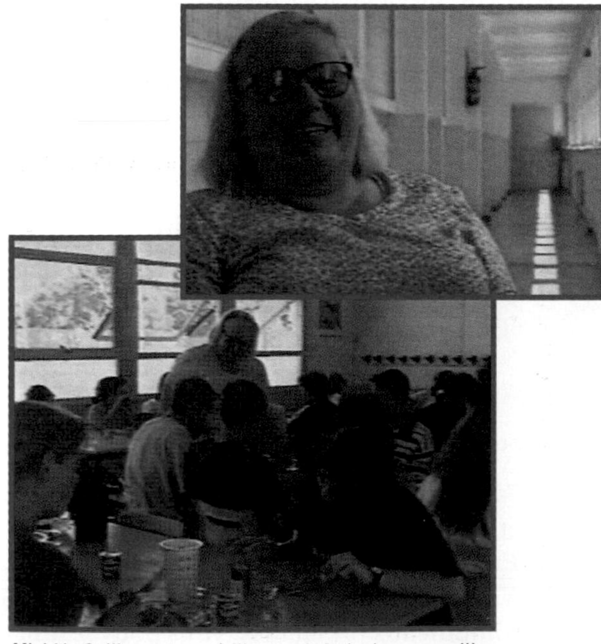

Michèle Guillaumot, surveillante générale dans un collège près de Nantes

1 Devinez l'ordre de l'emploi du temps de Mme Guillaumot le matin. ***Exemple:*** *1e, ...*
Ecoutez la cassette pour vérifier.

- **a** Les élèves rentrent en classe.
- **b** Première sonnerie.
- **c** Deuxième sonnerie.
- **d** Elle remplace les profs absents.
- **e** Elle arrive au collège.
- **f** Des élèves viennent chercher le cahier d'appel.
- **g** Elle ouvre les portes des classes.
- **h** On ouvre les portes du collège.

2 Qu'est-ce que Mme Guillaumot aime dans son métier?

- **a** les horaires
- **b** le contact avec les profs
- **c** les vacances
- **d** le contact avec les jeunes

3 Y a-t-il un(e) surveillant(e) général(e) dans votre école?

OPINIONS

Les délégués de classe

1 Lisez l'article, puis lisez ces phrases et choisissez.

1 Les délégués de classe, ce sont:
- **a** des profs
- **b** des élèves.

2 Ils sont élus par:
- **a** les profs
- **b** les élèves
- **c** l'administration.

3 Un conseil de classe, c'est une réunion avec:
- **a** le documentaliste
- **b** les délégués des parents
- **c** le conseiller d'éducation
- **d** les délégués de classe
- **e** l'intendant
- **f** les profs
- **g** le concierge
- **h** le principal.

4 Pour être délégué, il faut avoir:
- **a** des conditions particulières
- **b** de la motivation.

Devenir délégué de classe

Organisées quelques semaines après la rentrée, les élections des délégués de classe vous permettent d'être représentés par d'autres élèves auprès des professeurs et de l'administration de votre établissement.

Les délégués (deux par classe) transmettent vos avis, vos opinions, vos difficultés au chef d'établissement, au conseil de classe ou encore au conseil d'administration. Ils font circuler les informations.

Ils vous font le compte-rendu des conseils de classe, auxquels ils participent au même titre que le principal, les professeurs, les délégués des parents, le conseiller d'éducation.

Vous voulez devenir délégué de classe? Il n'y a pas de conditions particulières pour se présenter. Il suffit d'être motivé.

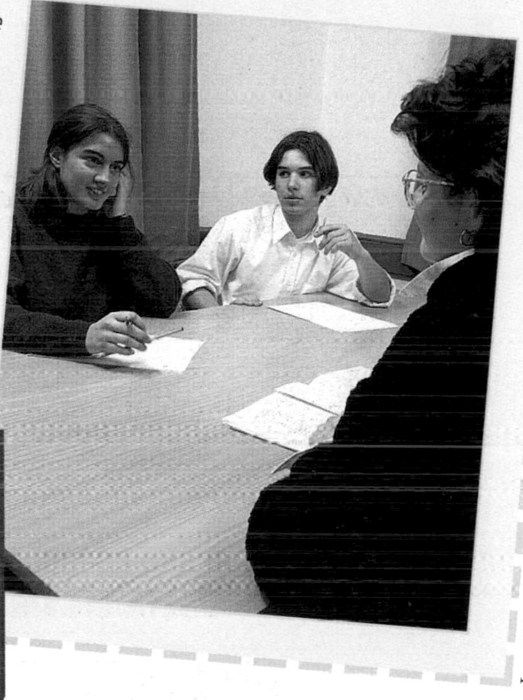

Les Clés de l'Actualité

Classe de 3ème C - Collège Jacques Prévert
Bilan de vie scolaire

A Aspects à discuter	B Propositions	C Démarches pratiques
pas assez d'activités en dehors des cours	*ouvrir un club de théâtre*	*demander des conseils au prof de français*

2 **a** Ecoutez (plusieurs fois) des élèves discuter avec leurs délégués. Recopiez et complétez le tableau.
b Réécoutez et repérez les expressions utiles.

3 Imaginez, il y a un conseil de classe dans votre école. Faites une liste des problèmes. Discutez avec le reste de la classe.

4 Vous êtes candidats aux élections de délégués! Présentez vos solutions aux problèmes de l'activité 3. La classe va voter pour les candidats qui ont les meilleures solutions!

Exemple:
Nous pensons qu'il n'y a pas assez de clubs. Nous avons envie d'ouvrir un club de français. On propose de demander à l'assistante française de participer. On a aussi l'intention de créer un journal ...

Expressions utiles

- **Pour suggérer ou proposer quelque chose:**
  je/on propose de / je/on suggère de / on pourrait } + infinitif
- **Pour dire ce qu'on voudrait faire:**
  je voudrais/on voudrait / j'aimerais/on aimerait / j'ai/on a envie de } + infinitif
- **Pour dire ce qu'on espère faire:**
  je/on compte / j'ai/on a l'intention de / j'/on envisage de } + infinitif
- **Pour donner son avis:**
  regardez les expressions aux pages 20 et 45.

Interlude

Le Cancre

Il dit non avec la tête
mais il dit oui avec le cœur
il dit oui à ce qu'il aime
il dit non au professeur
il est debout
on le questionne
et tous les problèmes sont posés
soudain le fou rire le prend
et il efface tout
les chiffres et les mots
les dates et les noms
les phrases et les pièges
et malgré les menaces du maître
sous les huées des enfants prodiges
avec des craies de toutes les couleurs
sur le tableau noir du malheur
il dessine le visage du bonheur.

Jacques Prévert, Paroles
© Editions Gallimard

1 Reliez les mots et leur définition.

mots/expressions	*définitions*
le cancre	faire disparaître
debout	cris hostiles
effacer	élève nul et paresseux
le piège	geste de colère
la menace	sur ses pieds
les huées	*ici:* une question difficile

2 Relisez *Le Cancre.* Notez:

a les expressions ou images négatives.
Exemples: *il dit non, les problèmes*

b les expressions ou images positives.
Exemples: *il dit oui, le fou rire*

A votre avis, Prévert aimait-il l'école?

Ça se dit comme ça!

Attention aux mots en *-tion* et *-sion*!

1 a Ecoutez bien comment prononcer ces mots en français. Quels sont les trois intrus?
projection révision excursion orientation
intention télévision information
condition décision pension

b Répétez après la cassette.

2 Dites ces phrases et vérifiez avec la cassette.

C'est la décision de l'administration de la pension. Tu as raison, cette émission de télévision a mauvaise réputation.

Choisir le bon registre

ASTUCES

Pour différentes situations, il y a plusieurs langages ou 'registres'. Cela veut dire que:
- on dit *tu* (= 'registre familier') ou *vous* (= 'registre soutenu') à quelqu'un;
- on ne pose pas les questions de la même façon;
- on utilise un vocabulaire différent.

1 Quand utilise-t-on chaque registre? Faites deux listes: registre familier registre soutenu
entre copains avec sa famille avec un prof
avec un examinateur chez un correspondant
pendant un conseil de classe pendant un stage

2 Dites à quel registre appartiennent les expressions de chaque paire:

Bonjour!
Salut!

Ça, c'est mon copain Patrick.
Je vous présente mon ami Patrick.

Vous pouvez me dire où est le bureau du surveillant?
Où il est, le bureau du pion?

3 **a** Ecoutez. Simon est nouveau au collège. Pour chaque phrase, décidez s'il parle à un élève (*E*) ou à un adulte (*A*).
b Ecoutez la suite pour vérifier.

Attention! Le langage écrit et le langage parlé ne sont pas toujours pareils.

4 Paul voudrait des renseignements sur sa nouvelle école. Lisez chaque texte et décidez si c'est une lettre ou un coup de téléphone, et s'il s'adresse au principal ou à un copain.
a Je vous serais reconnaissant de bien vouloir m'envoyer des renseignements sur votre établissement.
b Peux-tu me parler un peu de l'école, me dire comment c'est, quelle ambiance il y a?
c Est-ce que vous pouvez me donner des renseignements sur votre école, s'il vous plaît?
d Oui, alors, c'est comment euh ... ce bahut? Y a une bonne ambiance?

Savez-vous ... ?
- parler de votre école et des matières
- décrire les horaires et la vie scolaire
- donner votre opinion sur l'école
- donner des conseils pour réviser
- suggérer des idées pour améliorer votre vie scolaire
- reconnaître et utiliser le bon registre
- bien prononcer les mots en *-tion* et *-sion*

Et en grammaire ... ?
- les prépositions
- les verbes suivis d'un infinitif, avec ou sans *à* ou *de*

Révisez! Unités 3 et 4

1 Exposé

a Préparez un exposé. Choisissez un thème:

Ma vie scolaire ou **La santé et moi**

Révisez

b Révisez le vocabulaire et les expressions utiles.
Ma vie scolaire – *pages 51, 52 et 55*
La santé et moi – *pages 39 et 45*

c N'oubliez pas d'écrire des mots-clés comme aide-mémoire! Ecoutez l'exemple si vous voulez.
Exemple:

LA SANTE ET MOI
mes sports: hockey 2 x semaine
natation 1 x semaine
bon: légumes, fruits, vélo au collège
mauvais: frites, bonbons, me coucher tard
le tabac: mon opinion!

d Parlez! Si possible, enregistrez-vous. Puis écoutez (ou demandez l'opinion de quelqu'un) et essayez d'améliorer votre exposé.

Révisez pages 41, 46

2 Complétez cette conversation au collège: remplacez les astérisques par les pronoms suivants: *me m' te t' le la l' les*

– Dis, tu as fait tes devoirs d'allemand?
– Non, je * fais maintenant. Tu * prêtes ton dictionnaire?
– Ah non, je ne * ai pas. Attends, je vais * aider.
– Merci! Regarde, ce mot, je ne * comprends pas.
– 'Gesundheit'? Ça veut dire 'santé'.
– Merci. C'est gentil de * aider!
– Dépêche-toi! Je * laisse finir. Voilà Madame Schmidt qui arrive.
– Oui, je * vois. Voilà, j'ai fini! Ouf!

Révisez page 41

3 Jeu de mémoire!

a Vous avez deux minutes. Faites une liste des expressions avec *avoir*.
Exemple: *J'ai faim, ...*

23

b Regardez la *Grammaire* pour trouver d'autres expressions avec *avoir*.

c Faites autre chose pendant dix minutes. Ensuite, prenez une minute pour faire une nouvelle liste des expressions avec *avoir*. Avez-vous meilleure mémoire cette fois?

Révisez pages 55, 57

4 Vous êtes délégué(e) de classe et vos camarades vous ont donné les idées suivantes.

Classe 3ème F
1
A discuter: quelques élèves ont des difficultés à faire leurs devoirs
Proposition: créer un club de devoirs
A faire: discuter avec le professeur principal et le bibliothécaire
2
A discuter: pas assez de temps en classe pour le français oral
Proposition: passer une heure par mois avec l'assistant(e) français(e)
A faire: demander des conseils au prof de français

A vous maintenant d'écrire une lettre pour présenter les idées au chef d'établissement.
Exemple:

le 26 mai
Madame Delacroix,
En tant que délégué de classe, je voudrais vous présenter les idées de la classe 3ème F.
Nous proposons de créer un club de devoirs, parce que ...

Révisez pages 39, 41, 45, 51

5 **a** Lisez l'article. Trouvez le pourcentage pour chaque phrase. ***Exemple:*** *1 – 50%*

1 ...... n'aiment pas le sport au collège.
2 ...... ne font pas attention à la campagne antitabac.
3 ...... font du sport seulement au collège.
4 ...... mangent trop de choses sucrées.
5 ...... ont des difficultés à se reposer pendant la nuit.
6 ...... étaient malades ou pas en forme récemment.

b Que pensez-vous des résultats du sondage? Qu'est-ce que vous trouvez surprenant? Quel est votre avis? Le collège, c'est bon ou mauvais pour votre santé?

c Regardez les photos. Suggérez un titre pour chacune.

Le collège, c'est mauvais pour la santé!

Voici la conclusion d'un sondage auprès de 100 élèves de 14 à 18 ans. Les élèves ont répondu à un questionnaire sur la vie scolaire et leurs réponses sont parfois surprenantes!

Pendant les six derniers mois, 30% des élèves ont consulté l'infirmière du collège – la plupart avait mal à la tête à cause du bruit dans la salle de classe ou dans la cour! Quelques élèves (environ 2%) souffrent de stress à cause du travail scolaire.

Faire de l'exercice physique, c'est essentiel. Tout le monde le sait! Fait surprenant, puisque 50% des élèves trouvent le sport au collège ennuyeux. « C'est une grande perte de temps, dit une élève de seconde, le choix de sports est très limité et les cours ne durent que 60 minutes. Moi, je préfère aller au club de sports. » 60% de jeunes ne font pas de sport régulièrement en dehors du collège.

Beaucoup d'élèves ont parlé d'une campagne antitabac au collège. Malgré ça, 25% des élèves commencent à fumer au collège. Fait bien connu, la plupart des jeunes commencent à fumer pour faire comme les autres et pour être bien vu des copains.

Pour rester en forme, il faut avoir le temps de se reposer – pas facile pour les élèves qui veulent faire leurs devoirs ou qui révisent pour les examens. Avant les examens, 35% ont du mal à dormir et 55% ont d'autres symptômes – mal au ventre, perte d'appétit, etc. Il y a aussi 45% des élèves qui grignotent des bonbons ou des biscuits pendant les révisions, et 25% qui prennent une cigarette pour se détendre et se calmer les nerfs.

Conclusion: le collège est mauvais pour la santé! Qu'en pensez-vous? J'attends vos opinions!

Marine Desmousseaux, infirmière à Médecins du monde

Un article du magazine *Elle* décrit la journée typique d'une jeune infirmière, Marine Desmousseaux. Elle sacrifie huit mois sur douze à sa vocation de bénévole et part avec l'organisme *Médecins du monde* dans des endroits difficiles ou dangereux, pour soigner les enfants.

« Lorsque je suis en mission, comme à Djibouti où il fait une grosse chaleur, je me lève vers cinq heures et demie. [...] Depuis juin 1991, j'ai fait trois missions, en Yougoslavie, en Somalie et en Arménie. Huit mois de mission sur douze. [...]

A Paris, je ne travaille pas plus de huit heures par jour et je garde deux jours de repos par semaine. [...] En mission, les journées de travail dépassent les dix heures et ce sept jours sur sept. [...] A midi, nous faisons une halte de quatre heures. Nous retournons dans la mesure du possible sur notre lieu d'hébergement afin de recharger les batteries. Le repas : pâtes, riz ou ration de l'armée. En revanche, à Paris j'opte pour un steak saignant, des légumes frais et du fromage. [...]

Je vais voir les nouveau-nés. J'explique aux mamans les quelques détails élémentaires pour assurer la survie des nourrissons, tout en faisant attention à ne pas contrarier leur propre système d'éducation. Je suis spécialisée en pédiatrie, d'ailleurs quand je rentre en France, j'assure des remplacements dans des maternités. Le travail avec les sages-femmes n'a rien à voir avec les soucis que l'on rencontre sur le camp. En France, il n'y a plus guère de maladies infantiles mortelles, alors que ça représente le plus fort taux de mortalité des enfants dans certains pays, où l'hygiène reste précaire. [...]

A Médecins du monde on a tous quelque chose en commun et ça aide énormément en mission de pouvoir être tous ensemble et parler en cas de coup dur. Nous ne sommes pas toujours compris par notre famille et nos amis qui nous reprochent de partir alors qu'il y a aussi de la misère en France. Je suis tout à fait consciente de cette réalité, je sais que je ne ferai pas ça toute ma vie. En ce moment j'ai la bougeotte, je suis jeune et célibataire... »

en mission = *on a mission/an assignment*
dans la mesure du possible = *as far as possible*
notre lieu d'hébergement = *the place where we're staying*
les nouveau-nés = *the newborn babies*
les sages-femmes = *midwives*
n'a rien à voir avec = *has nothing to do with*
les soucis = *the concerns/worries*
il n'y a plus guère de = *there are hardly any ... any more*
le plus fort taux de mortalité = *the highest mortality rate*
en cas de coup dur = *when things get bad*
je ne ferai pas ça = *I won't do that*
j'ai la bougeotte = *I'm restless*

Silence, de Bernard Friot

Bernard Friot, né en 1951, est enseignant. Il a beaucoup de contacts avec les enfants et il publie des textes et des histoires dans des journaux pour enfants. *Histoires pressées* est un recueil d'histoires courtes, faciles à lire, drôles, un peu folles... des histoires comme *Silence*.

La maîtresse a hurlé :
– Silence ! Taisez-vous ! Exercice 6 page 23 ! Silence, j'ai dit ! SILENCE !
J'ai compté : c'était la quarante-septième fois qu'elle hurlait aujourd'hui. Et j'ai pensé :
« Si elle continue, elle va me transpercer la tête, je le sens, ça va éclater comme une fusée. »

On s'est tous mis à écrire dans nos cahiers ; je crois bien qu'on allait étouffer.
Et puis, Marie a laissé tomber sa gomme.
– SILENCE ! a hurlé la maîtresse. Taisez-vous et travaillez !

Alors, moi, je me suis levé et j'ai respiré autant que j'ai pu. J'ai regardé la maîtresse et j'ai hurlé :
– SILENCE ! Taisez-vous et laissez-nous travailler !

Elle a ouvert très grand la bouche et elle a mis la main sur son cœur. Et puis elle a fermé la bouche, ouvert la bouche, fermé la bouche...

On a compris qu'elle allait étouffer. On a vite cherché un bocal et on l'a rempli d'eau. On a mis le bocal sur le bureau et la maîtresse a plongé dedans. Elle nageait furieusement dans l'eau et elle tournait à toute vitesse en ouvrant et en fermant la bouche. Ça faisait des bulles.

On s'est remis au travail. J'ai fini mon exercice et puis j'ai écrit un texte. Une histoire de pirates. Ensuite, avec David, on a cherché dans un livre des renseignements sur Marco Polo. Et j'ai pensé : « Si elle reste encore un peu dans son bocal, j'aurai le temps de faire des mathématiques. Et peut-être, même, d'écouter de la musique. »

Histoires pressées, Collection Zanzibar, © Editions Milan

la maîtresse = *teacher (in a primary school)*
qu'elle hurlait = *that she'd shouted*
elle va me transpercer la tête = *she's going to cut through my head*
éclater = *to burst*
une fusée = *a rocket*
on allait étouffer = *we were going to suffocate*
a laissé tombé = *dropped*
autant que j'ai pu = *as much as I could*
un bocal = *a glass bowl*
on l'a rempli d'eau = *we filled it with water*
a plongé dedans = *dived in*
des bulles = *bubbles*
si elle reste encore un peu = *if she stays a bit longer*
j'aurai = *I'll have*

UNITÉ 5 Au travail

- Quel job choisir cet été?
- A la maison: qui travaille le plus?
- Trouver un job en France
- Demander des renseignements sur un emploi
- Poser sa candidature

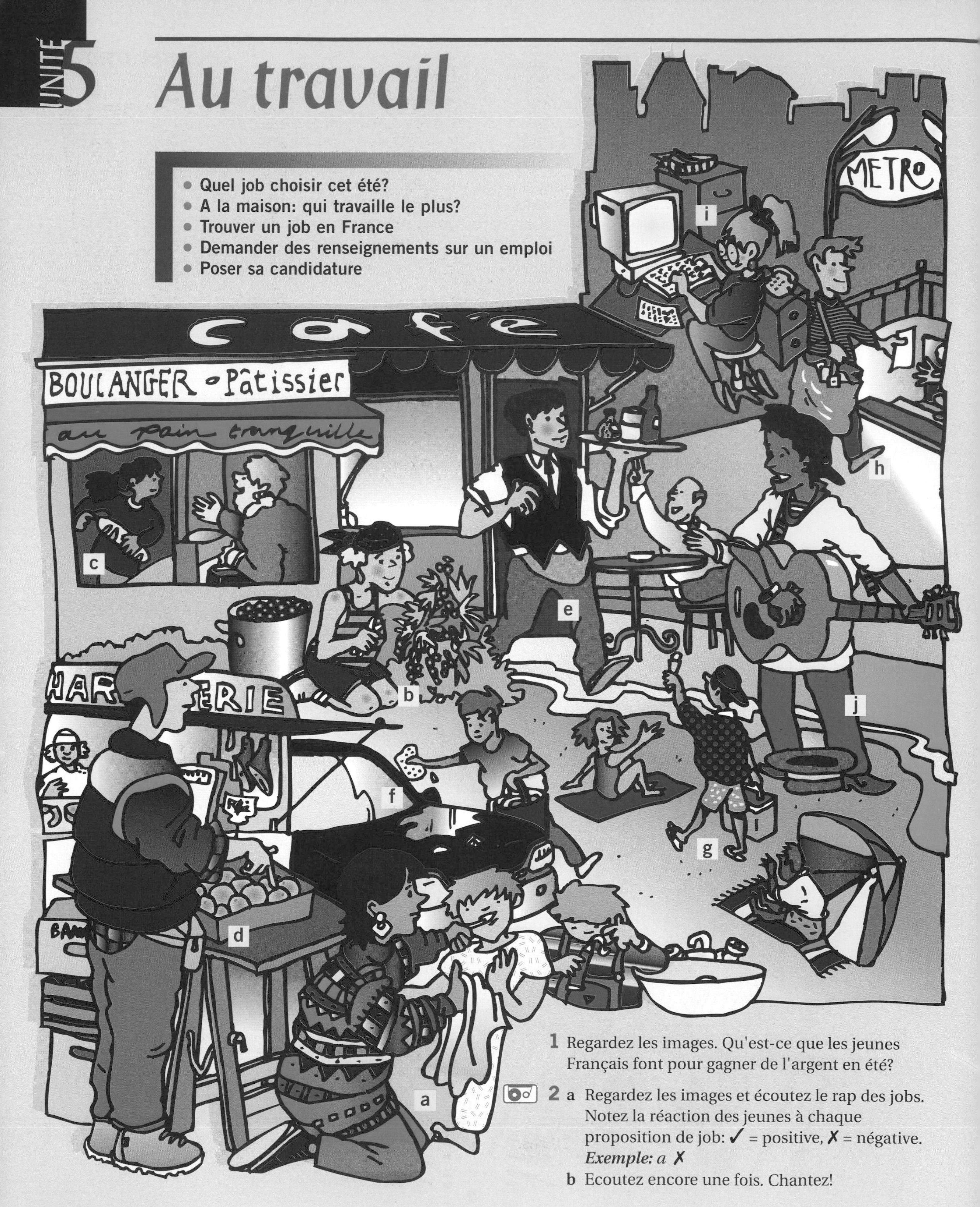

1 Regardez les images. Qu'est-ce que les jeunes Français font pour gagner de l'argent en été?

2 **a** Regardez les images et écoutez le rap des jobs. Notez la réaction des jeunes à chaque proposition de job: ✓ = positive, ✗ = négative.
Exemple: a ✗

b Ecoutez encore une fois. Chantez!

3 Ecoutez Céline et Alain parler de leurs jobs d'été.

a Notez les deux jobs que Céline a fait, et sa réaction à chacun (positive ou négative).

b Ecoutez encore une fois. Notez comment on dit:
Have you ever worked in the summer holidays?
No, I've never worked. What about you?
What exactly did you do?
I worked for three weeks.
I started looking in March.
I had the chance to speak English.

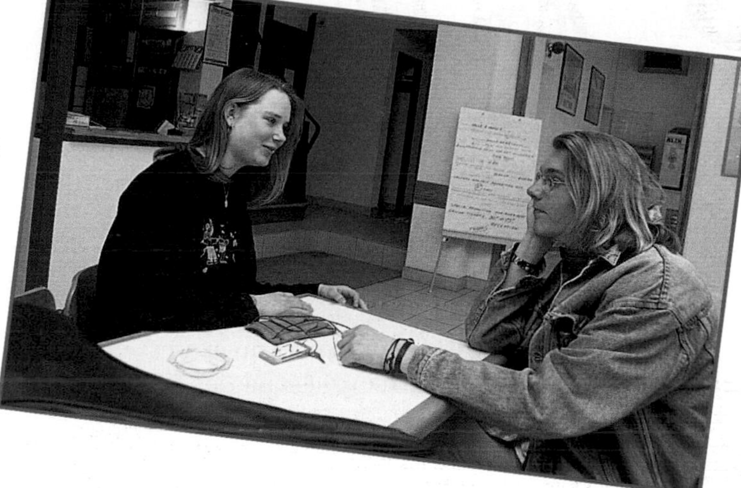

4 Lisez les expériences de Julien. Notez les jobs mentionnés, les avantages et les inconvénients.

Julien

Dans ma région, il y a beaucoup de chômage et c'est très dur de trouver un emploi d'été – surtout à seize ans. Je voulais travailler en plein air. J'ai cherché partout et j'ai réussi: grâce à une annonce dans le journal régional, j'ai trouvé un emploi dans une station-service.

J'ai travaillé pendant un mois: le 31 juillet, j'ai fini. C'était fatigant et la journée était longue. Je commençais à huit heures le matin et je finissais à cinq heures le soir. Par contre, j'ai gagné pas mal d'argent.

En août, on m'a accordé un permis de vente et j'ai vendu des glaces et des boissons sur la plage pendant trois semaines. Il faisait très chaud, mais j'ai bien aimé l'ambiance et les horaires étaient plus courts: je travaillais seulement l'après-midi.

5 Décrivez de la même façon les jobs de Catherine et de Clément.
Exemple: *J'ai travaillé dans un supermarché pendant un mois, ...*
Ajoutez des détails supplémentaires si vous voulez.

	Catherine	Clément
Travail	supermarché	station-service
Durée	un mois	tout l'été
Horaires	30 heures par semaine	de 17h à 20h tous les jours
Salaire	bon	75F par jour
Avantages	contact avec les gens	intéressant
Inconvénients	ennuyeux	sale

6 Interviewez votre partenaire sur un job qu'il/elle a fait en été, ou qu'il/elle fait le week-end ou avant/après l'école.

A quel âge peut-on travailler en France?

- Certains travaux agricoles, dès 12 ans.
- Emplois d'été, dès 14 ans, à condition que la durée du travail ne dépasse pas la moitié des vacances scolaires.
- Un emploi permanent à plein temps, dès 16 ans.
- Les postes 'au pair' ou maître nageur, dès 18 ans.

Expressions-clés

- travailler au marché
- travailler dans une boutique/un magasin
- travailler dans un bureau
- travailler dans une station-service
- travailler comme moniteur dans un centre/ une colonie de vacances
- cueillir des fruits/faire les vendanges
- distribuer des prospectus
- être serveur/serveuse
- garder des enfants
- jouer de la musique dans la rue
- laver des voitures
- servir dans un café/un fast-food
- vendre des glaces

Zoom sur le passé

1 a Classez ces mots et expressions: présent ou passé?

aujourd'hui *en ce moment* en 1952
hier la semaine dernière ***récemment***
maintenant **de nos jours** *il y a deux ans*

b Connaissez-vous d'autres mots ou expressions qui indiquent que le temps est passé?

Quel verbe choisir?

	le passé composé	l'imparfait
Quand?	pour parler d'un événement qui commence et finit dans le passé	*a* pour décrire quelque chose dans un temps passé *b* pour parler d'habitude ou de répétition dans le passé
Exemples	**J'ai vendu** des glaces. **Tu as** déjà **travaillé**? **Mon oncle** m'a **aidé**. **Nous avons distribué** des prospectus.	*a* **Il faisait** beau. **C'était** bien. *b* **Je travaillais** le samedi. *Voir aussi Unité 9, page 117.*

2 a Repérez des exemples du passé composé dans le texte de Julien, page 63. Faites une liste des participes passés: pouvez-vous trouver les trois groupes?

b Repérez des exemples de l'imparfait dans le texte.

Comment former le passé composé?

Règle générale: prenez le présent du verbe **avoir** ou **être** et ajoutez le **participe passé**.
Exemples avec **avoir**:

J'ai / As-tu ... ? / On n'a pas } { trouvé / réussi / vu

16a

Quels verbes forment le passé composé avec **être**?

Certains verbes, surtout les verbes de mouvement et les verbes pronominaux.
Exemples:
Je suis arrivé(e). Je suis parti(e).
Il est sorti. Elle est sortie.
Je me suis couché(e).

Attention: il faut ajouter un **-e** au participe passé quand le sujet est féminin. (Voir aussi page 71.)

3 Faites deux phrases, comme dans l'exemple.
Exemple: *a J'ai écrit un poème. Elle a écrit un poème.*

a Je + *avoir* + *écrire* + un poème. (Elle)
b Je + *avoir* + *voir* + mes amis. (Il)
c Nous + *avoir* + *parler* + des vacances. (Ils)
d Elle + *avoir* + *ouvrir* + son sac. (Je)
e Je + *être* + *aller* + au travail. (Tu)
f Il + *être* + *entrer* + dans le bureau. (Elle)

4 Joël raconte son dimanche. Recopiez son texte et mettez les verbes au passé composé.
Exemple: *Dimanche, 9 h 45. J'ai téléphoné à Fabrice ...*

Dimanche, 9 h 45. Je téléphone à Fabrice et nous décidons d'aller à la piscine. Avant de partir, j'écris un petit mot pour ma mère et je le place sur la table. Je mets mes affaires dans mon sac à dos et je pars. J'attends vingt minutes à l'arrêt de bus, et il commence à pleuvoir. J'arrive chez Fabrice à onze heures. Je sonne, il ouvre la porte et j'entre. Soudain, j'ai une drôle de prémonition. Je regarde dans mon sac à dos: je vois une serviette, un déodorant et une brosse, mais pas de maillot. Je dois retourner chez moi.

Rappel: les participes passés

- **réguliers**
  verbes en -**er**
  -er → é gagn**er** → gagn**é** entr**er** → entr**é**
  verbes en -**ir**
  -ir → i fin**ir** → fin**i** part**ir** → part**i**
  verbes en -**re**
  -re → u perd**re** → perd**u** descend**re** → descend**u**
- **irréguliers**
  Voici les plus communs. A apprendre par cœur!
  avoir → j'ai eu
  être → j'ai été
  devoir → j'ai dû
  voir → j'ai vu
  écrire → j'ai écrit
  faire → j'ai fait
  ouvrir → j'ai ouvert
  rire → j'ai ri
  mettre → j'ai mis
  prendre → j'ai pris

16c

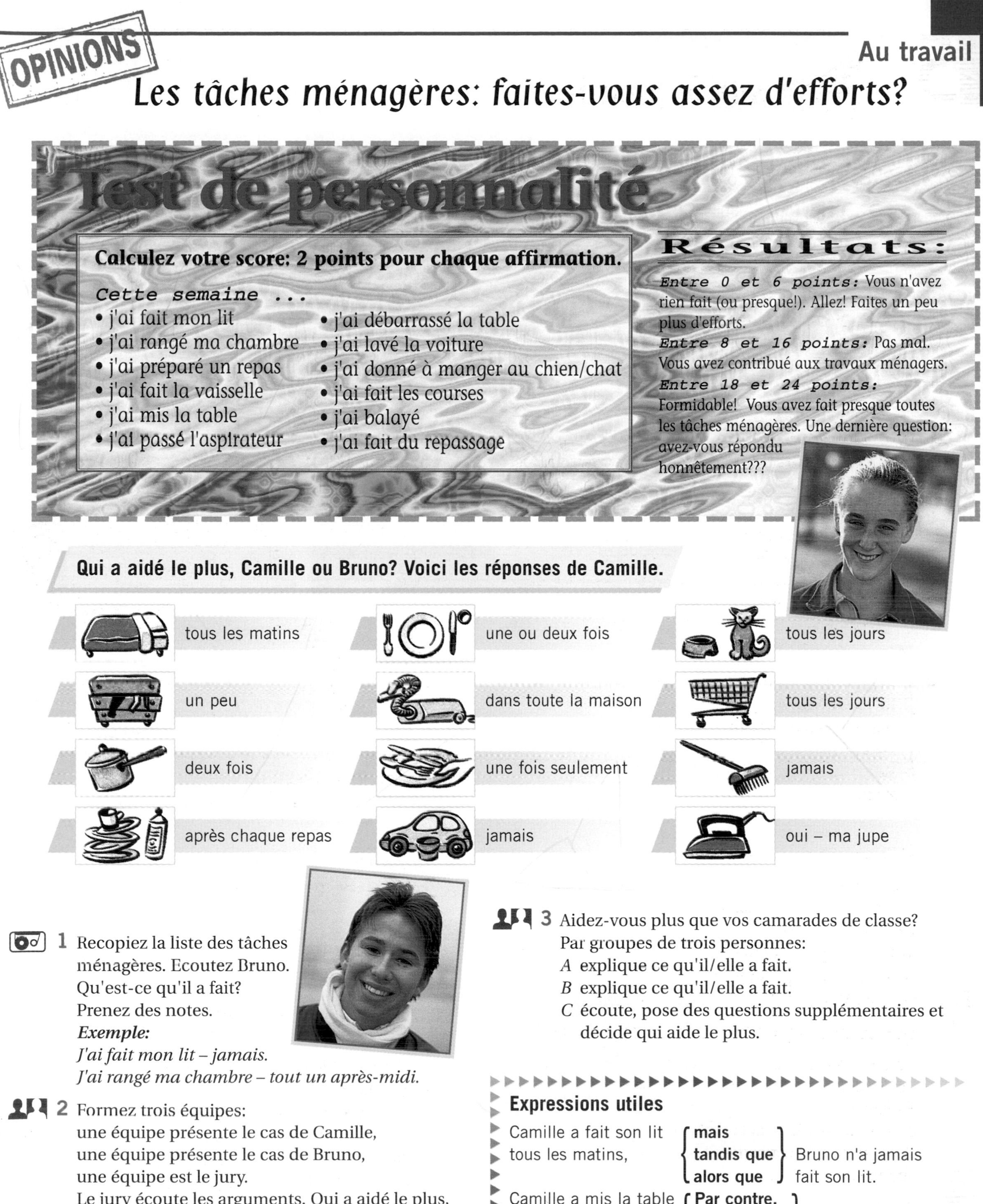

OPINIONS

Les tâches ménagères: faites-vous assez d'efforts?

Test de personnalité

Calculez votre score: 2 points pour chaque affirmation.

Cette semaine ...

- j'ai fait mon lit
- j'ai rangé ma chambre
- j'ai préparé un repas
- j'ai fait la vaisselle
- j'ai mis la table
- j'ai passé l'aspirateur
- j'ai débarrassé la table
- j'ai lavé la voiture
- j'ai donné à manger au chien/chat
- j'ai fait les courses
- j'ai balayé
- j'ai fait du repassage

Résultats:

Entre 0 et 6 points: Vous n'avez rien fait (ou presque!). Allez! Faites un peu plus d'efforts.

Entre 8 et 16 points: Pas mal. Vous avez contribué aux travaux ménagers.

Entre 18 et 24 points: Formidable! Vous avez fait presque toutes les tâches ménagères. Une dernière question: avez-vous répondu honnêtement???

Qui a aidé le plus, Camille ou Bruno? Voici les réponses de Camille.

tous les matins

un peu

deux fois

après chaque repas

une ou deux fois

dans toute la maison

une fois seulement

jamais

tous les jours

tous les jours

jamais

oui – ma jupe

1 Recopiez la liste des tâches ménagères. Ecoutez Bruno. Qu'est-ce qu'il a fait? Prenez des notes.
Exemple:
J'ai fait mon lit – jamais.
J'ai rangé ma chambre – tout un après-midi.

2 Formez trois équipes:
une équipe présente le cas de Camille,
une équipe présente le cas de Bruno,
une équipe est le jury.
Le jury écoute les arguments. Qui a aidé le plus, Camille ou Bruno? Votez!

3 Aidez-vous plus que vos camarades de classe?
Par groupes de trois personnes:
A explique ce qu'il/elle a fait.
B explique ce qu'il/elle a fait.
C écoute, pose des questions supplémentaires et décide qui aide le plus.

Expressions utiles

Camille a fait son lit tous les matins, { **mais** / **tandis que** / **alors que** } Bruno n'a jamais fait son lit.

Camille a mis la table une ou deux fois. { **Par contre,** / **En revanche,** / **Cependant,** } Bruno a mis la table tous les jours.

Dossier pratique

Comment trouver un job d'été en France

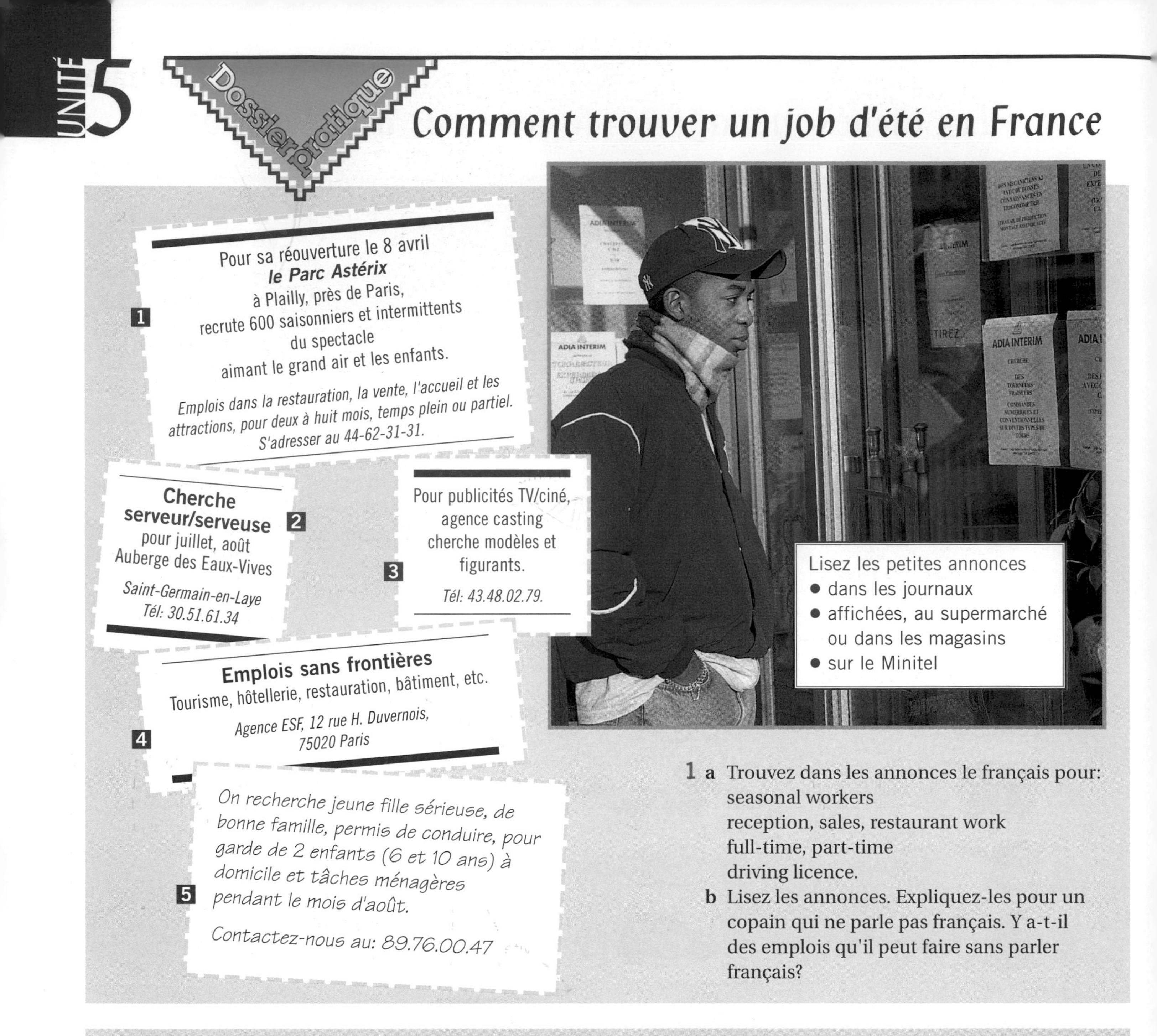

1
Pour sa réouverture le 8 avril
le Parc Astérix
à Plailly, près de Paris,
recrute 600 saisonniers et intermittents
du spectacle
aimant le grand air et les enfants.
Emplois dans la restauration, la vente, l'accueil et les attractions, pour deux à huit mois, temps plein ou partiel.
S'adresser au 44-62-31-31.

2
Cherche serveur/serveuse
pour juillet, août
Auberge des Eaux-Vives
Saint-Germain-en-Laye
Tél: 30.51.61.34

3
Pour publicités TV/ciné,
agence casting
cherche modèles et
figurants.
Tél: 43.48.02.79.

4
Emplois sans frontières
Tourisme, hôtellerie, restauration, bâtiment, etc.
Agence ESF, 12 rue H. Duvernois,
75020 Paris

5
On recherche jeune fille sérieuse, de bonne famille, permis de conduire, pour garde de 2 enfants (6 et 10 ans) à domicile et tâches ménagères pendant le mois d'août.
Contactez-nous au: 89.76.00.47

Lisez les petites annonces
- dans les journaux
- affichées, au supermarché ou dans les magasins
- sur le Minitel

1 a Trouvez dans les annonces le français pour:
seasonal workers
reception, sales, restaurant work
full-time, part-time
driving licence.

b Lisez les annonces. Expliquez-les pour un copain qui ne parle pas français. Y a-t-il des emplois qu'il peut faire sans parler français?

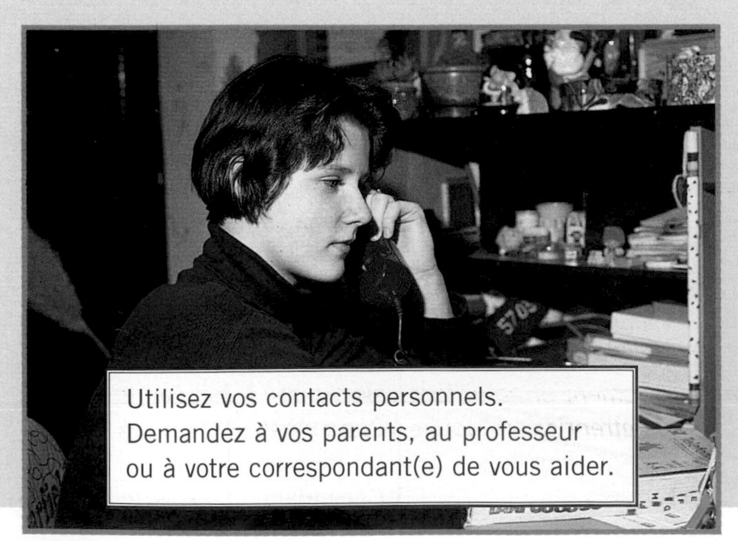

Utilisez vos contacts personnels. Demandez à vos parents, au professeur ou à votre correspondant(e) de vous aider.

2 Zoé cherche un job d'été. Elle téléphone à son cousin Olivier pour demander s'il peut l'aider.

a Ecoutez et prenez des notes.

b Ecrivez à Marjorie, la copine d'Olivier, de la part de Zoé.

Exemple:
Chère Marjorie,
Je m'appelle Zoé et je suis la cousine d'Olivier Leclerc. Peux-tu m'aider?
Je cherche ...

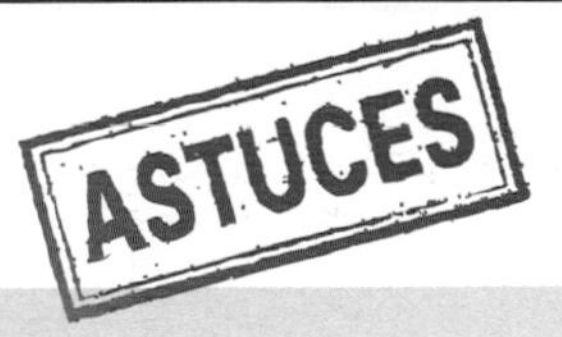

1 CARREFOUR avenue de la Somme, route du Cap-Ferret, 33700 Mérignac, tél.: 56.47.14.03
Manutentionnaires
Caissières
Remplisseurs de rayons
Ramasseurs de caddies
1 à 2 mois en juillet et août. L'hypermarché étant ouvert jusqu'à 22 heures, le travail s'effectue en deux équipes de service. Age minimum : 17 ans. JF/JH. Formation assurée si nécessaire.

2 MAGASINS PRINTEMPS HAUSSMANN
64, boulevard Haussmann, 75009 Paris
Vente en rayon
Manutention
Plusieurs dizaines de postes peuvent être disponibles en juillet et août. Horaire : de 9 h 30 à 18 h 30, ou de 10 h à 19 h. Possibilité de prendre le repas de midi au restaurant d'entreprise. Rémunération d'environ 250F par jour. Les jeunes gens et jeunes filles de plus de 18 ans doivent adresser leur candidature par lettre en février et mars au Service Recrutement.

3 PARK HOTEL D'ESTAMARIUS 66230 Prats de Mollo La Freste, tél.: 68.39.70.04
Service restaurant
Service étage
Plonge
Plusieurs postes sont disponibles pour 3 à 6 mois, de mai à octobre. Logement et nourriture assurés. Etudiants étrangers parlant français couramment acceptés. Les jeunes gens et jeunes filles de plus de 21 ans doivent adresser leur candidature en mars.

Achetez ou empruntez un guide pour les emplois d'été.

4 M. LAVIER
11350 Soulatgé
Elevage de chevaux
2 postes sont disponibles pour 15 jours au moins, de la mi-avril à la fin novembre. Il s'agit d'aider à un élevage de chevaux sur un ranch de montagne. Horaire : 5 heures par jour, 6 jours par semaine. Petite rémunération selon compétences. Logement et nourriture assurés. Connaissances équestres souhaitées mais non indispensables. Etudiants étrangers acceptés. Les jeunes gens et jeunes filles de plus de 18 ans, sportifs, actifs et volontaires, peuvent adresser leur candidature avec curriculum vitae détaillé et photo à tout moment de l'année.

5 HOTEL DU CRET DE LA NEIGE 01410 Lelex, tél.: 50.20.90.15
Femmes de chambre
2 postes sont disponibles pour 1 à 2 mois pendant l'été. Horaires : 40 à 45 heures par semaine. Rémunération : SMIC, logement et nourriture assurés. Etudiantes étrangères acceptées. Les jeunes filles de plus de 18 ans doivent adresser leur candidature début juin à Mme Grospiron.

Emp'ois d'été en France

3 Trouvez dans les offres d'emploi les réponses à ces questions. →

Il n'est pas nécessaire de lire TOUT!
Lisez vite et cherchez seulement les mots ESSENTIELS.

***Exemple:** a – 2*

Cherchez ...

- **a** Vous voulez travailler à Paris. Qui offre du travail à Paris? → l'adresse
- **b** Vous n'avez pas le temps d'écrire. Notez les employeurs à qui vous pouvez téléphoner. → le numéro de téléphone
- **c** Vous avez 17 ans. Qui accepte les jeunes de votre âge? → les chiffres, ou le mot *ans*
- **d** Quels employeurs acceptent les filles et les garçons? → *jeunes filles/jeunes gens*, ou les abréviations *JF/JH*
- **e** Quels jobs sont possibles pour les étudiants étrangers? → *étudiants étrangers*
- **f** Combien gagne-t-on? Notez les jobs où le salaire est mentionné. → *rémunération, salaire, argent (de poche), SMIC (= salaire minimum)* ou *bénévole (= on n'est pas payé)*
- **g** Vous préférez manger et dormir sur place. Quels jobs offrent cette possibilité? → *logement et nourriture assurés, logé et nourri, restaurant d'entreprise* ou *facilités/possibilités/tickets repas*

Pour en savoir plus ...

1 Ecoutez la conversation entre Jean-Noël et le directeur du personnel de l'hôtel la Vanoise. Repérez comment il dit:

- **a** Do you know if the position is still vacant?
- **b** I'd like to know the working hours.
- **c** Can you tell me if there is a minimum age?
- **d** Do you take foreign students?
- **e** Can you tell me the salary?
- **f** Is experience necessary?
- **g** What exactly do you have to do?
- **h** Are food and accommodation provided?

HOTEL LA VANOISE

cherche plongeur juillet/août. S'adresser au Directeur du personnel. **Tél: 79.07.92.67**

2 *A* est Jean-Noël, *B* est le directeur du personnel. Recréez la conversation. Inventez la fin: est-ce que Jean-Noël va obtenir cet emploi?

CAMPING ROCHELAIS, rue du Château, 07460 Banne, tél.: 93.03.35.68

Nous cherchons des étudiants ayant un contact clientèle agréable pour travail à la réception et à la cafétéria pendant la saison. Les jeunes gens et jeunes filles de plus de 16 ans doivent adresser leur candidature à Mme Saubusson, propriétaire, à partir d'avril.

3 Farida cherche du travail pour le mois d'août. Elle lit cette annonce et téléphone pour en savoir plus. Ecoutez la conversation.

- **a** Est-ce que Farida semble s'intéresser à ce job?
- **b** Farida a noté les questions qu'elle veut poser. Notez les réponses.

postes toujours vacants?
durée?
quelle sorte de travail?
horaires?
nourri et logé?
salaire?
expérience nécessaire?
entretien?

4 *A*: Vous voulez travailler au Camping Rochelais. Téléphonez à Mme Saubusson. Posez des questions et donnez vos détails personnels.
B: Vous êtes Madame Saubusson!

Agence casting cherche modèles-figurants pour un roman photo (magazines jeunes). Mme Albi, 25 rue St-Lazare, 59001 Lyon

5 Imaginez! Cette annonce vous intéresse. Vous voulez en savoir plus avant de poser votre candidature. Ecrivez à Mme Albi pour demander des renseignements.

Exemple:

Madame,

J'ai vu votre annonce dans le journal, demandant des modèles-figurants pour un roman photo. Je voudrais en savoir plus ...

Expressions-clés

Pouvez-vous me dire si le poste est encore libre/vacant?
Vous cherchez quelqu'un pour combien de temps?
Qu'est-ce qu'il faut faire exactement?

Je voudrais connaître les horaires, s'il vous plaît.
Pouvez-vous me dire le salaire, s'il vous plaît?
(Est-ce qu') on est nourri et logé?

Pouvez-vous me dire s'il y a un âge minimum?
Est-ce que l'expérience est nécessaire?
(Est-ce que) vous acceptez les étudiants étrangers?

Poser sa candidature

Curriculum Vitae

Nom: HARZALLAH
Prénom: Farida
Adresse: 61, rue Surson, 69008 Lyon
Tél: 78 34 78 12
Date de naissance: le 4 janvier 1981
Lieu de naissance: Lyon (Rhône)
Nationalité : française

Formation
Elève de seconde au lycée Paul Verlaine à Lyon.
Titulaire du DNB.

Langues étrangères
Arabe (courant), anglais, allemand (niveau élémentaire).

Expérience
Vente et tenue de caisse à la boutique Favier (cartes postales, souvenirs, etc) à Annecy pendant l'été 96.

Loisirs
Capitaine de l'équipe de handball du lycée.
Membre de l'association 'les Amis de la Terre'.
Autres passe-temps: judo, natation, poterie.

Mademoiselle Farida Harzallah
61, ...
......

Madame Saubusson
......
......

Lyon, le 8 avril 1997

Madame,

En réponse à votre annonce parue dans Espace Etudiants, je voudrais poser ma candidature pour le travail ...... Veuillez trouver ci-joint mon curriculum vitae.

Je parle couramment .... En plus j'apprends ...... depuis cinq ans et ...... depuis un an. Je suis en classe de ...... au ...... L'été dernier, j'ai travaillé ...... J'avais beaucoup de contacts avec les clients parce que je vendais ......

Je souhaite travailler six semaines à partir du 16 juillet. J'espère que vous voudrez considérer favorablement ma demande.

Veuillez agréer, Madame, l'expression de mes sentiments les meilleurs.

......

1 Recopiez la lettre de Farida en utilisant les renseignements de son CV et de l'annonce (page 68) pour compléter les blancs.

2 **a** Ecrivez votre propre CV.
b Choisissez une annonce aux pages 66–68, et écrivez une lettre de candidature.

Interlude

Le travail = cause numéro un du stress

- La première cause du stress chez les Français est le travail (**57%**). Ensuite:
- la maladie (**45%**)
- l'argent (**33%**)
- le chômage (**29%**)
- les changements (**25%**)
- les rapports familiaux (**18%**)

1 Et vous? Quelles sont les causes de stress dans votre vie?

Une journée de la vie d'un moniteur

ZOOM sur le passé composé avec être

Certains verbes (arriver, monter, sortir, etc.) utilisent **être** pour former le passé composé.
Le participe passé de ces verbes est comme un adjectif – il s'accorde avec le sujet du verbe.
16b Exemples: Il est arrivé. Elle est entré**e**. Ils sont monté**s**. Elles sont venu**es**.

1 Repérez des exemples du passé composé avec *être* dans la BD, page 70. Combien en trouvez-vous?

SOLO **2** Choisissez le mot pour compléter chaque phrase.
montées tombé partis venu
sortie arrivée allées descendus

- **a** Les chômeurs sont ...... à l'étranger à la recherche d'un travail.
- **b** Les filles sont ...... poser leur candidature.
- **c** Marie est ...... à l'usine à six heures.
- **d** A quelle heure est-il ...... ?
- **e** Elle n'est pas ici; elle est ....
- **f** Son frère est ...... en travaillant sur un chantier.
- **g** Nous sommes ...... du bus devant le restaurant.
- **h** Christine et Anne sont ...... dans la voiture.

3 Imaginez! Vous travaillez dans un centre de vacances. Racontez une journée, en quatre étapes:
Pour commencer ...
Ensuite ...
Après ...
Et pour finir ...

Ça se dit comme ça!

1 Lisez à haute voix les phrases complètes de l'activité 2.
Ecoutez la cassette pour vérifier. Attention à la prononciation! On ne prononce pas le **-e**, **-s** ou **-es** à la fin de ces participes passés.

Interview avec une étudiante

Myriam Moutier, 20 ans, étudiante en faculté de médecine à l'Université de Nantes

1 Ecoutez Myriam. Lisez ce résumé et complétez les trous.

Pour financer mes études, je garde [1]. Je m'occupe de Clara et de Jules trois soirs par semaine: le lundi, [2] et le jeudi. Je travaille de quatre heures et demie à [3]. Je suis payée à la fin de chaque [4], et en liquide. En plus, l'été, j'ai été [5] pendant deux mois dans une colonie de vacances.
J'ai des amis qui [6] aussi, mais on travaille tous dans des domaines très, très différenciés. Un ami travaille chez un maraîcher: il ramasse donc des [7] Un autre distribue [8].
A mon avis, c'est [9] de trouver du travail, parce que nous ne sommes pas qualifiés.

Savez-vous ... ?

- parler des possibilités pour les jobs d'été
- lire les offres d'emploi
- demander des renseignements supplémentaires
- écrire votre CV et une lettre de candidature
- décrire les tâches ménagères que vous avez faites
- lire rapidement un texte pour en tirer des détails spécifiques
- bien prononcer un participe passé qui se termine en *-e, -s, -es*

Et en grammaire ... ?

- la différence entre le passé composé et l'imparfait
- le passé composé
  - avec *avoir* (*il a travaillé*, etc)
  - avec *être* (*elle est venue*, etc)

UNITÉ 6

Chez moi

- Comment agrandir votre chambre!
- C'est comment, chez vous?
- Les Français chez eux
- Choisir un gîte
- Petites annonces

1 Faites la liste des objets qui sont dans cette chambre. Qui a la liste la plus longue?

2 Ecoutez. A qui est cette chambre: Marine, Clément ou Nicolas?

3 Décrivez votre chambre à votre partenaire. Il/Elle prend des notes. Ensuite, il/elle répète la description: est-ce qu'il/elle fait des fautes?

Expressions-clés

J'ai ma propre chambre. Elle est ...
Je partage la chambre avec ...
Dans ma chambre, j'ai/il y a ...
Je n'ai pas de/Il n'y a pas de ...
à côté de/en face de/devant/derrière/sous/sur
J'aime bien/Je n'aime pas ma chambre parce que ...
Dans ma chambre, je ...

Etagères faciles

Pour avoir plus de rangement sur le mur, fais des étagères! C'est facile puisqu'il faut juste deux planches, une sangle et deux crochets au mur! Idéales pour poser livres, cassettes ou petits objets légers.

Etagères solides

Pas de place pour ranger tes gros livres, tes dictionnaires ou tes chaussures? Tu as deux grandes planches? Alors, tu les poses sur des briques ou des pots de fleurs! Et voilà, des étagères solides!

Placard express

Tu as des étagères, mais pas de placard. Alors prends deux caisses en bois, pose-les l'une sur l'autre. Si tu veux cacher ce qu'il y a à l'intérieur, accroche un petit rideau!

Bureau à étage

Tu n'as pas de place pour tes papiers d'école parce que ton bureau n'a pas de tiroirs? Tu achètes des dossiers en carton, un par matière, et tu les poses sous la table. Ce n'est pas cher et il y a des couleurs sympa!

Chaise à vêtements

Comme tu mets sans doute toujours tes vêtements en désordre sur ta chaise, ajoute une chaise pliante spéciale vêtements! Comme tu peux la ranger quand tu n'as pas besoin d'elle, c'est très pratique!

Coin-confort

Pour te relaxer dans ta chambre, personnalise-la! Mets des posters au mur, crée un "coin-confort" avec tapis, coussins, petite table, lampe basse, chaîne hi-fi. Un coin sympa pour t'asseoir et discuter avec les copains!

4 Lisez l'article. Reliez les numéros aux lettres de l'illustration page 72.

5 Des jeunes décrivent leur chambre. Ecoutez et reliez les phrases 1–4 aux phrases a–d. Puis suggérez un "truc" pour chaque personne.
Exemple: *1b Fais des étagères et mets-les assez haut sur le mur.*

1 Je partage une chambre avec mon petit frère.
2 Je suis en pension, dans un dortoir un peu triste.
3 Je ne suis pas à l'aise dans ma chambre.
4 Je ne sais pas comment ranger mes affaires.

a Elle est trop grande et pas très agréable.
b Je ne veux pas qu'il touche à mes affaires.
c Il n'y a pas de placards et pas d'étagères.
d J'aimerais personnaliser mon coin.

6 Décrivez votre chambre et vos problèmes (inventez-en!) à des "experts-conseils" dans la classe. Qui donne les meilleurs conseils?

Zoom sur les conjonctions

Réécoutez l'émission de l'activité 5 et repérez les mots suivants. A quoi servent ces mots?

et mais donc alors car
parce que comme puisque

Ces mots de liaison relient des mots ou des phrases pour mieux expliquer une situation. Avec ces mots, vous pouvez faire des phrases plus longues!

Ma chambre est petite. Elle est bien organisée.→
Ma chambre est petite **mais** elle est bien organisée.
J'aime bien ma chambre. Elle est très jolie.→
J'aime bien ma chambre **parce qu'**elle est jolie.

1 Transformez les phrases de l'activité 5 avec des conjonctions.
Exemple: *Je partage une chambre avec mon petit frère, et/mais je ne veux pas qu'il touche à mes affaires.*

Voici où j'habite...

a

b

1 Clément Le Nouvel, 15 ans, Vannes

J'habite avec mes parents, mon frère et ma sœur dans une maison individuelle à l'extérieur de Vannes. Il y a sept pièces: quatre chambres, un séjour, une cuisine et une salle de bains. Il y a aussi des toilettes. On a un grand jardin avec une terrasse et un garage. Notre maison est une maison ancienne, en pierre, de style traditionnel breton. On a vue sur la mer, c'est sympa, mais on est trop loin du centre-ville, des magasins et de mon école. C'est calme, trop calme!

2 Céline Duclos, 16 ans, Saint-Denis

J'habite avec ma mère et mon frère en HLM, dans la banlieue de Paris. Notre appartement est un F3: deux chambres, un séjour avec son coin-cuisine, une petite salle de bains et des toilettes. C'est dans un immeuble moderne: nous, on est au sixième étage avec ascenseur. De notre balcon, on a une super vue sur les toits de Saint-Denis! C'est très bien situé: tout près de notre école, des magasins, du métro et on a tous nos copains dans le quartier. Mais l'appartement est trop petit pour nous, et pas très confortable.

3 Carmen Saglio, 15 ans, Floréal, Ile Maurice

La maison de mes parents est une ancienne maison créole, construite en 1850. C'était la propriété de mes ancêtres. Elle est immense – il y a dix chambres! – et très jolie, toute en bois sculpté et en tôle. Comme il fait toujours beau, ils ont installé leur salon sur la varangue, la véranda mauricienne typique. Le jardin est formidable aussi, avec ses plantes exotiques! Pour moi, c'est le paradis!

1 Trouvez la photo qui correspond à chacune des trois descriptions.

2 Relisez les descriptions. Ecoutez les interviews des trois jeunes. Ils donnent chacun trois renseignements supplémentaires. Lesquels?
Exemple:
Clément habite dans un village près de la mer.

3 Ecoutez l'interview de Lionel, qui habite dans la maison c, à Cocoyer, à la Guadeloupe. Prenez des notes et écrivez un résumé pour lui.

4 Jouez le rôle d'un des quatre jeunes. Votre partenaire pose des questions pour deviner qui vous êtes. Répondez seulement par *oui* ou *non*. Ensuite, changez de rôle.

5 Imaginez! Vous voulez échanger votre maison avec une famille française pour les vacances. Ecrivez ou enregistrez une description de votre maison et de la maison idéale pour vous en France.
Exemple:
J'habite dans une belle maison, …
Je voudrais un appartement près de la mer, …

Expressions-clés

Vous habitez où?
J'habite dans une maison (individuelle/mitoyenne).
J'habite dans un appartement
au premier/deuxième étage, avec/sans ascenseur.
Il y a combien de pièces?
Il y a trois chambres, une salle à manger,
un salon/séjour, une cuisine, une salle de bains,
des toilettes, un jardin, une terrasse, un balcon,
un garage.
C'est quel style de maison?
C'est une maison ancienne/neuve/de style
moderne/traditionnel.
C'est où?
C'est dans une ville/un village/au centre-ville/en
banlieue/en HLM.
C'est près/loin des magasins/de l'école.
C'est comment?
C'est calme/confortable.
On a vue sur la mer/les toits.

un F3 = 3 pièces principales (2 chambres + séjour)
une HLM = habitation à loyer modéré
une maison mitoyenne = maison collée à une autre

Zoom sur les expressions de possession

- le/la/les ... de:
  la maison **de** mes parents
  les volets **de** la maison
- Les adjectifs possessifs:
  Ils s'accordent avec l'objet (féminin/masculin/pluriel)
  et pas avec la personne qui possède l'objet!

	féminin: maison	*masculin:* salon	*pluriel:* meubles
je	ma	mon	mes
tu	ta	ton	tes
il/elle	sa	son	ses
nous/on	notre	notre	nos
vous	votre	votre	vos
ils/elles	leur	leur	leurs

Attention! Quand un mot féminin commence par une voyelle (ou un h):
C'est **ton** armoire? Non, ce n'est pas **mon** armoire, c'est **son** armoire.

- Pour éviter les répétitions, on utilise les pronoms possessifs:
  – C'est ton chien? – Oui, c'est **le mien**.
  – C'est la chambre de ton frère? – Non, c'est **la mienne**.
  – Ce sont mes livres? – Oui, ce sont **les tiens**.
- Pour insister:
  J'ai **ma propre** chambre.

5

Des changements dans les habitudes

De plus en plus d'enfants ont ...... propre chambre. Les parents aménagent maintenant souvent un coin-bureau dans ...... chambre. La cuisine est de plus en plus grande, parce que la famille y prend tous ...... repas.

1 Recopiez et complétez les textes avec *son, sa, ses, notre, nos* ou *leur.*

Le logement des Français

Quelles sont les qualités les plus importantes d'un quartier, selon les Français?
...... espaces verts (pour 57%), puis ...... calme (48%), ... commerces (47%), ... sécurité (43%), ... transports (35%), ... vue et ...... paysage (35%), ... voisinage (34%), ... facilités, écoles, commerces, etc. (33%).

Les meubles des Français:

44% disent: «...... meubles sont de style rustique»; 27% disent: «...... salle à manger, ... salon et ...... chambres sont de style ancien»; 24% disent: «Nous, nous préférons le style moderne»; et 2% disent: «...... style préféré, c'est le style anglais.»

Interlude

Les maisons de France

Il y a plusieurs styles de maisons en France. Elles sont différentes selon les régions. Voici des exemples des quatre coins de France.

Dans le sud de la France, les maisons sont en pierre jaune ou rose pâle et les toits sont en tuiles rouges. Les fermes s'appellent des mas.

La maison alsacienne a des colombages, des motifs sur les murs et sur le toit. Il y a souvent beaucoup de balcons.

La maison normande a parfois un toit en chaume et des colombages: du bois dans les murs.

La maison bretonne a un toit en ardoise, des murs peints en blanc, des fenêtres et des portes entourées de pierre. Elle a toujours des volets aux fenêtres.

1 Connaissez-vous des styles de maison intéressants dans votre région ou votre pays? Trouvez des images et décrivez les styles.

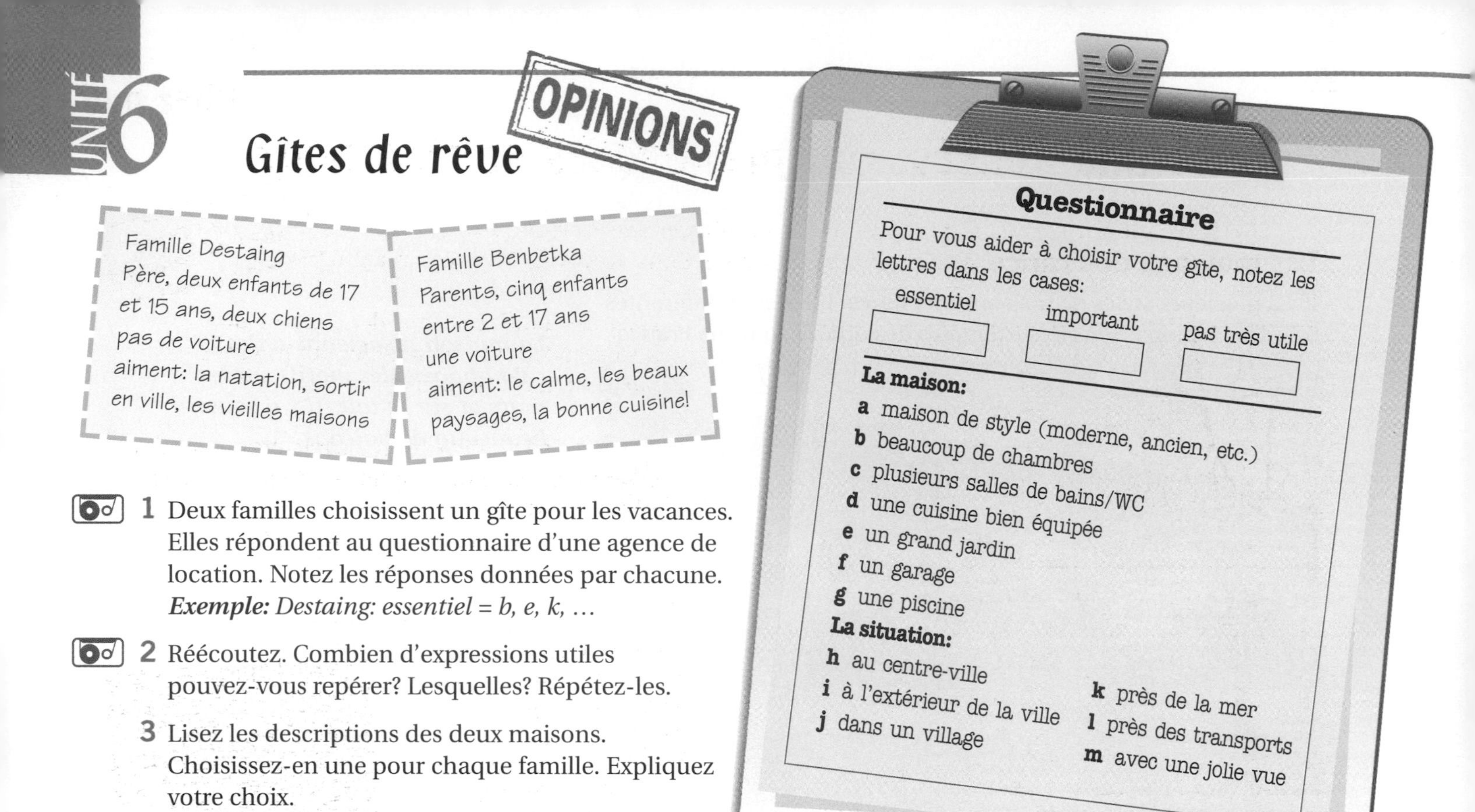

UNITÉ 6 Gîtes de rêve

OPINIONS

Famille Destaing
Père, deux enfants de 17 et 15 ans, deux chiens
pas de voiture
aiment: la natation, sortir en ville, les vieilles maisons

Famille Benbetka
Parents, cinq enfants entre 2 et 17 ans
une voiture
aiment: le calme, les beaux paysages, la bonne cuisine!

Questionnaire

Pour vous aider à choisir votre gîte, notez les lettres dans les cases:

essentiel ☐ important ☐ pas très utile ☐

La maison:
- **a** maison de style (moderne, ancien, etc.)
- **b** beaucoup de chambres
- **c** plusieurs salles de bains/WC
- **d** une cuisine bien équipée
- **e** un grand jardin
- **f** un garage
- **g** une piscine

La situation:
- **h** au centre-ville
- **i** à l'extérieur de la ville
- **j** dans un village
- **k** près de la mer
- **l** près des transports
- **m** avec une jolie vue

1 Deux familles choisissent un gîte pour les vacances. Elles répondent au questionnaire d'une agence de location. Notez les réponses données par chacune.
Exemple: *Destaing: essentiel = b, e, k, …*

2 Réécoutez. Combien d'expressions utiles pouvez-vous repérer? Lesquelles? Répétez-les.

3 Lisez les descriptions des deux maisons. Choisissez-en une pour chaque famille. Expliquez votre choix.
Exemple: *le chalet pour la famille X parce qu'il est dans un village calme*

Maison bretonne typique.
Très confortable: 4 grandes chambres, salle de bains et douche, salon/salle à manger, cuisine ultra-moderne, salle de jeux.
Grand jardin avec emplacement voiture.
Proximité plages (800 m), transport (bus: 1 km), centre-ville de Carnac (3 km). Position dominante avec vue magnifique sur la mer.

Magnifique chalet dans petit village très calme, près de Luz-St-Sauveur dans les Pyrénées.
Situation unique: vue magnifique sur les montagnes.
6 chambres, 2 salles de bains, cuisine moderne aménagée, séjour avec cheminée et balcon/terrasse.
Cave, garage, petit jardin avec piscine.
18 km d'Argelès-Gazost (gare SNCF).

4 a Choisissez un gîte pour vos vacances. Répondez au questionnaire.

b Préparez des notes pour une discussion avec un(e) partenaire. Utilisez les expressions utiles et n'oubliez pas les conjonctions, page 73.
Exemples: *Pour moi, une piscine, c'est essentiel <u>parce que</u> j'adore nager.*
<u>Comme</u> j'ai mon vélo, ça m'est égal s'il n'y a pas de transports.

5 Maintenant, mettez-vous d'accord sur le choix d'un gîte! Donnez le plus possible d'arguments.

Expressions utiles

C'est / Je trouve ça { essentiel/inutile. / (très/relativement) utile/important.
- Ça m'est égal s'il y a/s'il n'y a pas de …
- Ça a/Ça n'a pas beaucoup d'importance.
- J'aime mieux …
- Je voudrais absolument/si possible …

Petites annonces: comprendre les abréviations

ASTUCES

On utilise souvent des abréviations pour les renseignements touristiques (gîtes, hôtels, restaurants, visites, monuments, etc.). Entraînez-vous à les reconnaître!

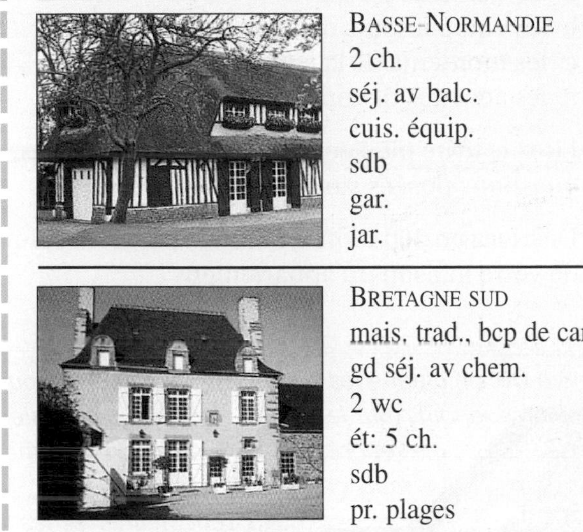

BASSE-NORMANDIE
2 ch.
séj. av balc.
cuis. équip.
sdb
gar.
jar.

BRETAGNE SUD
mais. trad., bcp de caract.
gd séj. av chem.
2 wc
ét: 5 ch.
sdb
pr. plages

1 Lisez ces annonces pour des gîtes à louer. Recopiez-les et remplacez les abréviations par les mots ci-dessous.

avec balcon beaucoup caractère chambres cheminée cuisine équipée étage garage grand jardin maison proximité salle de bains séjour traditionnelle

2 a Avant de lire les renseignements sur Paris, essayez de deviner ce que veulent dire ces abréviations:

M° tél. ét. ent. F enft t.l.j. sept. oct. sf ven./sam. mn av. pl. mar. dim. lun. TR ouv. 7j/7 px spéc. trad. fer. bd mat. Déj. s.c

b Comparez vos réponses avec votre partenaire. Pour vous aider et vérifier, lisez les annonces et répondez aux questions.

a Quel est le numéro de téléphone de la Tour Montparnasse?
b Combien d'étages a la Tour?
c Peut-on visiter la Tour Montparnasse tous les jours en septembre? Et en octobre?
d C'est quel métro pour l'Arc de Triomphe?
e Combien coûte l'entrée de l'Arc de Triomphe pour les adultes? Et pour les enfants?
f Quel est le tarif réduit à l'Arc?
g A quelle heure est la dernière visite de l'Arc?
h Quel est le prix d'un repas au La Rochelle?
i Quelles sont leurs spécialités?
j Est-ce que le Soufflé est ouvert ou fermé le dimanche?
k Au Charlot 1er, est-ce que le service est compris pour le déjeuner?

3 Enregistrez une publicité radio pour ces endroits, en remplaçant les abréviations, bien sûr!

Tour Montparnasse,
rue de l'Arrivée,
M° Montparnasse,
tél: 45 38 52 56.
Visite panoramique de la plus haute terrasse de Paris.
56ème ét.: belvédère abrité avec exposition et film sur Paris.
Ent.: 32F, enft: 17F.
56ème et 59ème ét. en plein air: 42F, enft: 26F.
T.l.j. avril–sept. 9h30 à 23h30.
Oct.–mars 9h30 à 22h30 sf ven./sam. et veilles de fêtes: 9h30 à 23h. Dernière montée 30 mn av. fermeture.

Arc de Triomphe,
pl. du Général de Gaulle,
M° Charles de Gaulle-Etoile,
tél: 43 80 31 31.
Du mar. au sam. de 9h30 à 23h, dim. et lun. jusqu'à 18h30 (fermeture caisses 30 mn av.). Ent. 32F, TR 21F et 10F (enfts 12 à 17 ans).

Restaurant Le **La Rochelle,** 12, pl. Saint-Augustin, tél: 45 22 33 05.
Ouv. 7j/7 Formule dégustation 7 plats 99F px net, spéc. poissons coquillages.

Restaurant **Soufflé,** 36 rue du Mont Thabor, tél: 42 60 27 19.
Tous les soufflés salés et sucrés. Cuisine trad. Fer. dim.

Restaurant **Charlot 1er,** 128 bis bd Clichy, tél: 45 22 47 08.
Ouv. tlj jusqu'à 1h du mat. Spéc. poissons et fruits de mer.
Déj: menu 190F vin et s.c.

Une maison raconte!

Les activités suivantes peuvent vous donner des idées pour mieux comprendre un texte nouveau, sans chercher tous les mots dans un dictionnaire.

1 Réfléchissez avant de lire! Regardez le titre. D'après vous, le style du texte va être comique ou sérieux?
Le texte va être écrit dans un style familier ou soutenu?
Qui va dire 'je' dans le texte?

2 Pensez au contexte et au type de vocabulaire. Avant de lire, pensez à des mots ou expressions pour ces quatre catégories:
a les noms de pièces
b les équipements d'une maison
c les moments de la journée
d les activités de tous les jours.

3 Lisez le texte plusieurs fois puis répondez aux questions posées sur la cassette.

4 Décrivez en 200 mots environ la journée typique de votre maison ou appartement.

Une maison raconte!

Le matin, le tohu-bohu commence vers 7 heures! Les Chevalier se lèvent, sautent du lit, ouvrent les volets (aïe, la lumière!) et les fenêtres des quatre chambres (brrr!). Ils crient, ils courent dans tous les sens: ils veulent tous faire leur toilette et attaquent la salle de bains en même temps! Caroline prend sa douche: oh non! Il y a de l'eau partout sur mon carrelage! Charlie et son père se disputent pour aller aux toilettes ... chacun son tour, patience!

Vers 7 h 45, la corrida se déplace dans la cuisine. Ils préparent le petit déjeuner ... Tout un programme! Le café déborde de la cafetière, le pain brûle dans le grille-pain, les tartines tombent ... côté beurre, bien sûr! Comme il n'y a pas de table dans la cuisine, ils mangent dans la salle à manger. Ah là là! Miettes de pain partout sur ma belle moquette, taches de café au lait sur ma nappe propre ....

Vers 8 h 00, on claque les portes une dernière fois (ouille!) et ouf, tout le monde part! Ah, je suis bien! Je me repose, je fais la sieste l'après-midi ... mais ça ne dure pas!

Dix-sept heures et les voilà rentrés! Fini le calme! Charlie écoute de la musique très fort dans sa chambre, Caroline joue de la guitare électrique au salon, son père installe une étagère dans le couloir (bang bang bang!), Léa s'énerve sur ses devoirs dans le bureau, sa mère passe l'aspirateur (merci!). Un peu plus tard, dans la cuisine, on prépare le dîner, alors tout marche: le four, le micro-ondes, le mixer, le robot, le lave-vaisselle, le lave-linge. Quel bruit, quelle chaleur!

Après le repas, on regarde un peu la télé au salon. Une dernière cavalcade à la salle de bains et vers 22 h 30, tout le monde est au lit. La journée est finie et moi, je peux commencer à m'amuser: je fais claquer les volets, bouger les rideaux, grincer les portes, craquer le plancher ...!

Interview avec un agent immobilier

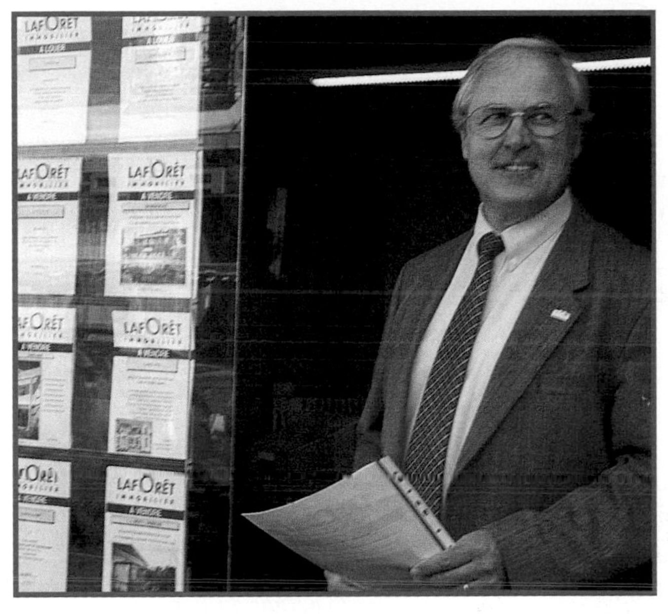

Jean-Claude Vrac, agent immobilier à Nantes

1 Ecoutez l'interview. Lisez les phrases et complétez les trous.

a Un agent immobilier fait de la transaction sur les ...... , les ...... , et sur les locaux commerciaux.

b Le type de logement qui se vend le plus facilement, c'est le T2 ou T3. Dans un T2, il y a deux ...... , un ...... et une ....

c Pour être agent immobilier et avoir une agence, il faut avoir une capacité en droit: c'est ...... années d'études après le bac.

2 M. Vrac dit que c'est un métier difficile. Pourquoi? (Choisissez a, b ou c.)

a Il faut beaucoup de diplômes.

b Les études sont longues.

c On n'a pas beaucoup de temps libre.

3 A votre avis, quelles sont les qualités d'un bon agent immobilier?

Ça se dit comme ça!

1 Lisez ces mots et écoutez la cassette pour vérifier votre prononciation. Attention, il y a trois sons différents!

mon blanc bain
donc grand peint

2 a Ecoutez. Notez combien de fois vous entendez le son de *mon*, le son de *blanc*, le son de *bain*.

ton en dans un
chambre sombre peint comment
sympa maison coussin planche
lampe balcon jardin salon

b Ecoutez et répétez. Il faut parler du nez!

3 Relisez les mots de l'activité 2. Trouvez:
deux façons d'écrire le son de *mon*
trois façons d'écrire le son de *blanc*
cinq façons d'écrire le son de *bain*.

4 Dites ces phrases à toute vitesse!
Ecoutez la cassette pour vérifier.

Mon grand copain Clément peint sa maison en blanc.
Mon oncle Roland invente des chansons marrantes.

Savez-vous ... ?

- parler de votre chambre
- décrire votre maison
- discuter le choix d'un gîte
- comprendre les abréviations courantes
- parler de la routine quotidienne à la maison
- bien dire les sons dans *mon*, *blanc*, *bain*

Et en grammaire ... ?

- les conjonctions (*et*, *mais*, *parce que*, etc.)
- les expressions de possession

Révisez! Unités 5 et 6

Révisez pages 75, 78, 79

1 Lisez la lettre.

a Vrai ou faux?

1 Il y a cinq personnes dans la famille Berthauld.

2 La belle-mère prépare tous les repas pendant les vacances.

3 Les enfants les plus âgés aiment visiter les villes historiques.

4 Avoir un garage n'a pas beaucoup d'importance pour M. Berthauld.

5 Un gîte avec une piscine serait bien pour cette famille.

b Inventez une petite annonce qui présente le gîte idéal pour la famille Berthauld.

c Vous travaillez chez Gîtes de rêves. Répondez à la lettre de M. Berthauld, en présentant un ou deux gîtes possibles.

M. et Mme Berthauld
45, rue des Augustins
66000 Perpignan

Gîtes de rêves
25 avenue du Fort
92120 Montrouge

Perpignan, le 20 avril

Madame, Monsieur,

J'ai vu votre petite annonce dans le journal. Vous promettez de trouver un gîte pour tout le monde. Alors, je vous présente notre famille en espérant que vous aurez un gîte pour nous.

Nous cherchons un gîte en Bretagne pour la période du 1 au 14 août. Ma femme adore les maisons bretonnes typiques, mais moi, je veux aussi une cuisine moderne et bien équipée (c'est moi qui fais la cuisine en vacances). Ma belle-mère nous accompagne toujours en vacances. Elle utilise une chaise roulante, une chambre au rez-de chaussée est donc nécessaire. Comme nous avons un chien très remuant, il nous faut aussi un grand jardin.

Ma femme et moi, nous préférons un gîte dans un endroit très calme, mais nous avons cinq enfants qui détestent la tranquillité! Nous n'avons pas besoin d'une jolie vue, s'il y a un grand jardin. Il nous faut six chambres et au moins deux salles de bains. Nos filles jumelles aiment bien partager la même chambre. Une télévision serait très utile, s'il fait mauvais.

Les enfants adorent la natation et les randonnées, jouer au tennis et sortir en ville. Les plus âgés aiment bien sortir le soir. Ma belle-mère aime visiter les monuments historiques. Avez-vous des gîtes près de la plage et pas trop loin d'une ville intéressante?

Si possible, nous voulons des transports près du gîte ou bien un gîte avec des vélos à louer. Nous avons une voiture, mais nous n'avons pas vraiment besoin d'un garage. Je vous serais reconnaissant de m'envoyer les détails d'un gîte que vous pourriez nous recommander.

Veuillez agréer, Madame, Monsieur, l'expression de mes sentiments les meilleurs.

Jean-Paul Berthauld

Jean-Paul Berthauld

2 Exposé

a Préparez un exposé. Choisissez un thème et révisez les expressions-clés. Pour cet exposé, essayez de donner votre opinion personnelle autant que possible.

Révisez pages 72, 74, 75, 76, 80

Voici où j'habite!

ou

Révisez pages 63, 64, 65, 71

Le travail et moi

b Ecrivez des mots-clés comme aide-mémoire pour votre thème choisi. Ecoutez l'exemple de la cassette, si vous voulez.
Exemple:

LE TRAVAIL ET MOI
mon expérience: j'ai distribué des prospectus, ...
et mon opinion: fatigant, un peu long, ...
mes projets: l'été prochain ... plus tard ...
chez moi: tâches ménagères

c Parlez, en utilisant vos notes comme aide-mémoire. N'oubliez pas de donner votre opinion! Si possible, enregistrez-vous. Puis écoutez (ou demandez l'opinion de quelqu'un) et essayez d'améliorer votre exposé.

Révisez pages 63, 64, 71

3 Alice fait un stage pratique dans une agence immobilière. Complétez l'extrait de son journal: mettez les verbes au passé composé.
Puis décrivez la journée suivante.

Mon premier jour de travail! Malheureusement, je [*arriver*] un peu en retard, parce que j' [*avoir*] du mal à trouver l'agence! Les gens étaient vraiment gentils et ils m' [*aider*] beaucoup. D'abord, j' [*faire*] du café pour tout le monde et puis j' [*lire*] le prospectus publicitaire de l'agence. J' [*taper*] des lettres et puis je [*aller*] à la poste pour les envoyer. L'après-midi, j' [*accompagner*] M. Maurice et des clients en banlieue pour visiter une nouvelle maison. A mon avis, elle était trop moderne et manquait de caractère, mais les clients [*décider*] de l'acheter.

Révisez pages 66, 67, 68, 69

4 a Adressez-vous au château pour demander un emploi d'été. Ecrivez une lettre pour décrire votre personnalité, votre expérience, votre emploi préféré, etc. Posez trois questions pour en savoir plus sur le travail.

b Echangez votre lettre avec celle de votre partenaire. Ecrivez-lui une réponse!

Château de Bonnefontaine à Antrain

à 18km du Mont-St-Michel
exposition d'automates: Les fables de La Fontaine
recrute saisonniers et intermittents.

Emplois à l'accueil, au magasin, au café, dans le parc et pour l'exposition (guides parlant allemand, anglais ou japonais).
Temps plein ou partiel. A partir du 1er juillet.

S'adresser au Château de Bonnefontaine,
35560 Antrain

▶ Baby-sitter, l'horreur!, de Fanny Joly

Fanny Joly écrit des histoires qui l'amusent. Ce roman est l'histoire de Marion qui veut un lecteur de CD et n'a pas d'argent: son frère lui donne l'idée de travailler comme baby-sitter, alors elle cherche des annonces dans le quartier.

Le lendemain, à peine sortie du collège, j'ai sillonné le quartier à la recherche d'une annonce-jackpot. Les annonces, c'est comme les œufs de Pâques : il suffit de savoir qu'il y en a pour en trouver. Le problème, c'est qu'elles ont plus souvent quelque chose à vendre ou à louer qu'un job à proposer. Chez le quincaillier, un papier jaunâtre vantait une tronçonneuse d'occase. Chez le boulanger, c'était un lit de bébé (moi, c'est pas le lit qui m'intéresse, c'est ce qu'il y a dedans !). Chez le boucher, des... cours d'anglais. Thank you so much. [...]

J'ai terminé mon périple au supermarché, derrière une colonne et devant un tableau de liège recouvert de petites annonces de toutes les tailles, de toutes les couleurs et de toutes les nationalités. A mesure que je les déchiffrais, ma déception s'est intensifiée : une bonne moitié des annonces étaient bien des annonces de baby-sitters. Mais de baby-sitters cherchant du boulot, nuance !
DELPHINE, ÉTUDIANTE EN PUÉRICULTURE...
SOPHIE, AîNÉE DE CINQ ENFANTS...
ISABELLE, ADORANT LES BÉBÉS...
Comment faire le poids face à tout ça ? [...]

Au moment où j'allais partir, un type en costume de pédégé m'a bousculée, l'air pressé-stressé. Il a sorti de sa poche un papier, grimacé devant le manque de place... Puis, d'un index impitoyable, il a fait sauter une dizaine de punaises, jeté en boule autant d'annonces comme de vulgaires papiers à cabinet pour placer bien au centre du tableau son bristol à lui, où j'ai lu ces mots :
HELLO ! JE M'APPELLE BARNABÉ JE CHERCHE UNE BABY-SITTER
SUPER SYMPA POUR ME GARDER. 43 36 75 80. URGENT.

Le temps que je me retourne, le pédégé s'engouffrait dans une voiture noire garée sur le trottoir. Je suis restée un moment à déguster son annonce comme une friandise.

Une baby-sitter super sympa ? Pourquoi pas moi ?

Je bouquine, © Bayard Presse

j'ai sillonné = *I went all over*
il suffit de savoir qu'il y en a = *once you know they're there*
le quincaillier = *the ironmonger*
jaunâtre = *yellowish*
une tronçonneuse = *a chain saw*
d'occase* = d'occasion = *second hand*
mon périple = *my journey*
un tableau de liège = *cork noticeboard*
à mesure que = *while/as*
je les déchiffrais = *I decoded them*
ma déception = *my disappointment*
puériculture = *childcare*
en costume = *in a suit*
pédégé* = PDG = *managing director*
d'un index = *with his index finger*
punaises = *drawing pins*
son bristol à lui = *his own card*
s'engouffrait dans = *was diving into*
déguster = *to savour/enjoy*
une friandise = *a sweet*

* français familier

La Dentellière, de Pascal Lainé

La Dentellière, un roman de Pascal Lainé, publié en 1974, raconte l'histoire d'une jeune fille. Elle s'appelle Pomme, à cause de ses joues rondes. Elle travaille dans un salon de coiffure. Aimery est étudiant. Ils se rencontrent en vacances au bord de la mer. Quand ils rentrent à Paris, ils s'installent dans la chambre d'Aimery. Dans cet extrait, Pomme essaie de transformer leur logement.

On s'installa le même jour dans la chambre de l'étudiant, qui était au juste une vilaine mansarde, au 5 de la rue Sébastien-Bottin. [...] Pomme ne sut tout d'abord cacher sa surprise en voyant l'extrême modestie du logis. Cela ne convenait pas à ce qu'elle se figurait de son ami. Et puis dans une chambre sous les toits il aurait dû y avoir des fleurs à la fenêtre, de jolies cartes postales épinglées aux murs, un couvre-lit tout bariolé, une guitare, du papier à musique à même le sol, des bougies pour l'éclairage. [...]

Elle ne fut pas longue à prendre possession du lieu en ses moindres recoins. Elle lessiva les murs et cira le parquet. Elle rangea les livres par taille et par couleur ; elle acheta du tissu pour faire des rideaux ; elle couvrit les étagères du placard avec du papier glacé, parce que c'était plus propre. Enfin, on changea le petit lit de l'étudiant contre une grande couche d'un mètre quarante. On dut expulser la table de travail, coincée contre la fenêtre qui ne pouvait plus s'ouvrir. [...]

Pomme voulut faire de la cuisine. [...] On acheta une plaque chauffante. Il fallut transformer une des prises électriques. Aimery maugréait un peu qu'il aurait des ennuis avec sa propriétaire, qu'il n'était pas bien sûr d'avoir le droit, que ça ferait des odeurs. Il accepta quand même de fixer la nouvelle prise à la plinthe : c'était un travail d'homme.

la dentellière = *the lacemaker*
on s'installa = *they settled in*
une vilaine mansarde = *an ugly attic room*
Pomme ne sut = *Pomme didn't know how to*
du logis = *of the dwelling*
cela ne convenait pas = *it didn't suit*
il aurait dû y avoir = *there should have been*
tout bariolé = *multicoloured*
à même le sol = *on the floor*
des bougies = *candles*
elle ne fut pas longue à = *it didn't take her long to*
en ses moindres recoins = *and all its nooks and crannies*
elle lessiva les murs = *she washed the walls*
elle cira le parquet = *she waxed the parquet floor*
elle rangea = *she arranged*
une grande couche = *a large bed*
on dut expulser = *they had to get rid of*
coincée contre = *stuck against*
Pomme voulut faire = *Pomme wanted to do*
une plaque chauffante = *an electric ring/hotplate*
il fallut = *they had to*
une des prises électriques = *one of the electric sockets*
Aimery maugréait un peu = *Aimery grumbled a bit*
il aurait des ennuis avec sa propriétaire = *he would have problems with his landlady*
la plinthe = *the skirting board*

UNITÉ 7 Séjour en France

- Banque, poste et téléphone: un mini-guide
- Savoir-vivre, savoir-dire: devenez le parfait invité!
- Les séjours à l'étranger: des jeunes racontent
- Quel séjour choisir et conseiller?

Savoir utiliser le téléphone, savoir quoi dire à la poste ou à la banque, c'est utile pendant un séjour à l'étranger.

1 Repérez les mots! Ensuite, écoutez et répétez les mots.

2 Faites trois listes avec les mots:
  a à la poste
  b à la banque ou au bureau de change
  c dans une cabine téléphonique.

3 Connaissez-vous d'autres mots utiles? Continuez les listes.

4 Ecoutez les conversations. C'est où: à la poste, à la banque ou au téléphone?
Exemple: *1 = banque*

Guide pratique

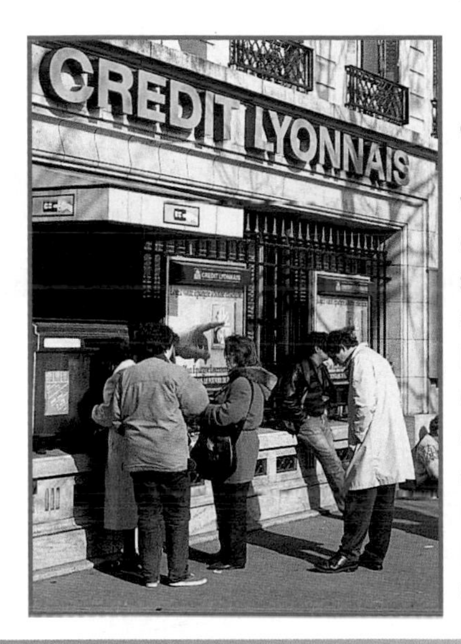

En général, les banques ont un bureau de change et sont ouvertes de 9 h 30 à 12 h 00 et de 14 h 00 à 16 h 00 (fermées le week end et le lundi). Le taux de change et les commissions varient selon les banques. Les bureaux de change sont ouverts plus longtemps (gares, aéroports, endroits touristiques) mais la commission est souvent plus élevée. La Carte Bleue/VISA ou Mastercard permet de retirer de l'argent dans les distributeurs automatiques.

Les postes sont ouvertes en général de 9 h 00 à 12 h 00 et de 14 h 00 à 17 h 00 (toute la journée dans les grandes villes, de 9 h 00 à 12 h 00 le samedi). On peut téléphoner dans des cabines avec une télécarte. On achète aussi les télécartes et les timbres dans les bureaux de tabac et les maisons de la presse.

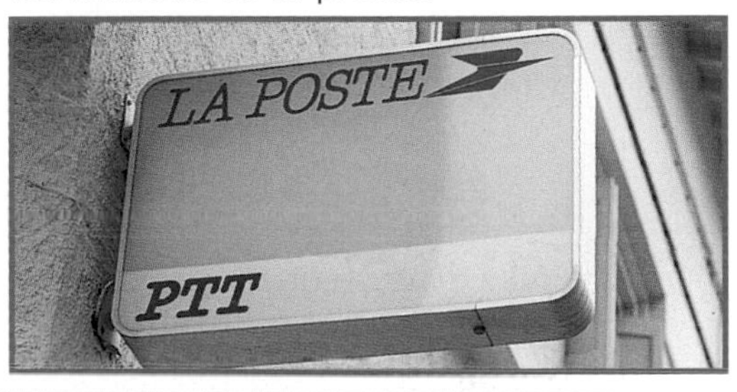

1 Lisez *Guide pratique.* Ensuite, lisez les extraits de conversations (1–6) et retrouvez la bonne question (a–f) à poser dans chaque cas.

à la banque:

1 – Je voudrais changer des livres en francs.
– Désolé, nous ne faisons pas bureau de change.

2 – Je voudrais toucher ce chèque de voyage de 300F.
– Ah, impossible, je ferme maintenant!

à la poste:

3 – Je voudrais 10 timbres à 2,80F.
– Désolée, je n'en ai plus.

4 – Je voudrais téléphoner, s'il vous plaît.
– Désolée, la cabine est en panne.

dans un publiphone:

5 Zut! Je n'ai plus assez de monnaie pour appeler Londres.

6 Mince! C'est une cabine à télécarte et je n'en ai pas.

questions:

a Est-ce qu'il y a un distributeur de timbres ou un tabac pas loin?
b Où est-ce qu'on vend des télécartes par ici?
c Qu'est-ce qu'il faut faire pour appeler en PCV?
d Est-ce qu'il y a un bureau de change près d'ici?
e Il y a une autre cabine téléphonique près d'ici?
f A quelle heure est-ce que vous ouvrez?

2 Ecoutez la cassette pour vérifier vos réponses.

S **3** Imaginez, vous êtes en France avec des amis qui ne parlent pas français. Ecoutez et participez aux quatre conversations. Utilisez les expressions-clés.
SOLO

4 A vous de jouer! *A* va à la banque/poste et *B* est l'employé(e). *B* invente des problèmes, *A* doit trouver une solution! Puis changez de rôle.

Expressions-clés

- **A la banque:**
  Je voudrais changer des livres/toucher un chèque de voyage.
  La livre est à combien?
  Vous prenez une commission?
  Vous voulez une pièce d'identité?
  J'ai mon passeport.
  Je signe où?
  Je peux avoir des billets de 50F/des pièces de 20F, s'il vous plaît?
  Je crois qu'il y a une erreur. Vous pouvez vérifier?
- **A la poste:**
  A quelle heure est-ce que ça ouvre?
  C'est quel guichet pour les timbres/les télégrammes?
  C'est combien un timbre pour la Grande-Bretagne?
  Je voudrais un timbre à 2,80F, s'il vous plaît.
  C'est combien pour ce colis en urgent/en petite vitesse?
- **Dans une cabine:**
  Allô, je voudrais appeler la Grande-Bretagne en PCV, s'il vous plaît.
  Le/Mon numéro, c'est le ... L'indicatif, c'est le ...
  Qu'est-ce qu'il faut faire pour appeler Londres?
  Ça ne marche pas. C'est en panne.

ZOOM sur les questions

Il y a deux types de réponses à une question:
- oui ou non
- une information

- Quand on attend oui ou non comme réponse, il y a trois façons de poser la question:
  - les mots dans l'ordre normal, la voix monte:
    Vous avez des timbres?
  - avec la formule *est-ce que*:
    Est-ce que vous avez des timbres?
  - en inversant le sujet et le verbe (registre soutenu et à l'écrit):
    Avez-vous des timbres?

1 Inventez d'autres questions de chaque type.

- Quand on attend une réponse avec une information, on utilise un mot interrogatif.
  Exemples: *où quand comment pourquoi qui quel à quelle heure combien*

  On peut placer ce mot dans différentes positions:
  - en début ou fin de phrase (registre familier):
    Tu pars à quelle heure?
    A quelle heure tu pars?
  - en début, en inversant sujet et verbe (registre soutenu):
    A quelle heure pars-tu?
  - en début de phrase, avec *est-ce que* (le plus courant):
    A quelle heure est-ce que tu pars?

11

2 Faites des questions.

Où Quand A quelle heure Qu'	est-ce que est-ce qu'	ça ouvre? il faut faire? il y a une banque? tu veux manger?

3 Vous arrivez à la gare à Paris pour un séjour. Trouvez la réponse aux questions de votre hôte.

1 Comment vas-tu?
2 Tu as fait bon voyage?
3 Quand est-ce que tu es parti(e)?
4 Combien est-ce que tu as de sacs?
5 Où habites-tu en Angleterre?

a Oui. J'ai beaucoup aimé l'Eurostar.
b J'ai un grand sac.
c Bien, merci. Et vous?
d A Watford, au nord de Londres.
e A huit heures ce matin.

4 Vous arrivez chez votre hôte. A vous de faire la conversation! Regardez les bulles et posez les questions.

Ne faites pas comme chez vous!

Les conventions sociales ne sont pas les mêmes dans tous les pays. Vous êtes un(e) bon(ne) invité(e)? Faites ce test!

1 On ne doit pas poser le pain directement sur la nappe.
2 On mange le couscous avec les mains.
3 On boit le café du matin dans un grand bol.
4 On mange de la salade verte avant le fromage, et le fromage avant le dessert.
5 Ce n'est pas poli d'aider à faire la vaisselle.
6 On enlève ses chaussures avant de rentrer dans la maison.
7 On dit automatiquement 'tu' aux parents de copains.
8 On embrasse souvent les membres de la famille sur les joues.

Réponses
1 Faux, on peut, parce qu'il n'y a pas d'assiette pour le pain. **2** Faux, sauf dans certaines familles d'origine nord-africaine. **3** Vrai, il y a plus de bols que de tasses. **4** Vrai. **5** Faux, c'est très poli! **6** Faux, sauf si on vous le demande ou dans certaines familles d'origine asiatique. **7** Faux, il faut dire 'vous' d'abord. **8** Vrai, le nombre de bises varie selon les familles et les régions!

ASTUCES

Comprendre et se faire comprendre

La cantoche du bahut est giga.

La cantine du lycée est super.

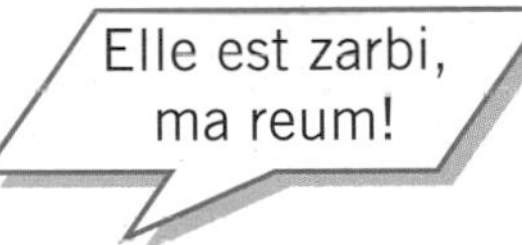

Elle est bizarre, ma mère!

- Vous ne comprenez pas? Pas de panique! Les jeunes parlent souvent argot et verlan. Ils vous apprendront!

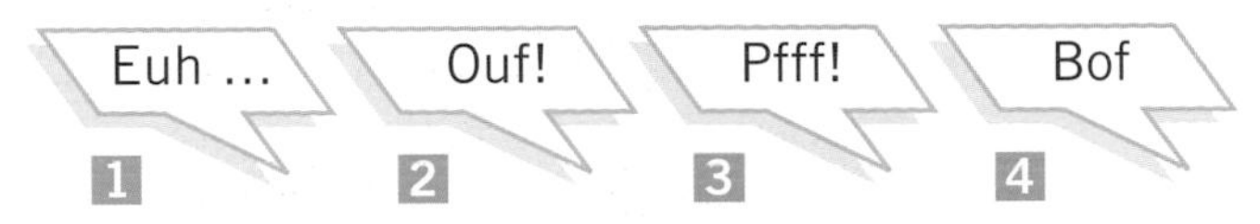

- Voici des sons pour exprimer:
  1 l'hésitation (*La poste? Euh ... je ne sais pas...*)
  2 le soulagement (*Ouf! Voilà le train!*)
  3 la colère (*Pff! Il n'a même pas répondu!*)
  4 l'indifférence (*Le tennis? Bof!*).

J'ai besoin d'un ... d'un machin pour ouvrir les bouteilles.

- Quand vous ne connaissez pas un mot, remplacez-le par *un machin, un truc, un bidule*: des petits mots utiles!

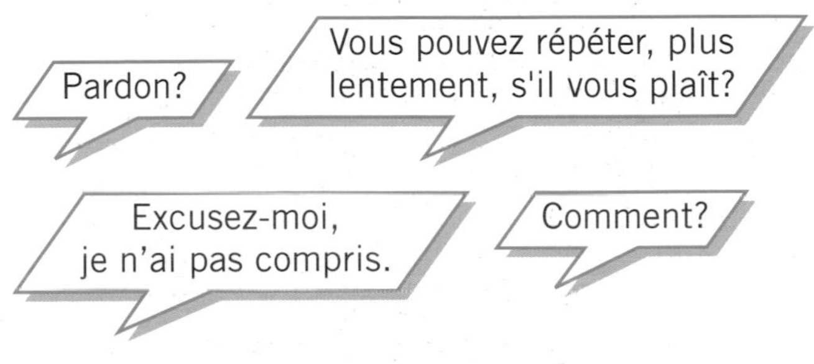

- Quand vous ne comprenez pas, dites-le ... poliment!

1 Vous allez dans une famille d'accueil: devenez le/la parfait(e) invité(e) avec *Envol*! Ecoutez et choisissez la solution A ou B pour chaque situation.

Séjours à l'étranger: le bilan

Malika, 15 ans

Moi, cet été, j'ai fait un séjour d'un mois à York en immersion totale: je suis partie seule, sans groupe. J'étais dans une famille où il n'y avait pas de jeune de mon âge. C'était sympa mais je me suis sentie un peu seule. Alors je me suis occupée: je suis sortie pour rencontrer des gens. Je me suis fait des copains au centre de loisirs, de jeunes Anglais qui venaient là pour faire du sport. J'ai beaucoup parlé anglais, c'était super!

Sylvain, 14 ans

Je viens de faire un voyage de classe que mon prof d'anglais a organisé à Londres. On est restés cinq jours. Pendant la journée, on n'avait pas de cours, on s'est promenés. On était logés deux par deux dans des familles. La mienne n'était pas très très sympa, mais je me suis bien amusé parce que j'étais avec mon copain. On est toujours nuls en anglais mais on a de bons souvenirs!

Amandine, 15 ans

Je reviens d'Exeter, où j'ai passé deux semaines dans une famille. Je me suis bien plu et je me suis améliorée en anglais! Le matin, je suis allée en cours avec des jeunes qui venaient de tous les pays, c'était super! L'après-midi, on s'est retrouvés pour faire du sport et des visites. J'ai passé les week-ends avec la famille. Ils étaient sympa et ils avaient une fille de mon âge. On s'est bien entendues toutes les deux et je ne me suis pas ennuyée.

Marianne, 16 ans

Je viens de faire un voyage que je n'oublierai jamais! Un séjour à thème en Irlande où j'étais hébergée dans une famille très chaleureuse, qui m'a tout de suite mise à l'aise. J'avais un cours d'anglais le matin. Le reste du temps, c'était pour le thème du séjour: pour moi, l'équitation. Je voulais apprendre à faire du cheval et j'ai appris avec des moniteurs irlandais, en anglais donc! En un mois, j'ai bien amélioré mon anglais – moi qui détestais ça! – et je me suis découvert une nouvelle passion, le cheval. C'était formidable!

Tristan, 18 ans

Je viens de passer un mois à Edimbourg, où j'ai fait un stage à la réception d'un hôtel. C'était dur au début: il y avait des clients que je ne comprenais pas et qui ne me comprenaient pas non plus. Panique! Après une semaine, ça allait mieux. Mon anglais était assez bon avant et il s'est bien amélioré. J'avais une super chambre à l'hôtel et j'étais libre le soir et le week-end. Bilan du séjour: extra positif! J'ai découvert l'Ecosse qui est magnifique, j'ai rencontré des gens sympa et j'ai maintenant une expérience professionnelle!

1 Ecoutez et lisez ces témoignages.

2 Choisissez une personne et répondez au questionnaire pour lui/elle.

Bilan du séjour

- Où est-ce que tu es allé(e)?
- Pendant combien de temps?
- Avec quelle formule d'hébergement?
- Qu'est-ce que tu as fait?
- Le bilan global?

3 Imaginez un séjour fantastique ou catastrophique. Racontez chacun votre tour. Qui invente le récit le plus fou? (Utilisez le questionnaire!)

Exemple:

A: ... Qu'est-ce que tu as fait?

B: Je suis allé(e) en cours le matin, et je me suis promené(e) l'après-midi.

4 Ecrivez le récit d'un séjour vrai ou imaginaire.

16e

- **Je viens de** faire un voyage.
  Venir de + infinitif, c'est utile pour parler de quelque chose qui s'est passé très récemment.

Interview avec une jeune fille au pair

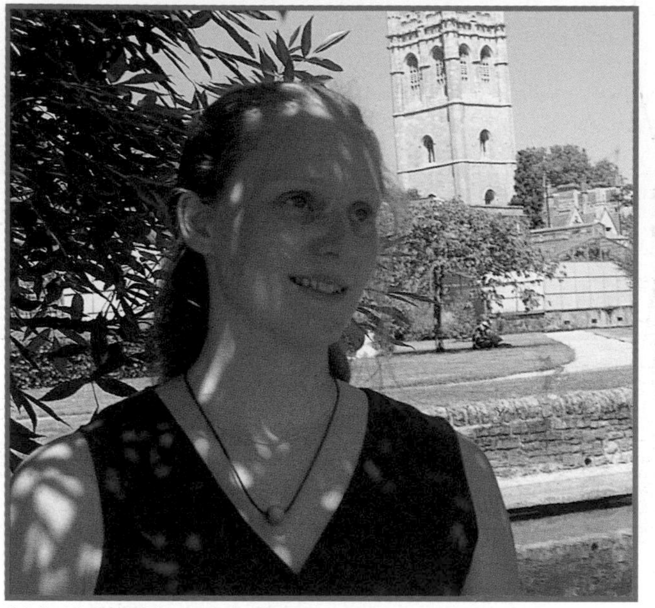
Cécile Lévêque, 21 ans, jeune fille au pair

1 Ecoutez Cécile et répondez.
- **a** Elle a fait deux sortes de séjours linguistiques en Angleterre. Lesquelles?
- **b** Elle préfère la formule au pair pour deux raisons. Lesquelles?
- **c** Elle pense que c'est enrichissant de faire un séjour à l'étranger pour deux raisons. Lesquelles?

2 Quelle est l'opinion de Cécile: a, b ou c?
- **a** Il n'y a pas de différence entre les Français et les Britanniques.
- **b** En France, les gens sont plus polis et plus disciplinés qu'en Grande-Bretagne.
- **c** En Grande-Bretagne, les gens sont plus polis et plus disciplinés qu'en France.

3 Voulez-vous partir comme au pair? Pourquoi (pas)?

ZOOM sur les pronoms relatifs qui, que et où

Des pronoms relatifs, pour quoi faire?
Ce sont des pronoms, donc ils remplacent un nom.
Ils sont relatifs: ils relient deux phrases. La deuxième donne plus d'informations.

J'ai fait **un voyage**. Je n'oublierai jamais **ce voyage**!
J'ai fait un voyage **que** je n'oublierai jamais!

J'ai rencontré **de jeunes Anglais**. **Ils** venaient au club.
J'ai rencontré de jeunes Anglais **qui** venaient au club.

Je suis allé à **Londres**. J'ai passé une semaine **là**.
Je suis allé à Londres **où** j'ai passé une semaine.

1 Dans les phrases ci-dessus, quel pronom correspond à *who, which/that* et *where*?

Attention! **qui** et **que** s'appliquent aux personnes et aux choses.
J'ai fait un voyage **qui** a duré quinze jours.
J'ai rencontré de jeunes Anglais **que** je voyais souvent au club.

La différence entre qui et que?
Qui est le sujet du verbe:
C'est un ami **qui** me comprend. → C'est **un ami**, **il** me comprend.
(le sujet = l'ami)

Que est l'objet direct:
C'est un ami **que** je comprends. → C'est un ami, je **le** comprends.
(le sujet = je)

2 Relisez les témoignages aux pages 90–91 et faites deux listes: les phrases avec *qui* (pronom relatif sujet), les autres avec *que* (pronom relatif objet).

3 Votre correspondant arrive en échange. Que dites-vous? Complétez ces phrases avec le bon pronom: *qui, que* ou *où*.
- **a** Voici la chambre ...... tu vas dormir pendant ton séjour.
- **b** Tu peux utiliser les serviettes ...... sont dans la salle de bains.
- **c** Il y a des choses ...... tu n'aimes pas manger?
- **d** Je vais te présenter mes copains ...... habitent le quartier.
- **e** Est-ce que j'ai des CD ...... tu aimerais écouter?
- **f** Il y a un endroit ...... tu voudrais aller demain?

Interlude

Astérix chez les Bretons

Les célèbres Gaulois, Astérix et Obélix, sont en Bretagne (c'est-à-dire en Angleterre). Ils vont dans une auberge qui s'appelle Le Rieur Sanglier. Ils ont très faim, surtout Obélix, qui n'est pas très impressionné par le plat qu'on lui apporte.

Le Rieur Sanglier = le cochon sauvage heureux (le nom de l'auberge est anglicisé)

ZOOM sur les verbes pronominaux au passé composé

1 Il y a 12 verbes pronominaux dans l'article pages 90–91. Trouvez-les!
Exemple: *je ne me suis pas ennuyée*

Comment forme-t-on le passé composé des verbes pronominaux?
Avec l'auxiliaire *être* + le participe passé.
Il se promène. → Il s'est promené.

Faut-il accorder le participe passé?
Oui, au féminin et au pluriel.
Il s'est promené.
Elle s'est promen**ée**.
Ils se sont promen**és**.
Elles se sont promen**ées**.
On s'est promen**é(e)s**.

2 Trouvez dans l'article pages 90–91 six exemples d'accord.

Comment utiliser ces verbes avec une négation?
ne va tout de suite avant le pronom (*me, te, se,* etc.).
pas va entre l'auxiliaire *être* et le participe passé.
Je **ne** me suis **pas** ennuyée.

Notez bien!
Le mot *bien* va après un verbe au présent, mais au passé composé il va entre l'auxiliaire et le participe passé:
Elle s'amuse **bien**. → Elle s'est **bien** amusée.

17

3 Racontez ce séjour au passé composé.

Je m'amuse bien chez ma correspondante Nicola. Je m'entends bien avec elle. On ne s'ennuie jamais: on se promène, on se baigne, on discute beaucoup. Mon anglais s'améliore! Je me fais beaucoup d'amis sympa.

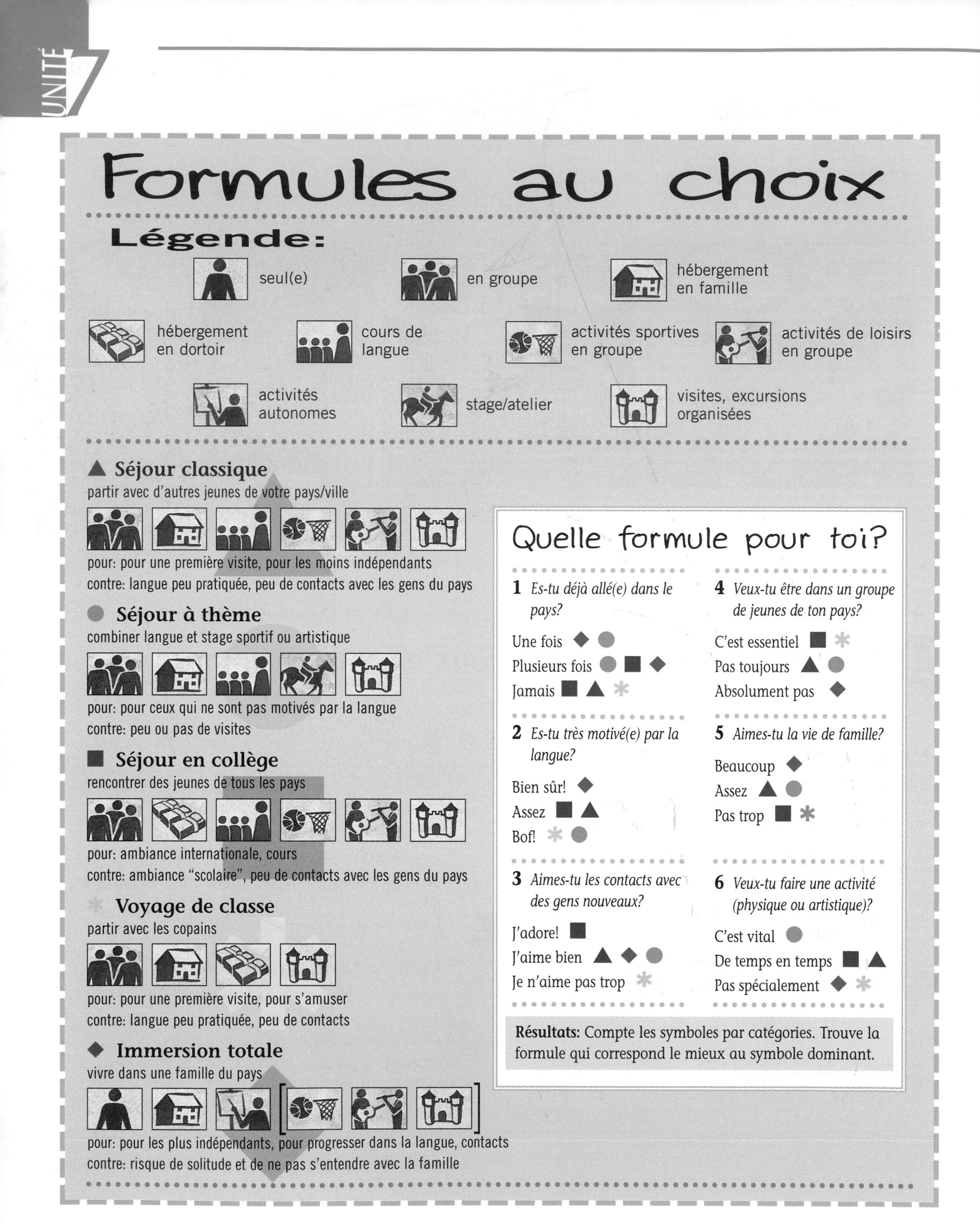

Formules au choix

Légende:

- seul(e)
- en groupe
- hébergement en famille
- hébergement en dortoir
- cours de langue
- activités sportives en groupe
- activités de loisirs en groupe
- activités autonomes
- stage/atelier
- visites, excursions organisées

▲ Séjour classique

partir avec d'autres jeunes de votre pays/ville

pour: pour une première visite, pour les moins indépendants
contre: langue peu pratiquée, peu de contacts avec les gens du pays

● Séjour à thème

combiner langue et stage sportif ou artistique

pour: pour ceux qui ne sont pas motivés par la langue
contre: peu ou pas de visites

■ Séjour en collège

rencontrer des jeunes de tous les pays

pour: ambiance internationale, cours
contre: ambiance "scolaire", peu de contacts avec les gens du pays

* Voyage de classe

partir avec les copains

pour: pour une première visite, pour s'amuser
contre: langue peu pratiquée, peu de contacts

◆ Immersion totale

vivre dans une famille du pays

pour: pour les plus indépendants, pour progresser dans la langue, contacts
contre: risque de solitude et de ne pas s'entendre avec la famille

Quelle formule pour toi?

1 *Es-tu déjà allé(e) dans le pays?*

Une fois ◆ ●
Plusieurs fois ● ■ ◆
Jamais ■ ▲ *

2 *Es-tu très motivé(e) par la langue?*

Bien sûr! ◆
Assez ■ ▲
Bof! * ●

3 *Aimes-tu les contacts avec des gens nouveaux?*

J'adore! ■
J'aime bien ▲ ◆ ●
Je n'aime pas trop *

4 *Veux-tu être dans un groupe de jeunes de ton pays?*

C'est essentiel ■ *
Pas toujours ▲ ●
Absolument pas ◆

5 *Aimes-tu la vie de famille?*

Beaucoup ◆
Assez ▲ ●
Pas trop ■ *

6 *Veux-tu faire une activité (physique ou artistique)?*

C'est vital ●
De temps en temps ■ ▲
Pas spécialement ◆ *

Résultats: Compte les symboles par catégories. Trouve la formule qui correspond le mieux au symbole dominant.

1 Pourquoi un séjour à l'étranger? Classez ces idées selon leur importance pour vous. Ajoutez d'autres idées.

- **a** améliorer son français
- **b** rencontrer des gens
- **c** apprendre l'indépendance
- **d** découvrir un nouveau pays
- **e** faire une activité (sportive/artistique)
- **f** bien s'amuser

2 Lisez la brochure page 94. Puis écoutez les conversations. Prenez des notes et choisissez une formule de séjour pour Lisa, Marc et Claire.

3 Faites le test à la page 94 ensemble. *A* pose les questions et donne des conseils. Aidez-vous des expressions utiles. *B*: êtes-vous d'accord avec le résultat? Puis changez de rôle.

4 En groupe, choisissez un type de séjour et présentez-le à la classe (exposé, brochure ...). Quel groupe est le plus convaincant?

5 Ecrivez une lettre à un organisme de séjours français. Parlez de vous, de vos préférences et du type de séjour que vous voulez faire.

Expressions utiles

- **Donner des conseils:**

  Si tu { es motivé(e) en français, / veux rencontrer des gens, } { alors prends des cours. / va dans un collège. }

  Pour toi, { il vaut mieux aller avec l'école. / c'est mieux de faire un séjour à thème. }

  Tu devrais { aller dans une famille. / faire un échange. }

- **Pour dire ce qui est important pour vous:**
  regardez les expressions utiles, page 78

Ça se dit comme ça!

Il faut bien prononcer le son *qu*.

1 Ecoutez et répétez.

chèque banque automatique
quarante qualité équitation

2 Dites les phrases suivantes et vérifiez avec la cassette.

Qu'est-ce que c'est?
Il est quelle heure? Quatre heures et quart.
Quel quartier artistique!
Quand est-ce que Quentin quitte le Québec?

Savez-vous ... ?

- quoi dire à la banque, à la poste et pour téléphoner
- quoi dire à des hôtes et comment les comprendre
- parler d'un séjour à l'étranger
- choisir et conseiller une formule de séjour en France
- la prononciation de *qu*

Et en grammaire ... ?

- les différentes façons de poser des questions
- les pronoms relatifs: *qui*, *que*, *où*
- les verbes pronominaux au passé composé (*je me suis amélioré(e) en français*, etc.)

UNITÉ 8

Bon appétit!

Qu'est-ce qu'on mange?
Quels sont vos goûts?
Trouver un restaurant et commander un repas
Le fast-food, qu'en pensez-vous?

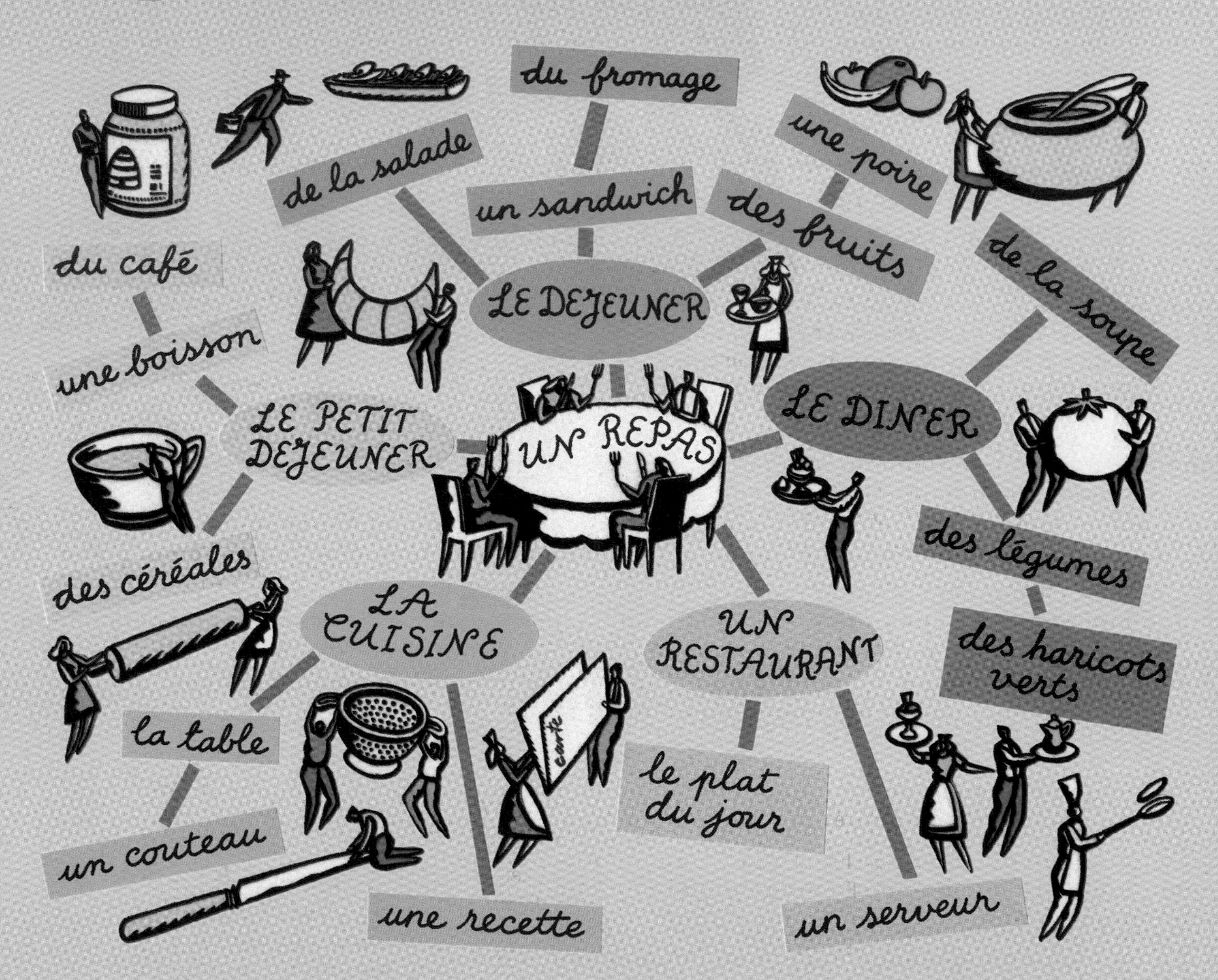

1 a Recopiez et continuez le diagramme.

le dessert de la confiture des épinards
des pommes de terre des champignons
de l'agneau une truite du riz des cerises
du sucre des pêches une baguette une crêpe
une entrée du saucisson du cidre l'addition

b Ajoutez d'autres mots. Comparez avec votre partenaire. Qui en a ajouté le plus?

2 Vous partez un mois sur une île déserte. Vous pouvez seulement apporter six aliments. Lesquels choisissez-vous? Justifiez votre choix.
Exemple: *J'apporte du thé, parce que c'est ma boisson préférée.*

Qu'est-ce que vous avez mangé?

1 Ecoutez Lise, Paul, Amélie et Cédric .

a Quel repas décrit chaque personne – petit déjeuner, déjeuner, goûter ou dîner?

b Regardez les images. Trouvez les deux aliments qui ne sont pas mentionnés.

c Reliez les aliments et les opinions des jeunes:

les pâtes la laitue les desserts les gaufres
le Coca le Roquefort les tartines et le café
le déjeuner à la cantine le potage aux légumes

C'était très bon.
Ça sent vraiment bon.
C'est fort, mais c'est tellement bon.
Je déteste ...
J'adore ...
J'aime bien ...
C'est délicieux.
C'est ma boisson préférée.
Ce n'est pas terrible, mais c'est pratique.

2 *A* devine ce que *B* a mangé hier (liste d'aliments, heures des repas). Puis il/elle pose la question:
Qu'est-ce que tu as mangé et bu hier?
B explique et *A* compare avec ses prédictions.
A tour de rôle!
Exemple: *Hier, j'ai pris mon petit déjeuner à huit heures moins dix. J'ai bu un jus d'orange et j'ai mangé ...*

3 Avez-vous un régime équilibré? Pendant une semaine, notez, chaque soir, ce que vous avez mangé dans la journée. Ensuite, écrivez un commentaire.
Exemple: *Lundi. A sept heures, j'ai mangé un bol de cornflakes avec du lait et du sucre. J'ai bu une tasse de thé sans sucre.*

Rappel: l'article partitif

du
de la
de l'
des
} désignent une partie d'un ensemble qu'on ne peut pas compter.

Exemples: Je mange **du** pain et **de la** confiture.
Je bois **de l**'eau. Je mange **des** épinards.

Des est aussi le pluriel de **un** et **une**.
Exemple: Je mange **des** biscuits et **des** pommes.

Complétez ces phrases avec **un**, **une**, **du**, **de la**, **de l'** ou **des**.

a Je voudrais ...... glace à la pistache.
b 50% des Français possèdent une cave avec ...... vin.
c 75% des foyers français achètent ...... eau minérale.
d On vend ...... viande de cheval dans une boucherie chevaline.
e Il manque ...... verre.
f Je vais prendre ...... fruits de mer.

Trop, c'est trop!

Chez les Pagaille

Mme P.: *Je fais du chocolat ... si je trouve la casserole. Ah! La voilà! Vous en voulez?*
Fabrice: *Oui, je veux bien!*
Camille: *Moi aussi! J'en veux un grand bol, s'il te plaît, maman.*
Mme P.: *Et toi, Justine?*
Justine: *Non, merci. Je n'en veux pas. Je n'ai pas le temps. J'ai une leçon de conduite ce matin, je pars dans dix minutes. Je vais juste prendre un jus de fruit. Mais! Où est le jus de pamplemousse?*
Fabrice: *Il n'y en a plus.*
Justine: *C'est vrai, maman? Il n'y en a plus?*
Mme P.: *Je ne comprends pas! J'en ai acheté hier ... Attendez, non, je vais en acheter aujourd'hui, c'est sur ma liste de courses. Tu veux un jus d'orange à la place?*
Fabrice: *Je peux avoir un couteau, maman, s'il te plaît?*
Mme P.: *Voilà.*
Camille: *Moi, je veux des céréales, maman, maman ...*
Justine: *Il est où, le jus d'orange? Il en reste?*
Camille: *Maman, maman, je veux des céréales ...*
Mme P.: *Regarde dans le frigo, derrière le lait. Fabrice! Je sais bien que tu aimes la confiture, mais tu en mets beaucoup trop!*
Fabrice: *C'est tellement bon!*
Mme P.: *D'accord, mais n'en prends pas trop! Tu vas avoir mal aux dents.*
Camille: *Maman, maman, je veux des céréales. Fabrice, passe-moi le paquet!*
Mme P.: *Encore du pain, Fabrice?*
Fabrice: *Non, j'en ai assez mangé comme ça.*
Mme P.: *Justine, tu n'as pas trouvé?*
Justine: *Ben, non!*
Mme P.: *Regarde, le chocolat chaud est prêt, tu es sûre que tu n'en veux pas?*
Justine: *Bon, d'accord, mais juste une goutte, alors.*
Camille: *Je veux des céréales ... Fabrice, passe-moi le paquet ...*

1 Lisez la scène. Répondez aux questions:
- **a** C'est quel repas?
- **b** Qui prépare une boisson chaude? Qu'est-ce que c'est?
- **c** Pourquoi Justine ne boit-elle pas de jus de pamplemousse? Pourquoi ne boit-elle pas de jus d'orange?
- **d** Pourquoi est-ce que Fabrice va avoir mal aux dents (selon sa mère)?
- **e** Pourquoi est-ce que Camille n'est pas contente?

2 La scène n'est pas terminée.
- **a** Devinez ce qui arrive ensuite: écrivez quelques lignes pour terminer la scène.
- **b** Ecoutez la cassette pour comparer.

3 Trouvez des expressions dans la scène:
- **a** trois pour offrir quelque chose à boire ou à manger
- **b** trois pour accepter quelque chose
- **c** deux pour refuser quelque chose.

4 *A*: offrez à votre partenaire les aliments du dessin A. *B* en accepte deux et en refuse deux, et explique pourquoi.
B: faites de même avec les aliments du dessin B.
Exemple:
A: Tu veux du sucre?
B: Non, merci. Je n'en veux pas. Je ne mets jamais de sucre.

5 Relisez la scène et écrivez une fin différente.

La grande épreuve du goût

1 Il existe quatre familles de goût: le salé, le sucré, l'acide et l'amer. Trouvez des exemples d'aliments pour chaque famille.

2 **a** Lisez les instructions à droite et faites l'expérience.
b Ecrivez un rapport. Notez le nom de l'aliment, si c'était facile à reconnaître, et les adjectifs que vous avez utilisés pour le décrire.
Exemple: *Nous avons mangé du concombre et trois personnes sur quatre l'ont reconnu. Nous avons trouvé que le concombre avait un goût frais et agréable, mais un peu fade ...*

1. Réunissez des aliments différents: pomme, pomme de terre, pêche, gâteau, pain, etc.
2. Coupez-les en petits morceaux de même taille.
3. Disposez un assortiment de 'goûts' sur des assiettes.
4. Chacun à votre tour, bandez-vous les yeux et goûtez ce qu'il y a dans votre assiette: pour chaque aliment, décrivez la saveur, dites ce que vous en pensez et essayez de reconnaître l'aliment.

Expressions-clés

C'est doux/salé/sucré.
C'est piquant/épicé/fort.
C'est fade/plat/sans saveur.
C'est frais/fruité/agréable/délicieux.
C'est acide/amer/désagréable.
J'aime bien. Je n'aime pas (beaucoup).
Ça me plaît. Ça ne me plaît pas (beaucoup).

Zoom sur le pronom en

Que veut dire le pronom **en** dans cette question?

Je fais du chocolat: vous **en** voulez?

Le pronom **en** remplace **de + un nom**.
Vous **en** voulez? = Vous voulez **du chocolat**?

Le pronom **en** va où dans la phrase?

- Le plus souvent, avant le verbe:
  J'en mange. Tu n'en veux pas?
  J'en ai acheté. N'en parlez pas.
- Quand il y a un verbe + un infinitif, **en** va au milieu:
  Justine va en prendre une goutte.
  Fabrice doit en prendre moins.
- Avec un impératif positif, **en** est placé après le verbe:
  Prenez-en. Donnez-en à vos copains.

1 Dans la scène chez les Pagaille, trouvez d'autres exemples du pronom **en**. Ecrivez chaque phrase deux fois: avec le pronom et avec le nom.
Exemple: *J'en veux un grand bol.*
Je veux un grand bol de chocolat.

10d

2 Remplacez par **en** les mots soulignés.
a Il a des croissants.
b Vous ne voulez pas de viande?
c Elles ont mangé du beurre.
d Il n'y a pas de vin blanc.
e Il n'y avait plus de frites.
f Je vais préparer des crudités.
g Nous ne mangeons jamais d'escargots.
h Vous avez assez de biscuits.
i Demandez encore du pain.
j Ne prenez pas trop de framboises.

Notez aussi que le pronom **en** va souvent après les verbes suivis de **de**. Il continue à remplacer **de + un nom**:
(parler de:) On parle des restaurants français.
On en parle.

Mais n'utilisez pas **en** quand le nom est une personne:
On parle du chef de cuisine. On parle de lui.
Je m'occupe de ma petite sœur. Je m'occupe d'elle.
Il se moque de mes amis. Il se moque d'eux.

Etes-vous bon cuisinier?

1. ***La carbonnade de bœuf à la flamande***, c'est du bœuf et des oignons cuits ...
2. ***Le clafoutis***, c'est un dessert cuit au four. C'est fait avec du sucre, de la farine, des œufs ...
3. ***Le couscous***, c'est un plat à base de semoule, avec de la viande et des légumes, servi ...
4. ***L'aïoli***, c'est une mayonnaise faite ...
5. ***Le poulet à la basquaise***, c'est du poulet cuit au four avec des tomates et des poivrons, servi ...
6. ***Les escargots à la bourguignonne***, ce sont des escargots farcis avec du beurre, ...
7. ***La salade niçoise***, c'est une salade composée avec des tomates, des haricots verts, des œufs, des anchois, des olives et ...
8. ***Les œufs à la tripe***, ce sont des œufs coupés en petits morceaux ...

1 Ecoutez les conversations au restaurant.

a Complétez les définitions ci-dessus.
Exemple: *1 cuits avec de la bière*

b Réécoutez, et reliez chaque plat avec sa région ou son pays:

nord de la France	Pays basque
Normandie	Afrique du nord
Provence	Nice
Limousin	Bourgogne

2 Relisez les définitions. Trouvez le nom des plats sur les photos.

3 *A*: décrivez un plat que vous mangez assez souvent.
B: devinez le nom du plat.
Changez de rôle.

Expressions-clés

Pouvez-vous m'expliquer ce que c'est?

Le faux-filet, { c'est quoi exactement? / qu'est-ce que c'est exactement?

C'est une sorte de viande/gâteau.
C'est un plat/une entrée.
C'est un dessert traditionnel/une spécialité de la région.
C'est du poulet, servi/cuit avec une sauce aux champignons.
C'est fait avec de la farine, du beurre et du lait.
C'est fait avec de la pâte/des épices/de la sauce tomate.

Interlude

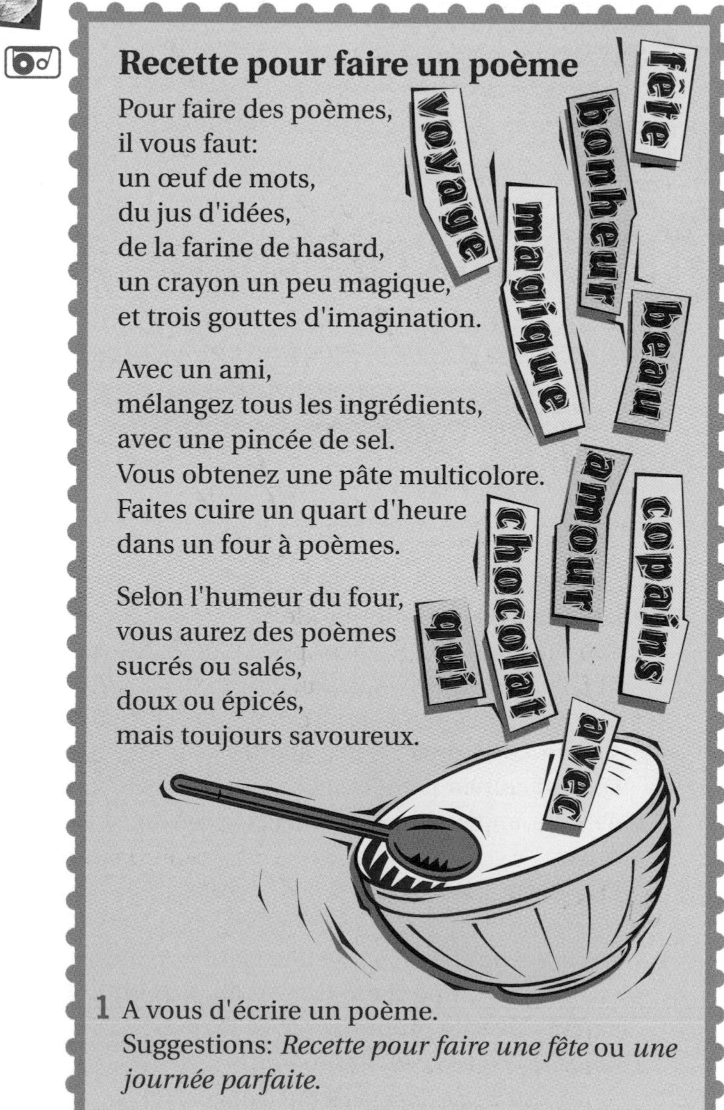

Recette pour faire un poème

Pour faire des poèmes,
il vous faut:
un œuf de mots,
du jus d'idées,
de la farine de hasard,
un crayon un peu magique,
et trois gouttes d'imagination.

Avec un ami,
mélangez tous les ingrédients,
avec une pincée de sel.
Vous obtenez une pâte multicolore.
Faites cuire un quart d'heure
dans un four à poèmes.

Selon l'humeur du four,
vous aurez des poèmes
sucrés ou salés,
doux ou épicés,
mais toujours savoureux.

1 A vous d'écrire un poème.
Suggestions: *Recette pour faire une fête* ou *une journée parfaite.*

On va manger où?

Imaginez que vous passez des vacances en France avec un copain ou une copine, dans les auberges de jeunesse. Vous arrivez à Epernay, en Champagne. Le soir, vous voulez manger au restaurant en ville – mais lequel choisir?

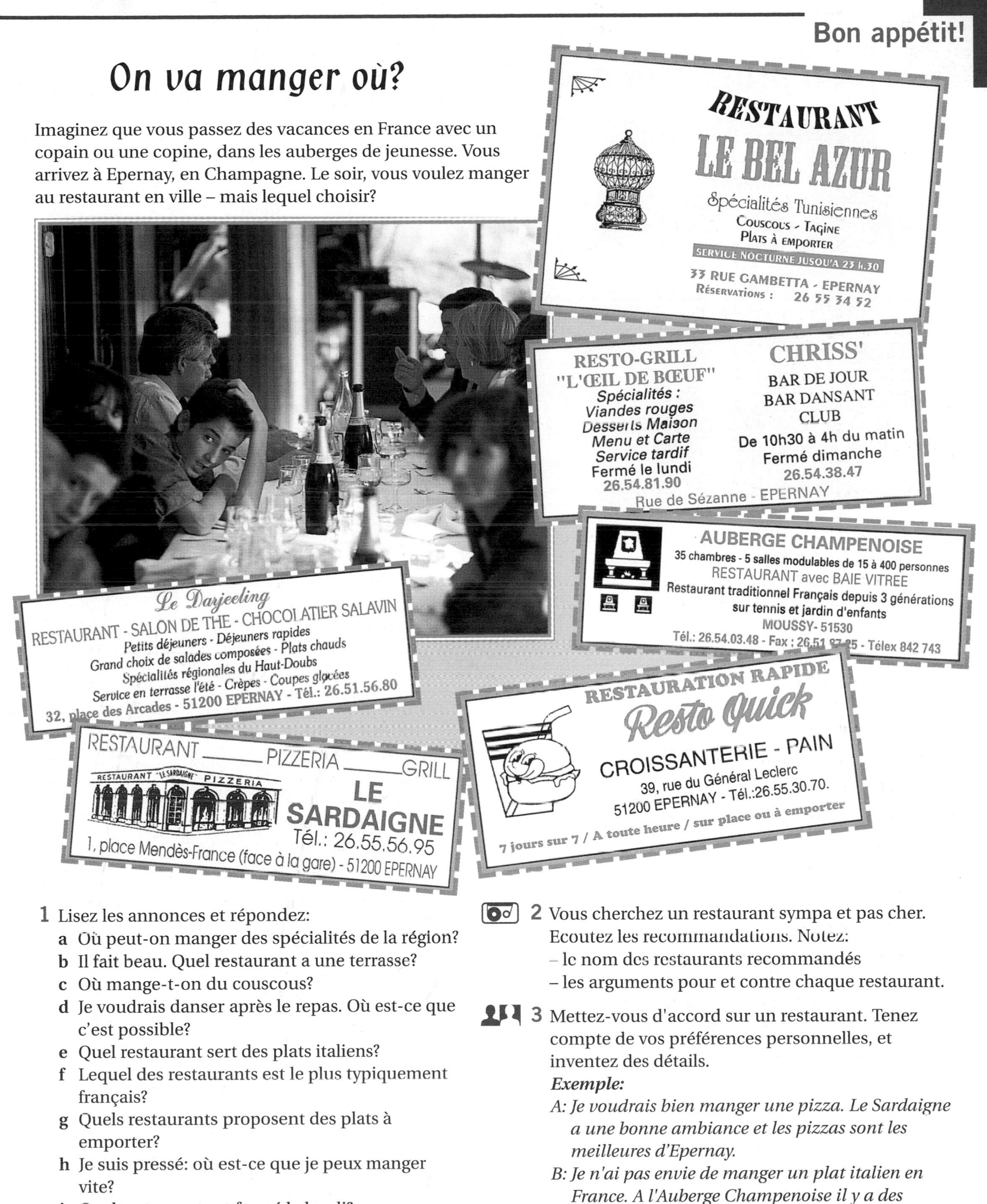

1 Lisez les annonces et répondez:

- **a** Où peut-on manger des spécialités de la région?
- **b** Il fait beau. Quel restaurant a une terrasse?
- **c** Où mange-t-on du couscous?
- **d** Je voudrais danser après le repas. Où est-ce que c'est possible?
- **e** Quel restaurant sert des plats italiens?
- **f** Lequel des restaurants est le plus typiquement français?
- **g** Quels restaurants proposent des plats à emporter?
- **h** Je suis pressé: où est-ce que je peux manger vite?
- **i** Quel restaurant est fermé le lundi?
- **j** Quel restaurant est près de la gare?

2 Vous cherchez un restaurant sympa et pas cher. Ecoutez les recommandations. Notez:
- le nom des restaurants recommandés
- les arguments pour et contre chaque restaurant.

3 Mettez-vous d'accord sur un restaurant. Tenez compte de vos préférences personnelles, et inventez des détails.

Exemple:

A: *Je voudrais bien manger une pizza. Le Sardaigne a une bonne ambiance et les pizzas sont les meilleures d'Epernay.*

B: *Je n'ai pas envie de manger un plat italien en France. A l'Auberge Champenoise il y a des spécialités de la région.*

A: *Oui, mais c'est très cher et il faut réserver …*

UNITÉ 8

On peut commander?

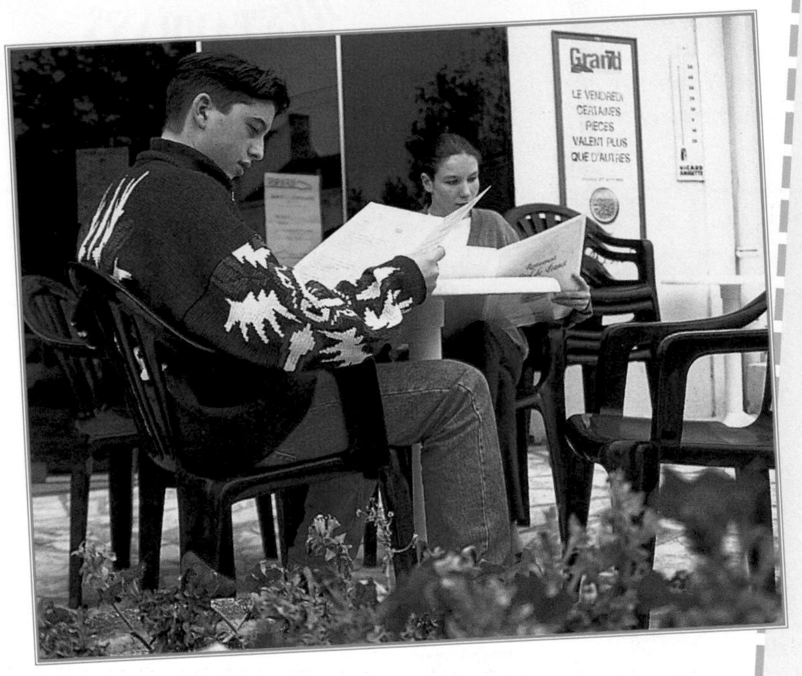

MENU A 80,00 F

Entrées
Tomates mozzarella
Champignons à la grecque
Pâté de campagne
Salade de gésiers
Terrine de saumon sauce crevettes

Plats
Côtelette de porc
Steak au poivre vert
Gigot d'agneau
Truite aux amandes
Omelette aux fines herbes
Canard au Muscadet (supp. 15 Frs)
Demandez aussi notre plat du jour.

Desserts
Nougat glacé
Crème brûlée
Tarte tatin
Coupe de glace 3 boules

1 Ecoutez quatre conversations au restaurant. Trouvez un titre pour chacune:
On arrive *On commande*
On se plaint *On paie l'addition*

2 Ecoutez encore une fois et répondez aux questions.
Conversation 1: Qu'est-ce qu'ils vont manger? Qu'est-ce qu'ils vont boire?
Conversation 2: Qu'est-ce qu'il faut payer pour le canard? Est-ce que le service est compris?
Conversation 3: Combien de personnes y a-t-il dans le groupe? Décrivez le plat du jour.
Conversation 4: Qu'est-ce qui manque? L'agneau est saignant ou bien cuit?

3 A l'aide du menu et des expressions-clés, page 103, inventez deux conversations serveur–client où:
a tout se passe bien
b tout va mal.

4 Ecrivez à un restaurant après un repas décevant. Commencez, par exemple:
Monsieur,
Hier soir, j'ai mangé dans votre restaurant avec deux amis. Je vous écris aujourd'hui pour exprimer ma déception. ...

Zoom sur le futur proche

1 Dans chacune des phrases suivantes, est-ce que l'action est passée, présente ou future?
a Vous avez bien mangé?
b Ma copine va prendre les champignons à la grecque.
c Je vous l'apporte tout de suite.
d Aujourd'hui, comme plat du jour, nous avons du Poulet Marengo.
e J'arrive dans deux minutes.
f On va manger bientôt.

Pour parler d'une action dans le futur mais assez proche, on emploie:
– le présent: Le serveur **arrive** tout de suite.
– ou *aller* + l'infinitif: Le serveur **va arriver** tout de suite.

15b,c

2 Relisez *Trop, c'est trop!* page 98. Trouvez trois phrases où on parle d'une action future en utilisant :
a le présent **b** aller + un infinitif.

Expressions-clés

En arrivant au restaurant:

Avez-vous une table libre/pour deux personnes?
J'ai réservé une table (au nom de ...).
J'ai fait une réservation.
Madame/Monsieur/Mademoiselle, s'il vous plaît!
On peut commander?
Je voudrais le menu, s'il vous plaît.

Vous êtes combien?
Vous avez une réservation?
Par ici, s'il vous plaît.
Voici le menu/la carte des vins.
Aujourd'hui, comme plat du jour, nous avons ...

Pour commander:

Je voudrais le poulet/le menu à 120 francs.
Je prends ...
Je vais prendre ...
Pour moi, ...
Pour commencer/En entrée, je vais prendre l'avocat aux crevettes.
Ensuite/Comme plat principal, une omelette au jambon.
Comme dessert, je voudrais une crème caramel.
Et comme boisson, je prends de l'eau minérale.

Vous avez choisi?
Qu'est-ce que vous prendrez?
Et pour vous, monsieur/madame/mademoiselle?
Prenez-vous un apéritif/un dessert?
Je suis désolé(e), il n'en reste plus.
Ce sera en supplément.

Pendant le repas:

Il manque une fourchette/une cuillère.
S'il vous plaît, on peut avoir du sel/de l'eau?
Pouvez-vous changer ce verre/cette assiette?

Tout va bien?
Certainement./Tout de suite.
Je vais vous en chercher un(e).

A la fin du repas:

(On peut avoir) l'addition, s'il vous plaît?
Il y a une erreur.
Vous acceptez les cartes de crédit?

Ça vous fait 200 francs.
Le service est compris.
Nous n'acceptons pas les chèques de voyage.

Interview avec un restaurateur

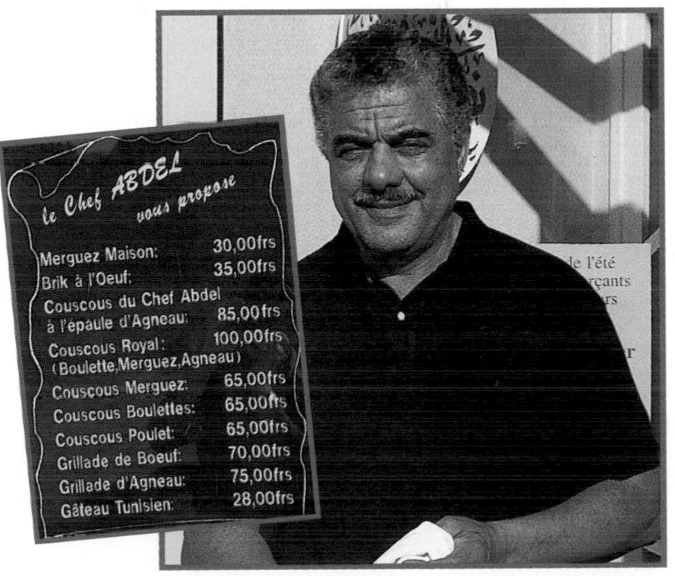

Abdel Bedoui, propriétaire d'un restaurant tunisien à Nantes

1 Abdel a fait un autre métier avant d'être restaurateur. Lequel?
  a sapeur-pompier
  b serveur
  c chauffeur de taxi.

2 La base du couscous, c'est la semoule. Quels sont les ingrédients qu'Abdel y ajoute? (huit ingrédients)

3 Il mentionne quatre couscous qu'on fait chez lui. Le quatrième, c'est le couscous aux boulettes: quels sont les autres?

les boulettes = *meatballs*
l'épaule d'agneau = *shoulder of lamb*
les merguez = *spicy sausages*
les pois chiches = *chick peas*
les poivrons = *peppers*
la semoule = *semolina*

OPINIONS

Vraiment bien, les fast-foods?

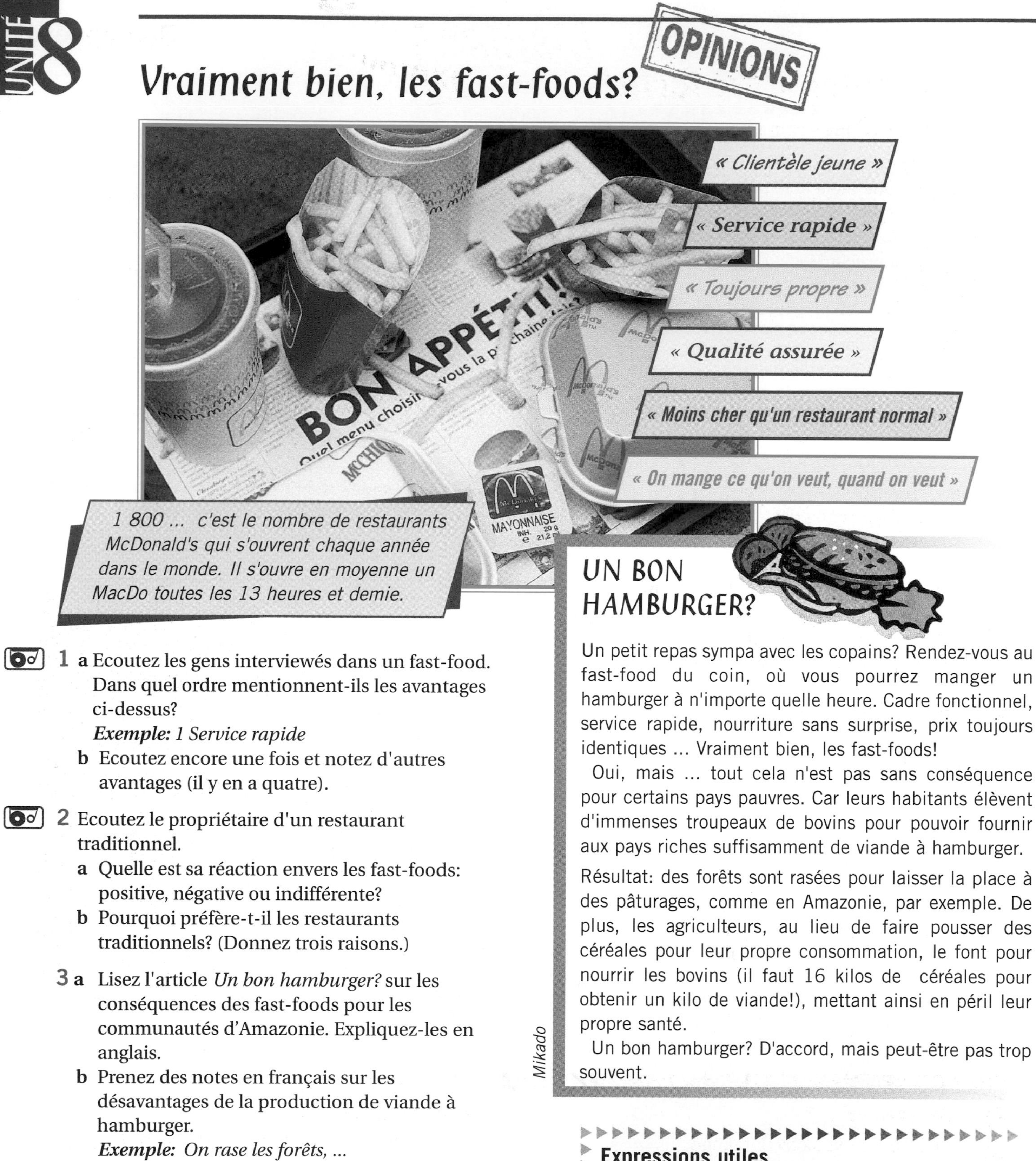

1 800 ... c'est le nombre de restaurants McDonald's qui s'ouvrent chaque année dans le monde. Il s'ouvre en moyenne un MacDo toutes les 13 heures et demie.

UN BON HAMBURGER?

Un petit repas sympa avec les copains? Rendez-vous au fast-food du coin, où vous pourrez manger un hamburger à n'importe quelle heure. Cadre fonctionnel, service rapide, nourriture sans surprise, prix toujours identiques ... Vraiment bien, les fast-foods!

Oui, mais ... tout cela n'est pas sans conséquence pour certains pays pauvres. Car leurs habitants élèvent d'immenses troupeaux de bovins pour pouvoir fournir aux pays riches suffisamment de viande à hamburger.

Résultat: des forêts sont rasées pour laisser la place à des pâturages, comme en Amazonie, par exemple. De plus, les agriculteurs, au lieu de faire pousser des céréales pour leur propre consommation, le font pour nourrir les bovins (il faut 16 kilos de céréales pour obtenir un kilo de viande!), mettant ainsi en péril leur propre santé.

Un bon hamburger? D'accord, mais peut-être pas trop souvent.

Mikado

1 a Ecoutez les gens interviewés dans un fast-food. Dans quel ordre mentionnent-ils les avantages ci-dessus?
Exemple: 1 Service rapide

b Ecoutez encore une fois et notez d'autres avantages (il y en a quatre).

2 Ecoutez le propriétaire d'un restaurant traditionnel.

a Quelle est sa réaction envers les fast-foods: positive, négative ou indifférente?

b Pourquoi préfère-t-il les restaurants traditionnels? (Donnez trois raisons.)

3 a Lisez l'article *Un bon hamburger?* sur les conséquences des fast-foods pour les communautés d'Amazonie. Expliquez-les en anglais.

b Prenez des notes en français sur les désavantages de la production de viande à hamburger.
Exemple: On rase les forêts, ...

c Dessinez un poster pour une campagne contre (ou pour) les fast-foods.

4 Préférez-vous les fast-foods ou les restaurants traditionnels?
Organisez des débats par groupes. Utilisez les idées et expressions dans les interviews et dans le texte.

Expressions utiles

- **Pour exprimer une préférence:**
  - Je préfère .../J'aime mieux ...
  - Je trouve ça préférable.
  - Ça me plaît davantage.
  - C'est mieux de ... (+ infinitif)
  - C'est moins bien de ... (+ infinitif)
  - C'est (beaucoup) plus ... que ...

ASTUCES

Ecouter, c'est facile!

Des stratégies pour mieux comprendre le français parlé.

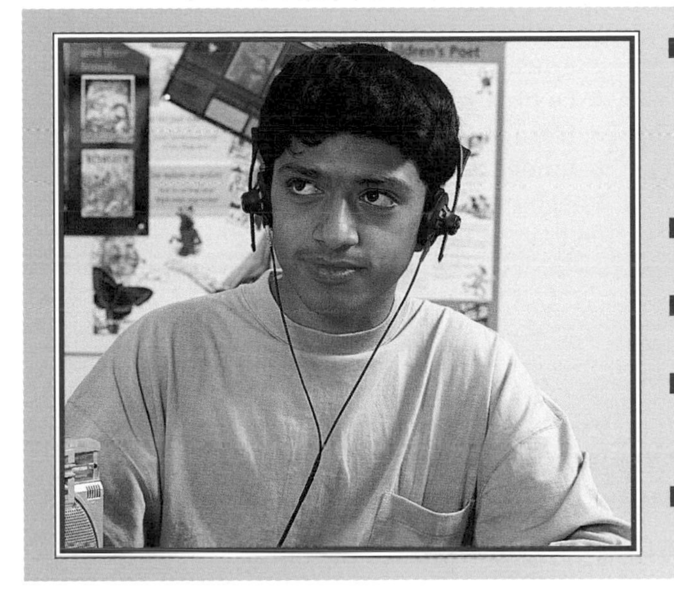

- *Entraînez-vous!*
  - *Parlez en français avec vos copains (et écoutez bien!).*
  - *Le soir, écoutez des stations françaises à la radio.*
  - *Regardez des films ou des vidéos en français.*
  - *Echangez des cassettes avec un(e) correspondant(e) francophone.*
- *Quand vous rencontrez un mot nouveau, faites attention à la prononciation.*
- *Vous parlez avec quelqu'un et vous ne comprenez pas? Demandez poliment:* Pouvez-vous répéter, s'il vous plaît?
- *Si vous écoutez une cassette, préparez-vous. Utilisez tous les renseignements que vous avez: titre, illustrations, personnages, situation.*
- *Ne paniquez pas! Restez calme! Souvent, pour bien comprendre, il n'est pas obligatoire de comprendre* ***tous*** *les mots.*

1 a Regardez la photo à droite. Lisez le titre. Imaginez le vocabulaire que vous allez entendre. Ecrivez une liste des mots possibles.

b Ecoutez le texte. Vous aviez raison?

Ça se dit comme ça!

Le son [**o**]

1 Quel mot dans chaque groupe ne rime pas avec les autres?
Ecoutez pour vérifier vos réponses.

beau	pot	nous	haut
gros	cou	nos	chaud
gâteau	pruneaux	piano	rigolo
cheveux	aux	photos	choc

2 Lisez les mots à haute voix. Prononcez bien le 'o'.

Les fruits préférés des Français

Savez-vous ... ?

- dire ce que vous avez mangé
- décrire un plat et dire ce que vous en pensez
- offrir, accepter, refuser quelque chose à boire ou à manger
- trouver un restaurant et commander un repas
- donner votre avis sur les fast-foods
- vous entraîner à écouter le français parlé
- bien prononcer le son [o]

Et en grammaire ... ?

- les articles partitifs (*de, du, de la, de l', des*)
- le pronom *en*
- le futur proche (*aller* + infinitif, et le présent)

Révisez! Unités 7 et 8

Révisez pages 89, 90, 91, 93, 100

1 **a** Lisez la lettre d'Amélie et choisissez un titre pour chaque paragraphe.

La vie scolaire *De retour* *C'est la fête!* *Pas de bises!* *A table!*

b Vrai ou faux?

1 Le séjour en Angleterre a été réussi.
2 On boit plus de vin en France qu'en Angleterre.
3 Amélie voudrait bien porter un uniforme scolaire.
4 Le rôti de bœuf était saignant.
5 Elle a mangé un dessert traditionnel du Yorkshire.
6 Amélie a trouvé les *Yorkshire Puddings* délicieux.

c Imaginez que vous venez de passer trois semaines en France. Ecrivez vos impressions dans une lettre.

Tours, le 5 août

Chère Mémé,

1 Ça y est! Je suis de retour en France après trois semaines fantastiques chez mon correspondant en Angleterre. J'ai beaucoup amélioré mon anglais. Tu as reçu ma carte postale, j'espère?

2 Mon correspondant, Jack, est vraiment gentil et nous nous sommes bien amusés. Sa famille est très sympa, mais il y a des conventions sociales qui ne sont pas comme chez nous. Par exemple, en Angleterre, on boit surtout du thé (peu de café) et dans une tasse, pas dans un bol. On ne mange pas de salade verte et des fois, on sert le fromage après le dessert! En plus, on ne boit pas de vin au repas. C'est différent de chez nous, hein?

3 Dimanche dernier, c'était l'anniversaire de la grand-mère de Jack et toute la famille s'est retrouvée dans un pub – une sorte de café-bar-restaurant typiquement anglais! J'y ai mangé un repas traditionnel: un rôti de bœuf (bien cuit) avec des Yorkshire puddings: ce sont des boules de pâte cuites, qu'on mange avec de la sauce. Bizarre et sans saveur, à mon avis!

4 Je suis allée au collège avec Jack pendant une semaine. C'était amusant! En Angleterre, les élèves doivent porter un uniforme. Alors moi, j'étais plutôt contente d'être française! Les élèves ne travaillent pas beaucoup: les cours finissent à trois heures et quart tous les jours. Ça, c'est plutôt bien, non?

5 Ce qui m'a surprise aussi, c'est qu'avec la famille de Jack, on ne s'est jamais embrassés, sauf le dernier jour à l'aéroport pour se dire "au revoir". Bizarre, non?

Je t'en raconterai plus quand on se verra en septembre.

Grosses bises

Amélie

beurre	6,75
confiture	11,85
pain	7,20
oranges	19,50
eau minérale	5,50
salade	6,00
biscuits	8,15
moutarde	9,50
riz	13,45
ail	4,95
TOTAL	92,85

Révisez page 97

2 a Lisez le reçu, puis recopiez et continuez cette phrase.
Hier, au supermarché, j'ai acheté du beurre, de la confiture ....

Révisez pages 87, 103

b Dites les choses suivantes, en français, aussi vite que possible. Essayez encore une fois: pouvez-vous améliorer votre temps?

1 Ask what time the bank closes today.
2 Ask how much a stamp to Great Britain costs.
3 Say that you would like to make a reverse charges call to Birmingham.
4 Say that the phone is not working.
5 Ask where you can buy a phone card.
6 Ask if there is a table for two in the restaurant.
7 Ask what the dish of the day is.
8 Say that you haven't got a fork.
9 Ask if you can pay by credit card.
10 Say that you think there's a mistake.

Révisez page 92

c Faites des phrases en utilisant *qui* ou *que* (ou *qu'*).

Tu as vu le serveur	qui	j'avais commandé.
Ce n'est pas le dessert	que	porte des lunettes oranges?
J'ai choisi un restaurant chinois	qu'	est excellent.
On m'a servi un plat		était délicieux.
Regarde le beau garçon		je vois souvent dans ce café.
Il y a un chef de cuisine		on m'a recommandé.
C'était un repas		je n'oublierai jamais!

Révisez pages 101, 102, 103

3 C'est vous le patron! Imaginez que vous créez un nouveau restaurant en France, avec comme clientèle les jeunes de 15 à 25 ans.

a Préparez une publicité pour le restaurant.

> *nom? slogan? heures d'ouverture? spécialités? spectacles?*

b Composez le menu et écrivez la carte.

c La journée d'ouverture du restaurant est un désastre! Ecrivez une scène pour raconter ce qui s'est passé. Jouez la scène avec vos camarades de classe.

d Un mois plus tard, tout va bien. Imaginez-vous maintenant dans le rôle d'un(e) client(e). Ecrivez votre journal intime pour cette journée.
Exemple: *Aujourd'hui, j'ai découvert un nouveau restaurant qui est vraiment super. ...*

4 Exposé

a Préparez un exposé sur un des thèmes ci-dessous. Révisez les expressions-clés et le vocabulaire utile; révisez aussi le passé composé.

Révisez pages 97, 100, 101, 103, 104

Un repas que je n'oublierai jamais!

ou

Révisez pages 90, 91, 93, 94

Séjour en France (vrai ou imaginaire)

b Ecrivez des mots-clés comme aide-mémoire. Ecoutez l'exemple de la cassette si vous voulez.
Exemple:

> *UN REPAS MEMORABLE*
> *mon anniversaire en France*
> *restaurant: description*
> *repas: escargots et clafoutis, opinion!*
> *problème avec l'addition*

c Parlez, en utilisant vos notes comme aide-mémoire.

S'installer au Canada, d'Estelle Saget

L'auteur, Estelle Saget, est une journaliste québécoise de 25 ans. Dans son guide pratique, *S'installer au Canada*, elle explique comment préparer son départ vers le Québec, comment trouver un emploi et s'acclimater au pays. Ce guide fait partie d'une série publiée par *Rebondir*, un magazine qui veut aider les chômeurs à trouver un emploi.

• Quelques bonnes raisons de partir

Ils partent pour se prouver qu'ils sont capables de faire leur vie loin de papa-maman, pour repartir à zéro, pour donner un bon avenir aux enfants, ou parce que là-bas on peut réussir sans une cargaison de diplômes. En trois ans, 7 500 Français ont fait le grand saut en s'installant au Canada, de l'autre côté de l'Atlantique.

Le Québec, seule province du Canada où l'on parle français, a ouvert ses portes en grand aux immigrants francophones en 1990. Pour lui, c'est la survie de sa langue, et donc de son identité, qui est en jeu. Car ceux qu'on appelle aussi les Canadiens français ne sont que 6 millions, noyés dans l'océan des 270 millions d'anglophones d'Amérique du Nord. Sans compter que les familles ont moins d'enfants qu'avant.

Les Français sont nombreux à répondre à l'appel de leurs « cousins d'Amérique ». Certains, déçus, reviennent en France, mais la majorité (plus de 4 sur 5, selon le gouvernement du Québec, mais ce chiffre est contesté) trouve un emploi et s'installe.

• La qualité de vie

Quand on demande à un Français pourquoi il rêve de partir au Canada, il répond à tous les coups : « A cause des grands espaces, et puis de la qualité de la vie ». Au fait, qu'est-ce qui fait la qualité de la vie dans ce pays ?

Le cadre de vie, sans aucun doute. Dans les villes, les immeubles ne dépassent pas deux ou trois étages, la moindre rue secondaire est large comme un boulevard, et les Canadiens ne connaissent pas les départs en vacances avec Bison Futé. A la campagne, il faut prendre la voiture pour rendre visite au voisin de la ferme d'à côté. Tant d'espace s'explique simplement : le Canada est vaste et ses habitants peu nombreux. La province du Québec, par exemple, couvre un territoire trois fois plus grand que la France pour une population huit fois inférieure.

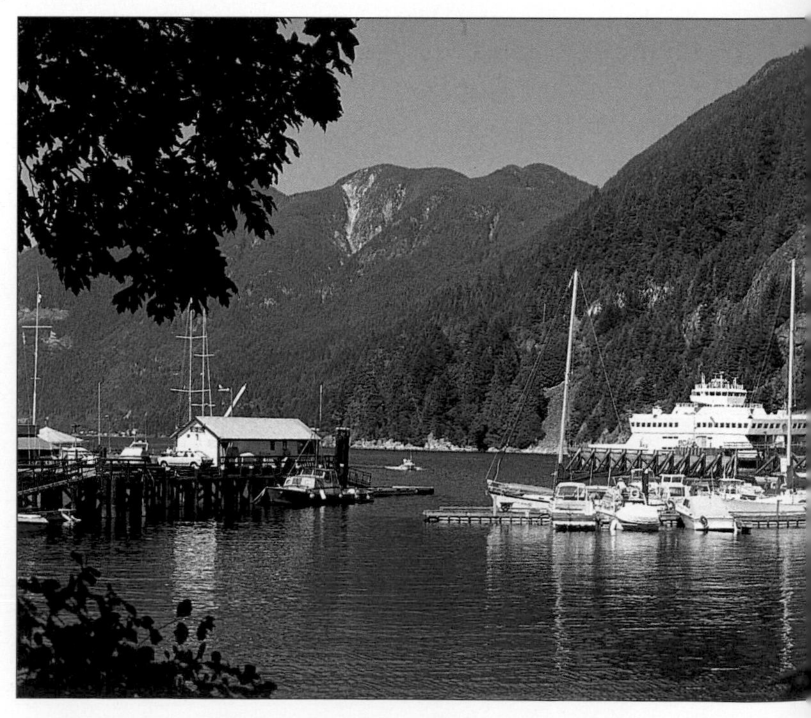

pour se prouver = *to prove to themselves*
le grand saut = *the big leap*
a ouvert ses portes en grand = *opened her doors wide*
la survie = *the survival*
qui est en jeu = *which is at stake*
noyés = *lost/drowned*
déçus = *disappointed*
à tous les coups = *every time*
le cadre de vie = *the environment*
Bison Futé = *traffic monitoring service on French TV and radio (implying heavy traffic and long delays)*
d'à côté = *next door/neighbouring*

▶ Recette de cuisine, de Bernard Friot

Des fruits et des légumes qui parlent? Avec un peu d'imagination, tout est possible. Dans cette histoire, une pomme raconte à une pomme de terre ce qui est arrivé à sa meilleure amie. Encore un conte de l'auteur Bernard Friot (voir aussi page 61).

J'ai pu enregistrer, dans le bac à légumes de mon réfrigérateur, une conversation émouvante entre une pomme golden et une pomme de terre. Voici ce document étonnant :

« Ah, chère Madame, dit la pomme golden à la pomme de terre, il faut que je vous raconte ce qui est arrivé à ma meilleure amie, une pomme de reinette que je connais depuis l'école maternelle. C'est absolument é-pou-van-ta-ble ! Figurez-vous qu'on en a fait de la marmelade ! Deux individus se sont emparés d'elle, un homme tout en blanc et une jeune femme avec un grand tablier bleu. La femme a pris un couteau spécial et elle a déshabillé complètement ma copine. Imaginez un peu : toute nue sur une table de cuisine ! L'homme, lui, l'a découpée en quatre, comme ça, zic zac, en deux coups de couteau. Et il lui a arraché le cœur avec tous les pépins.
– Arrêtez, arrêtez, c'est horrible ! s'écria la pomme de terre en se bouchant, stupidement, les yeux.
– Ce n'est pas fini, poursuivit la pomme golden. Ils ont jeté la malheureuse dans une casserole, avec plein d'autres copines. Ils ont ajouté un tout petit peu d'eau, et hop ! ils ont allumé le gaz. Au bout de deux minutes, avec la vapeur, c'était pire que dans un sauna.
– Oh, un sauna, dit la pomme de terre, c'est bon pour la santé.
– Eh bien, répliqua la pomme golden, je voudrais bien vous y voir ! Au bout de vingt minutes environ, les copines étaient toutes fondues, une vraie bouillie. Alors l'homme a pris une cuillère en bois, il a rajouté 50 grammes de sucre et un peu de cannelle et il a bien remué le tout.
– Hm, hm, murmura la pomme de terre, ça devait sentir bon !
– Oh, vous ! vous n'avez pas de cœur ! s'écria, indignée, la pomme golden. »
Et elle éclata en sanglots.
« Vous savez, répondit la pomme de terre, je pourrais vous raconter des choses plus horribles encore. Figurez-vous que mon fiancé a été transformé en purée ! Voilà comment ça s'est passé : un homme est venu le chercher... »

Malheureusement, l'enregistrement s'arrête là. Une panne de courant, probablement.

Histoires pressées, Collection Zanzibar,

j'ai pu enregistrer = *I managed to record*
le bac à légumes = *the vegetable compartment*
une pomme golden = *a Golden Delicious apple*
une pomme de terre = *potato*
une pomme de reinette = *pippin apple/rennet apple*
épouvantable = *appalling/dreadful*
la marmelade = *stewed fruit*
se sont emparés d'elle = *seized her*
elle a déshabillé = *she undressed*
toute nue = *completely naked*
il lui a arraché le cœur = *he ripped out her heart*
les pépins = *the pips*
en se bouchant = *covering*
poursuivit = *went on*
la vapeur = *the steam*
fondues = *melted*
une vrai bouillie = *a complete mush*
cannelle = *cinnamon*
ça devait sentir bon! = *that must have smelt good!*
s'écria = *cried out*
elle éclata en sanglots = *she burst out sobbing*
je pourrais vous raconter = *I could tell you*
purée = *mashed potato*
une panne de courant = *a power cut*

UNITÉ 9

Temps libre

- Vos loisirs: quoi? où? quand? comment? et pourquoi?
- Sortir dans une ville au Canada
- Sortir dans votre ville
- Des passe-temps pas comme les autres

1 Retrouvez le nom des activités illustrées. Ecoutez pour vérifier vos réponses.

2 Pensez à d'autres activités: le yoga, le théâtre, la cuisine, l'astronomie, le jardinage ... Inventez des symboles. Est-ce que votre partenaire les comprend?

3 Avez-vous les mêmes goûts que votre partenaire? Posez des questions, et trouvez cinq activités que vous aimez tous les deux, et cinq que vous n'aimez pas.
Exemple: *Les jeux vidéo, ça t'intéresse?*

Questionnaire: les loisirs

quoi? où? quand? comment? pourquoi?

1. Quel est ton passe-temps préféré?
2. Où est-ce que tu le pratiques?
3. Quand?
4. Quel matériel faut-il?
5. Qu'est-ce que tu fais exactement?
6. Pour quelles raisons aimes-tu ce passe-temps?
7. Autres distractions:

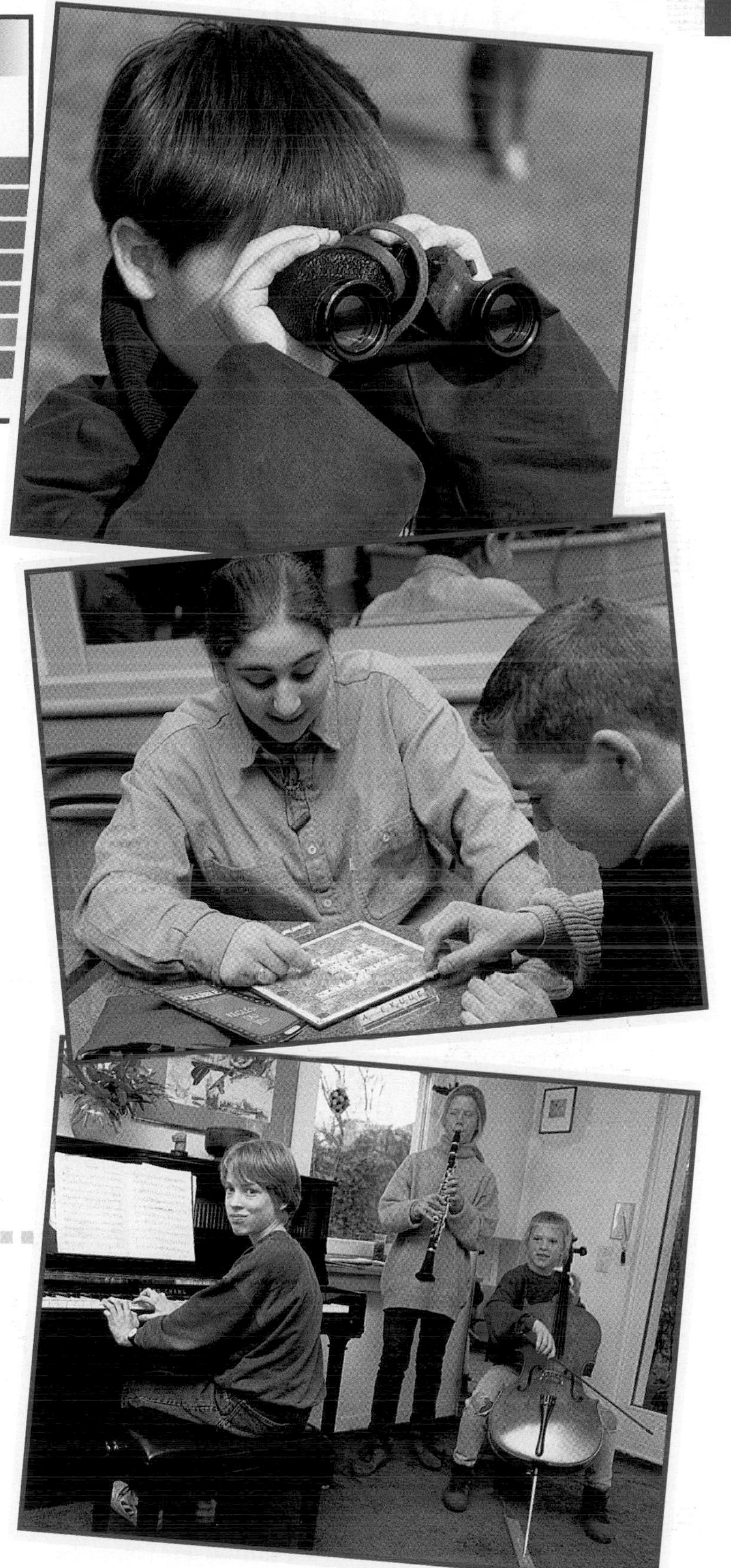

1 Recopiez le questionnaire. Ecoutez Loïc, Valérie et Michel. Complétez le questionnaire pour chacun.

2 Posez des questions à votre partenaire et remplissez un questionnaire pour lui/elle.

3 Lisez cette annonce.

> **64114** J'ai 15 ans, j'aime le sport (surtout le basket), je suis un passionné de voyages et de musique. Je collectionne les timbres et les cartes postales. J'aimerais correspondre en français avec des jeunes de tous pays (14 à 17 ans).
> *Achour Nacim (Algérie)*

a Ecrivez une annonce pour vous. Mentionnez vos passe-temps préférés et décrivez le/la correspondant(e) idéal(e).
b Ecrivez une lettre à Achour. Présentez-vous et décrivez vos passe-temps: ce que vous aimez faire, où, quand et pourquoi.

Expressions-clés:

- **Pour dire ce que vous pensez d'une activité:**
  Ça m'intéresse beaucoup/énormément.
  C'est super/génial/passionnant.
  Ça me plaît (beaucoup).
  Ça m'intéresse. Ce n'est pas mal. Ça dépend.
  Ça ne m'intéresse pas (du tout).
  Ça m'ennuie. Je trouve ça ennuyeux/nul.
- **Pour expliquer pourquoi:**

Je joue du saxophone Je lis Je vais au club des jeunes Je fais du vélo	**parce que** ça me passionne/ça me plaît. **pour** me relaxer/m'instruire/me faire de nouveaux amis. **afin de** garder la forme.

UNITÉ 9

Si on sortait?

Bienvenue au Canada! La ville de Rimouski est la capitale régionale du Bas-Saint-Laurent et un port important du Québec.

1 Quelles distractions y a-t-il à Rimouski? Lisez ces annonces et écrivez une liste en anglais pour un copain qui ne comprend pas le français.

2 Ecoutez Franck et Sophie, qui parlent des distractions à Rimouski. Ils ne sont pas d'accord sur les détails. Décidez qui a raison dans chaque dispute.

Exemple: *1 Sophie*

3 Ecoutez et lisez la conversation entre Sophie et Franck.

a Où vont-ils se retrouver? A quelle heure? Quel jour?

b Repérez et notez comment:
- Franck propose une sortie à Sophie.
- Sophie refuse.
- Il propose une autre activité.
- Elle accepte.

c Avec un(e) partenaire, jouez les rôles de Franck et de Sophie.

4 Ecoutez les quatre conversations.

a Pour chaque conversation, notez l'activité proposée, et si on accepte, refuse ou propose une autre activité.

b Reliez les débuts et fins de phrases comme dans les conversations.

Je préférerais	quelque chose d'autre?
Si on faisait	faire un tour à vélo.
Désolée,	je ne peux pas.
C'est gentil mais	faire les magasins?
On pourrait	demain soir, je suis occupée.

5 Maintenant à vous! Ecoutez la cassette: acceptez la première invitation et refusez la deuxième.

6 Imaginez que vous êtes à Rimouski. Regardez les publicités page 112.
A téléphone à *B* et propose une sortie.
B refuse (donnez vos raisons, bien sûr!) et propose une autre activité.
Mettez-vous d'accord sur une activité. Fixez une heure et un endroit pour vous retrouver. Puis changez de rôle et recommencez.

F: *Tu es libre vendredi soir? Tu veux aller au bowling?*
S: *Ah non, je suis désolée. Vendredi soir je ne peux pas. C'est l'anniversaire de mon frère. On fête toujours ça en famille. Je ne pourrai pas sortir. C'est dommage ...*

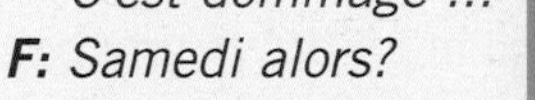

F: *Samedi alors?*
S: *D'accord. Mais tu sais, je n'aime pas beaucoup le bowling. Si on faisait quelque chose d'autre?*
F: *On pourrait aller au cinéma. Ça te dit?*
S: *Ça dépend. Qu'est-ce qui passe?*
F: *Il y a un film policier au Cinéma Auditorium.*
S: *D'accord. Je veux bien. J'adore les films policiers. Ça commence à quelle heure?*
F: *Je crois que la séance commence à sept heures vingt. Où est-ce qu'on se retrouve? Je peux passer chez toi, si tu veux.*
S: *Non, ce n'est pas la peine. On peut se retrouver devant le cinéma, non?*
F: *Comme tu veux. A quelle heure?*
S: *A sept heures dix?*
F: *OK!*

Expressions-clés

- **Pour proposer:**
  Tu es libre ce week-end/samedi soir?
  Tu veux aller au bowling/jouer aux échecs/visiter le musée?
  On pourrait aller à la pêche/faire un tour à vélo/écouter de la musique.
  Si on allait au cinéma/jouait aux cartes/faisait les magasins?
  Ça te dit?

- **Pour accepter:**
  Oui. D'accord. Bonne idée. Je veux bien.
  Ça dépend.

- **Pour refuser ou s'excuser:**
  Je suis désolé(e)/Je regrette ...
  Je ne peux pas. Je suis occupé(e).
  C'est impossible.
  Une autre fois, peut-être.
  Non, je n'aime pas (beaucoup) le jazz.
  Ça ne me dit rien (du tout).

- **Pour proposer une autre activité:**
  Si on faisait quelque chose d'autre?
  Je préférerais/J'aimerais mieux aller au parc.

Jeu-test: Es-tu pantouflard(e)?

Aimes-tu sortir, ou préfères-tu rester chez toi avec un bon bouquin ou devant la télé? Faites notre jeu-test et lisez nos commentaires.

1 Des amis viennent te voir à la maison. Tu es en train de regarder ton feuilleton préféré à la télé. Qu'est-ce que tu fais?

● *Tu ne peux pas leur parler. Tu leur demandes de revenir dans une demi-heure.*
◆ *Tu éteins la télé et tu sors avec eux.*

2 C'est l'anniversaire d'une copine.

◆ *Tu l'invites au café pour lui offrir un Coca.*
● *Tu lui offres un cadeau, par exemple, des chocolats.*

3 Samedi soir. Tes copains te proposent de jouer aux cartes.

◆ *Tu n'as pas envie de passer toute la soirée à la maison. Tu leur suggères le nouveau roller disco.*
● *Tu leur donnes rendez-vous chez toi à sept heures.*

Résultats:

Si tu as une majorité de ◆: Tu es toujours prêt(e) à sortir. Tu es une personne très sociable et tu as sans doute beaucoup de copains. Mais n'oublie pas qu'on peut très bien s'amuser chez soi de temps en temps.

Si tu as une majorité de ●: Tu es vraiment pantouflard(e). Tes copains en ont sûrement marre ... Allez, un peu d'effort! Montre-leur que tu t'intéresses aussi aux choses en dehors de la maison!

Si tu as 3 ◆ et 3 ●: Tu es une personne bien équilibrée. Tu aimes bien sortir, mais tu es indépendant(e) et tu aimes bien t'amuser chez toi de temps en temps.

4 Tu as beaucoup de devoirs, mais ton copain t'attend pour aller à la patinoire.

◆ *Tant pis pour les devoirs. Tu préfères sortir.*
● *Tu lui téléphones pour annuler la sortie à la patinoire.*

5 Tes amis vont faire une randonnée en montagne pour faire des photos pour le journal du collège.

● *Tu leur prêtes ton appareil-photo.*
◆ *Tu les accompagnes. Tu peux leur montrer les coins les plus beaux.*

6 Dans un concours, tu gagnes un billet pour un match de basket. Ton petit frère adore le basket.

● *Tu lui passes le billet. Le basket ne te passionne pas.*
◆ *Tu lui demandes de t'accompagner et tu achètes un deuxième billet.*

Zoom sur lui et leur

lui et **leur** sont des pronoms.
lui remplace: à + un nom singulier (une personne):
Tu offres un cadeau à ta copine. Tu lui offres un cadeau.
leur remplace: à + un nom pluriel (des personnes):
Tu donnes rendez-vous à tes copains.
Tu leur donnes rendez-vous.

10b

1 Repérez des exemples de *lui* et *leur* dans le jeu-test. Ecrivez la phrase avec le pronom et ensuite avec *à + nom.*
Exemple: *Tu ne peux pas leur parler. Tu ne peux pas parler à tes amis.*

2 Ecrivez votre propre jeu-test: *Es-tu sympa avec ta famille?* Utilisez *lui* et *leur.*
Exemple: *Ta mère te dit de ranger ta chambre.*
● *Tu lui obéis.*
◆ *Tu lui dis que tu es occupé(e).*

Verbes utiles:

demander à	montrer à	prêter à
dire à	obéir à	proposer à
donner à	offrir à	répondre à
écrire à	parler à	suggérer à
expliquer à	passer à	téléphoner à

OPINIONS

Entre jeunes

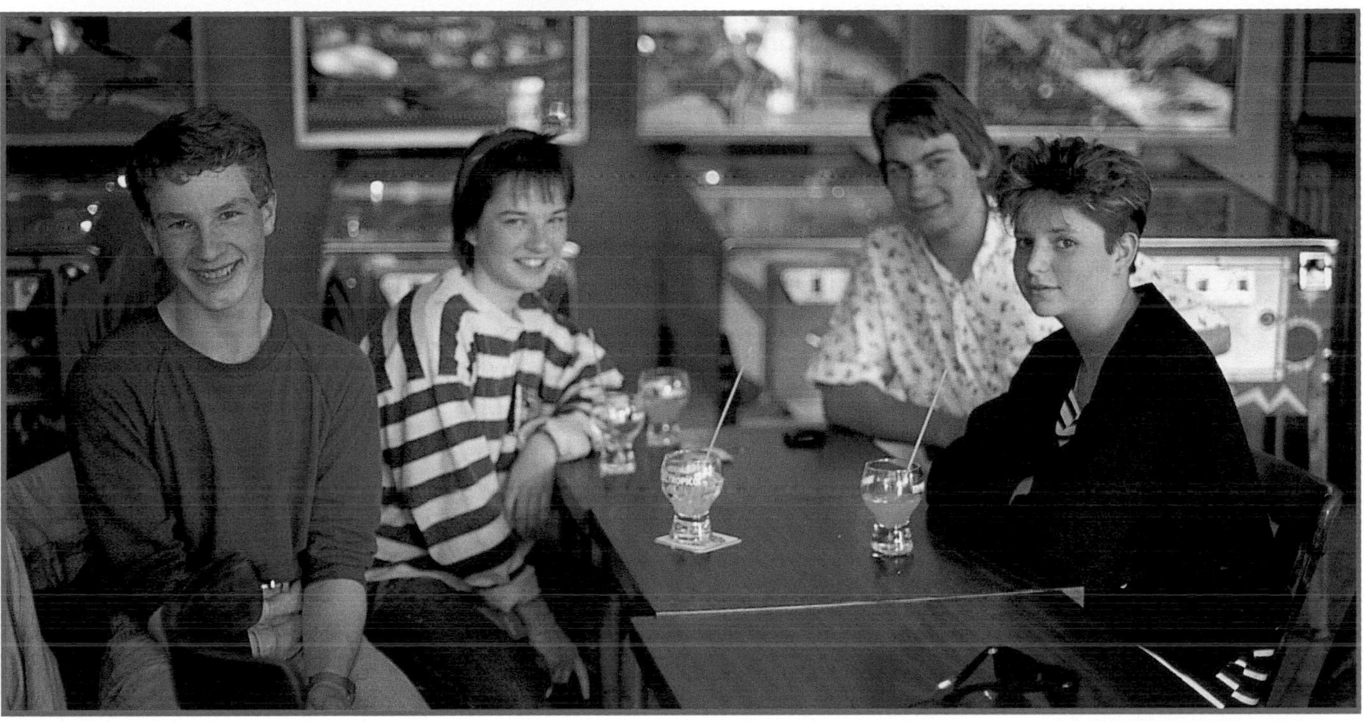

1 Ecoutez les adolescents. Notez:

a leur passe-temps (choisissez entre les dessins 1–6)

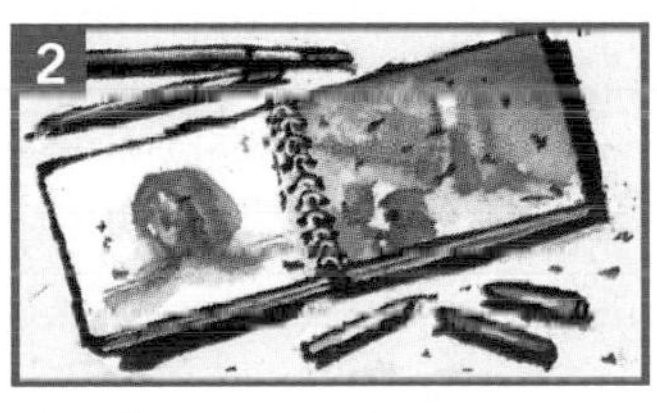

b l'endroit où ils se retrouvent

c ce qu'ils voudraient avoir en plus dans leur ville.

Exemple: *Isabelle – a 3, b au café du club de tennis, c stade plus moderne*

2 Où allez-vous quand vous sortez? Y a-t-il des endroits pour se retrouver entre copains? Est-ce qu'ils sont sympa? Faites deux listes: ce qu'il y a déjà, et ce que vous voudriez avoir en plus.

3 Travaillez seul(e) ou en groupe. Imaginez: vous allez créer l'endroit idéal pour les jeunes de votre quartier, avec toutes sortes d'activités. Décidez quel genre d'endroit ce sera: maison des jeunes ou autre chose? Faites une description (avec un plan, une liste d'activités, une publicité pour le jour d'ouverture ...).

Exemple: *'Le Palais des Loisirs' est très près de chez moi: je peux y aller à pied. C'est un club qui est ouvert tous les soirs, tous les week-ends, et toute la journée pendant les vacances scolaires. Il y a des activités pour tout le monde: des activités créatives, culturelles, musicales et sportives. Par exemple, ...*

Expressions utiles

- **Pour exprimer un besoin:**
  Il manque une patinoire.
  On a besoin d'un stade plus moderne.
- **Pour exprimer un désir:**
  On voudrait/On aimerait bien une salle à nous.
  Nous voulons une disco/une boîte pour les moins de 18 ans.
  Nous souhaitons une salle de concert.
  On a envie de créer une maison des jeunes dans la commune.

Voir aussi les expressions utiles, pages 20, 45, 55, 78.

Une Française au sommet de l'Everest

A 35 ans, la Savoyarde Christine Janin additionne les premières. Première et seule Française au sommet de l'Everest, et première femme à avoir enchaîné l'ascension du plus haut sommet de chaque continent, en deux ans.

Marc Beynié: *Vous êtes la première Française à être arrivée au sommet de l'Everest. Racontez-nous les derniers moments de votre ascension.*

Christine Janin: Je suis partie de 7 000 mètres d'altitude, à trois heures du matin. Je faisais équipe avec Pascal, un photographe de montagne, et Marc Batard, le chef de l'expédition.

A une telle altitude, l'oxygène manque. J'étais comme un moteur turbo dans lequel on aurait mis du diesel. J'avais envie d'aller plus vite mais je ne pouvais pas. Vers huit heures, j'ai eu la chance de rencontrer, à 8 000 mètres, des grimpeurs américains qui avaient des bouteilles d'oxygène comprimé en trop. Ils m'en ont donné une.

MB: *A quoi pensiez-vous dans la pente?*

CJ: Je ne pensais plus à rien. J'avais les yeux rivés là-haut. Le sommet de l'Everest est caché par une arête. Je ne pouvais donc pas le voir, et je me disais: « Où est-il, ce sommet? Est-il encore loin? »

MB: *Quand avez-vous compris que vous alliez réussir?*

CJ: A une centaine de mètres du sommet, je savais que c'était gagné. Nous sommes arrivés sur la cime, à 8 848 mètres; il était 17 heures.

J'ai senti le froid me tomber dessus d'un seul coup. Si je dis qu'il faisait moins 40 degrés Celsius, je ne dois pas me tromper de beaucoup. Je n'avais rien mangé, je ne pouvais rien boire parce que ma gourde était gelée. J'étais fatiguée.

MB: *Avez-vous réalisé que vous étiez la première Française au sommet de l'Everest?*

CJ: Bien sûr, mais je n'ai pas sauté en l'air comme je le faisais dans mes rêves, les nuits précédentes. Pascal et moi, nous nous sommes fait une bise et, vite, nous sommes redescendus.

A ces altitudes, il faut rester hyper-concentré même pour la descente, car on ne s'encorde pas. Le manque d'oxygène nous ôte tous nos réflexes, et si l'un de nous tombait, il entraînerait l'autre. Alors autant tomber tout seul ...

MB: *Avez-vous eu le temps d'admirer le panorama?*

CJ: Nous ne pouvions pas nous le permettre. C'est de retour vers 8 500 mètres que j'ai eu envie de m'arrêter. Toutes les images étaient floues dans mon esprit. J'aurais voulu avoir des caméras à la place des yeux. Je savais que je ne revivrais jamais un tel instant. Je voulais arrêter le temps.

MB: *Après cette victoire sur l'Everest, qu'aviez-vous envie de tenter?*

CJ: J'avais fait le sommet le plus dur, le plus mythique. Alors j'ai voulu que l'Everest ne soit pas une fin, mais serve à m'ouvrir d'autres horizons. Lorsque j'ai entendu parler du défi des "Seven Summits", qui consiste à gravir le sommet le plus haut de chaque continent, j'ai su que cette aventure était pour moi.

Okapi

1 Lisez l'interview. Puis répondez aux questions de votre professeur.

Zoom sur l'imparfait

On utilise l'imparfait pour:
- une description au passé
- une habitude/une répétition dans le passé (voir page 64)

et aussi pour:
- une suggestion: si on **sortait**?
- une condition: si vous **saviez** conduire, vous pourriez partir seul.

1 Combien de verbes à l'imparfait trouvez-vous dans l'interview avec Christine Janin? Faites une liste.
Exemple: *Je faisais, ...*

Comment former l'imparfait?
L'imparfait = radical + terminaison

Pour trouver le radical, pensez à la forme 'nous' du verbe au présent:
aller → nous **all**ons   avoir → nous **av**ons
jouer → nous **jou**ons   boire → nous **buv**ons
connaître → nous **connaiss**ons
Une seule exception: être → **ét-**

Ajoutez les terminaisons:

j' all**ais**	nous all**ions**
tu all**ais**	vous all**iez**
il/elle/on all**ait**	ils/elles all**aient**

16d

2 Mettez les verbes de ce récit à l'imparfait.

Quand j' [*être*] jeune, on n' [*avoir*] pas la télévision. Le soir, je [*faire*] mes devoirs et j' [*aider*] ma mère à la cuisine. Après le repas, mon frère et moi, nous [*jouer*] aux cartes ou nous [*écouter*] des émissions comiques à la radio. On ne [*s'ennuyer*] jamais. Le week-end, il y [*avoir*] toujours un bal. J'y [*aller*] tous les samedis et on [*danser*] souvent jusqu'à minuit. A cette époque, les passe-temps [*être*] plus simples, je crois. Nous n' [*être*] pas riches mais tout le monde [*s'amuser*] bien.

3 Posez ces questions à un(e) partenaire.

a Qu'est-ce que tu faisais hier soir à six heures? à sept heures et quart? à neuf heures?
Exemples: *Je mangeais. Je téléphonais à ma grand-mère.*

b Qu'est-ce que tu avais comme passe-temps quand tu avais dix ans?
Exemple: *Je faisais du vélo, avec ma sœur, et j'allais au parc pour jouer. Le week-end, ...*

4 A votre avis, comment s'amusait-on avant l'invention de la télévision? Suggérez un minimum de huit activités. Demandez à vos grands-parents!
Exemple: *On écoutait la radio.*

SOLO

Ça se dit comme ça!

1 Lisez ces phrases à haute voix. Ecoutez la cassette pour vérifier.

Je lisais le journal, tu lisais un magazine et Christophe lisait un roman.
Mes copains lisaient un guide touristique.
Et vous, que lisiez-vous? Nous ne lisions rien!

Avez-vous remarqué que quatre des terminaisons de l'imparfait se prononcent de la même façon? Facile à reconnaître!

Jeu de rôle: Que faisiez-vous?

Henri de Valloire est un homme d'affaires très riche. Hier soir, vers 19 heures, sa fille Marie-Claire a été kidnappée lorsqu'elle rentrait (seule, à pied) d'une leçon de piano.

1 Deux témoins pensent qu'ils ont vu Marie-Claire. Ecoutez les témoignages et regardez l'image. Est-ce que les descriptions sont exactes? Sinon, quelles sont les erreurs?

2 Vous êtes le témoin numéro 3. Ecrivez ou enregistrez une description de Marie-Claire.

3 *A* est une des personnes interrogées par la police: choisissez le personnage que vous préférez, et inventez des détails supplémentaires.
B est l'inspecteur/l'inspectrice et interroge le/la suspect(e). Puis changez de rôle.
Exemple: *– Que faisiez-vous à 19 heures hier soir?*
– J'étais à la maison; je préparais le dîner.
– Est-ce qu'il y avait quelqu'un avec vous? ...

Claude de Valloire
oncle de Marie-Claire
au bureau 19 h réunion
avec des clients japonais

Yolande Castres
ancienne secrétaire de
M. de Valloire
au club de tennis 16 h 30
apéritif au bar après

Jean-Bernard Sellier
chauffeur de M. de Valloire
dîner avec un copain
seul au cinéma, 19 h 45
film policier américain

Simone Bianchetti
fille au pair à la maison
avec Barnabé (7 ans)
cuisine – préparer le dîner radio

4 Par groupes de cinq personnes, jouez devant la classe les rôles des personnes interrogées et de l'inspecteur/l'inspectrice. Créez de nouveaux personnages, si vous préférez. Pensez aux motifs possibles. Qui a l'alibi le moins convaincant? La classe décide.

Interlude

Les jeunes et l'argent

« Entre 15 et 20 ans, l'argent ne sert pas encore à vivre, mais à ouvrir les portes d'un univers de loisirs: sorties, cinéma, musique, maquillage et surtout habillement. »

1 Comment dépensez-vous votre argent? Calculez vos dépenses mensuelles (approximatives).

Interview avec un illustrateur

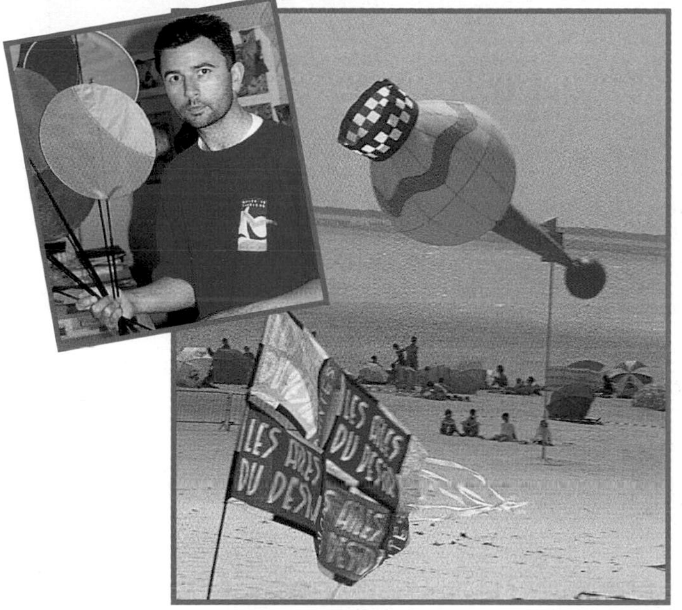

Michel-Marie Bougard, illustrateur et responsable du club Les Ailes du Désir

1 Ecoutez l'interview. Pourquoi Michel-Marie aime-t-il le métier d'illustrateur? (Donnez trois raisons.)

2 Michel-Marie s'occupe d'un club de cerfs-volants à Nantes. Trouvez:
- **a** le nombre d'adhérents
- **b** l'âge des adhérents (de ...... à ..... ans)
- **c** le jour où ils se retrouvent pour faire voler les cerfs-volants.

3 Vrai ou faux? Corrigez les erreurs.
- **a** Un membre du club ne construit jamais son propre cerf-volant.
- **b** On met deux ou trois heures pour faire le cerf-volant le plus simple.
- **c** On peut mettre plusieurs mois pour faire les plus compliqués.

4 Aimeriez-vous être membre du club? Pourquoi (pas)?

le cerf-volant = *kite*

Les préfixes et les suffixes ASTUCES

Connaître les préfixes et les suffixes, ça aide à deviner le sens d'un mot nouveau.

Les préfixes se placent **au début** d'un mot.
Voici quelques exemples.

- **re/ré** + verbe exprime la répétition:
  revoir, **re**monter, **re**faire, **re**commencer, **ré**écouter
- **im/in** ou **dé/dés** ou **mé/mal** + adjectif ou nom exprime un négatif:
  impossible, **in**croyable, **dé**caféiné, **mal**heureux
  désespoir, **in**détermination

Les suffixes se placent **à la fin** d'un mot.
Voici quelques exemples.

- **-ment** ajouté à un adjectif (féminin) peut donner un adverbe:
  simple**ment**, tranquille**ment**, active**ment**
- **-eur** ajouté au radical d'un verbe signifie souvent la personne qui fait l'action:
  camper → camp**eur**, employer → employ**eur**

1 Utilisez votre dictionnaire. Trouvez:
- **a** le contraire de: actif, adroit, connu, honnête, décision, ordre, patience
- **b** le nom pour une personne qui: danse, joue, jongle, demande.

Savez-vous ... ?

- dire ce que vous pensez d'une activité
- parler de vos activités de loisirs
- proposer à quelqu'un de faire une activité
- accepter et refuser une invitation
- dire ce qu'il y a pour les jeunes chez vous et ce qui manque
- reconnaître quelques préfixes et suffixes communs
- bien prononcer les terminaisons de l'imparfait

Et en grammaire ... ?

- les pronoms *lui* et *leur*
- l'imparfait
  (comment le former et quand l'utiliser)

UNITÉ 10

Vive le sport!

- Où et quand pratiquer un sport?
- Un sport sur mesure
- Réagir en cas d'urgence
- La journée d'une jeune championne
- Le sport à l'école

le football le cricket le rugby la natation le deltaplane l'athlétisme le ski le cyclisme
le basket le judo l'escrime la voile le ping-pong la planche à voile l'escalade la gymnastique
le tennis l'équitation le hand-ball la danse le hockey le VTT le badminton le volley-ball

1 Retrouvez le nom des sports illustrés parmi les mots de la boîte.

2 Ajoutez d'autres noms de sport, puis faites des listes:
- les sports que vous pratiquez
  que vous regardez sans pratiquer
- les sports qu'on peut faire dans votre école
  qu'on peut faire dans votre ville.

3 Ecoutez un groupe de jeunes Français arrivés dans votre ville. Ils voudraient faire du sport. Répondez, par exemple:
– *Oui, ici, on peut faire du tennis. Il y a un club/une équipe/un terrain ...*
ou
– *Désolé(e), mais ici, on ne peut pas faire de tennis.*

Faites du sport!

Le samedi à la plage:

- natation (cours débutants 10h00–12h00, cours de perfectionnement 14h00–16h00)
- sports de glisse: surf, morey (initiation)
- ski nautique
- plongée sous-marine (moniteur diplômé)

Tarifs des cours et activités:

cours individuels: *28F de l'heure*
forfait 10 sessions de 2 heures: 290F
cours collectifs: *20 F de l'heure*
Possibilité de louer l'équipement: s'adresser au centre.

En semaine au centre:

- lundi, mardi, mercredi: 18h00–20h00
  volley-ball, ping-pong, basket (tous niveaux)
  escalade (débutants)
- jeudi, vendredi: 18h00–20h00
  badminton, judo, tir à l'arc (tous niveaux)
  escalade (perfectionnement)

Tarifs des cours et activités:

cours individuels: *25F de l'heure*
forfait 10 sessions de 2 heures: 220F
cours collectifs: *15 F de l'heure*

Renseignements et inscriptions: CLS Sabaou, av. de Sabaou, Biarritz ***Tél: 59 78 67 54***

1 a Ecoutez. Où a lieu chaque conversation, à Toulon ou à Biarritz?
b Réécoutez: imaginez que vous êtes le jeune qui téléphone et prenez des notes sur votre sport.

2 Remettez en ordre cette conversation à la réception du CLS Sabaou. Commencez par **e**.
a – Qu'est-ce que je dois faire pour m'inscrire?
b – *Alors, les cours de perfectionnement ont lieu le jeudi ou le vendredi.*
c – C'est à quelle heure?
d – *C'est 15 F de l'heure ou 220F le forfait de 20 heures.*
e – Je voudrais faire de l'escalade. Est-ce que c'est possible ici?
f – *Eh bien, remplissez cette fiche, s'il vous plaît.*
g – Non, j'en fais depuis un an.
h – *Oui. Vous avez quel niveau? Vous êtes débutant?*
i – Et c'est combien?
j – *C'est de 18 h 00 à 20 h 00.*

3 *A* veut faire un sport et contacte *B* à la réception du CLS Sabaou. Imaginez la conversation (aidez-vous du modèle de l'activité 2). Ensuite, changez de rôle.

Expressions-clés

- **Quel sport faites-vous?**
  Je fais du tennis/de la voile/de l'équitation.
  Je joue au rugby (dans un club).
  Je fais partie d'une équipe de hockey.
  Je participe à des championnats/compétitions de deltaplane.
  Je ne fais pas de sport.
- **Quel sport vous intéresse?**
  Je m'intéresse (un peu/beaucoup) à la natation/au ski (comme spectateur).
  J'aime regarder les matchs de hand-ball.
  Je soutiens l'équipe de rugby.
  Je suis supporter du Paris Saint-Germain.
  Ça ne m'intéresse pas du tout.
- **Se renseigner:**
  Est-ce qu'on peut faire du/de la/de l' ...?
  Est-ce qu'il y a des cours (individuels/collectifs) de ski pour débutants?
  C'est quel jour? A quelle heure?
  Qu'est-ce que je dois faire pour m'inscrire?
  Peut-on louer l'équipement/des vélos?
  C'est combien, l'inscription/l'entrée/de l'heure?

4 Imaginez! Vous partez un mois en France. Ecrivez à la famille d'accueil: dites ce que vous faites comme sport, à quel niveau, et posez des questions sur les activités organisées dans leur ville (quoi? quand? tarifs? location de l'équipement possible? etc.).

Un sport pour vous

Choisissez les phrases qui vous correspondent le mieux et lisez nos commentaires.

1 Pour vous, l'éducation physique à l'école est
- ★ plus agréable que l'histoire-géo
- ■ moins agréable que l'histoire-géo
- ▼ aussi agréable que l'histoire-géo

2 Vous trouvez que sauter est
- ▼ plus facile que courir
- ■ moins facile que courir
- ★ aussi facile que courir

3 Vous pensez que pour les sportifs
- ■ le Coca est meilleur que le jus d'orange
- ★ le Coca est moins bon que le jus d'orange
- ▼ le Coca est aussi bon que le jus d'orange

4 Dans votre groupe de copains, vous êtes
- ★ le/la plus dynamique
- ■ le/la moins dynamique
- ▼ aussi dynamique que les autres

5 Le dimanche matin, vous restez au lit
- ■ plus longtemps qu'en semaine
- ★ moins longtemps qu'en semaine
- ▼ aussi longtemps qu'en semaine

6 Vous faites des promenades à pied
- ★ le plus souvent possible
- ■ le moins souvent possible
- ▼ aussi souvent qu'en voiture

7 Le soir, vous avez
- ■ plus d'énergie que le matin
- ▼ moins d'énergie que le matin
- ★ autant d'énergie que le matin

8 Comme dessert, vous mangez
- ■ plus de gâteaux que de fruits
- ★ moins de gâteaux que de fruits
- ▼ autant de gâteaux que de fruits

Commentaires:

Vous avez une majorité de ★
Vous aimez bien être physiquement actif/active; vous avez de l'endurance et beaucoup d'énergie; vous savez très bien comment garder la forme.
<u>Sports conseillés:</u>
le cyclisme (il faut de l'endurance et beaucoup d'énergie ... surtout quand ça monte!)
le ski (quand on est prudent(e), le ski est un bon sport)

Vous avez une majorité de ▼
Vous aimez un peu l'activité physique, mais pas trop! Vous avez assez d'énergie mais vous vous fatiguez vite, vous n'êtes pas très endurant(e).
<u>Sports conseillés:</u>
l'athlétisme (le saut ou le sprint, mais pas le 3 000 mètres!)
la gym ou la danse (c'est à la fois doux et énergique)

Vous avez une majorité de ■
Le sport, ce n'est franchement pas votre activité favorite! Vous êtes assez endurant(e), mais vous n'aimez pas vraiment faire des efforts. Vous ne savez pas toujours ce qui est bon pour la santé!
<u>Sports conseillés:</u>
la natation (les efforts sont plus faciles dans l'eau!)
le tir à l'arc (pas besoin de courir!)

Zoom sur la comparaison

Regardez le test page 122. A quoi servent les expressions suivantes?

plus ... que	le/la/les plus ...	plus de ...
moins ... que	le/la/les moins ...	moins de ...
aussi ... que		autant de ...

Elles servent à faire des comparaisons. Elles expriment:

la supériorité: Elle est **plus** endurante **que** sa copine.
C'est elle **la plus** endurante.
Son équipe gagne **plus de** matchs qu'avant.

l'infériorité: Sylvain est **moins** rapide **que** Luc.
Il est **le moins** rapide de l'équipe.
Ils font **moins de** sport maintenant.

l'égalité: Sylvie est **aussi** grande **que** sa sœur.
Elle fait **autant de** sport qu'elle.

Il y a un comparatif irrégulier dans le test. Où?
C'est dans le numéro 3. C'est le comparatif de **bon**: on dit **moins bon**, **aussi bon**, mais ***meilleur***.

Le/la/les plus ... et **le/la/les moins ...** sont des superlatifs.
Ils indiquent les deux extrêmes:
– le coureur **le plus** rapide
(il n'y a pas de coureur plus rapide que lui)
– la boisson **la moins** chère
(il n'y a pas d'autre boisson moins chère)

7

1 Voici des faits sur le sport en France. Devinez comment les compléter, avec une des expressions de comparaison ci-dessus.
Exemple: *a – moins de*

a En France, les femmes font ...... sport que les hommes.
b Les Français font ...... sport qu'il y a 20 ans.
c La France est le pays ...... sportif d'Europe.
d Les hommes sont ...... intéressés ...... les femmes par les sports d'équipe.
e Le sport ...... pratiqué en France est la natation.
f Les sports collectifs sont ...... développés ...... les sports individuels.
g Les Français sont ...... intéressés par le football ...... par le cyclisme.
h ...... jeunes que de personnes âgées jouent aux boules.

2 Cherchez quelques faits sur le sport dans votre pays ou dans votre classe. Présentez-les en classe: vos camarades devinent si c'est vrai ou faux.
Par exemple: *En Grande-Bretagne, plus d'hommes que de femmes jouent au cricket. (Vrai)*
Le meilleur joueur de tennis mondial est anglais. (Faux)

UNITÉ 10

En cas d'urgence

Quand on fait une activité sportive, il y a parfois des risques d'accident. Savez-vous quoi faire en cas d'urgence?

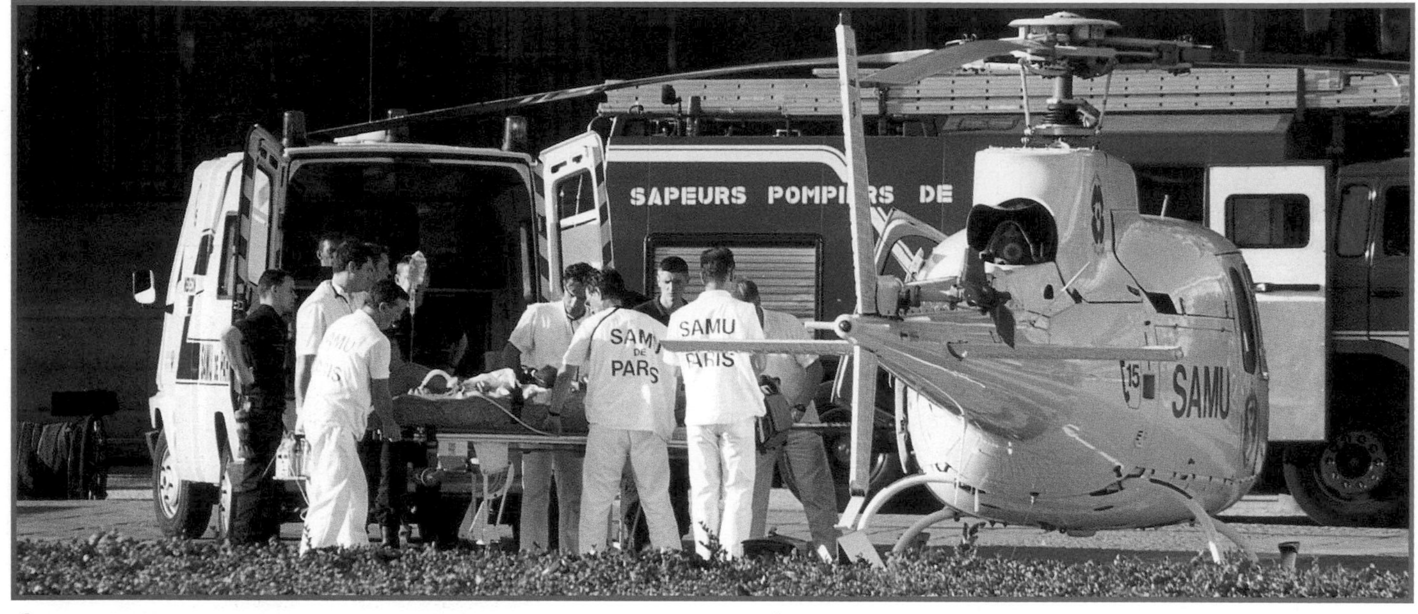

1 Lisez ce test et choisissez les meilleurs conseils.

Imaginez, vous faites une randonnée à vélo en campagne. Votre ami tombe et se blesse.

1 Vous voulez attirer l'attention de quelqu'un. Vous criez tout de suite:
- a S'il vous plaît!
- b Au secours, à l'aide!
- c Ahhhh!

2 Quelqu'un arrive. Vous expliquez d'abord la situation:
- a avec des gestes
- b simplement, en quelques mots
- c avec tous les détails

3 Vous téléphonez aux services de secours:
- a vous parlez lentement et clairement
- b vous parlez le plus rapidement possible
- c vous répondez aux questions des secouristes

4 Vous êtes avec votre ami. Vous attendez les secours:
- a vous ne lui parlez pas pour ne pas le fatiguer
- b vous lui demandez de chanter avec vous
- c vous lui tenez la main et vous lui parlez doucement

Les meilleurs conseils: 1b, 2b, 3a, 4c

2 a Ecoutez comment réagissent trois personnes dans la situation ci-dessus. Qui réagit le mieux?

b Réécoutez et répétez après la personne qui réagit le mieux.

3 Imaginez! *A* fait de l'escalade avec un ami qui tombe et se blesse. *A* téléphone et explique la situation au SAMU, représenté par *B*. Ensuite, changez de rôle. Qui réagit le mieux?

4 Regardez ce dépliant distribué dans la région de Marseille.
Décidez quel numéro appeler dans chaque cas:
- **a** un accident de canoë-kayak avec un noyé
- **b** un accident entre une voiture et un cycliste (blessé)
- **c** une dame attaquée
- **d** votre amie s'évanouit au soleil.

Réflexe urgence santé

Composez LE 15 – aide médicale – en cas de:
- détresse, grande urgence à domicile
- accident de la circulation avec blessés
- malaise dans un lieu public
- accident du travail/de sport
- urgence en l'absence du médecin traitant ou de garde

Composez LE 18 – les pompiers – en cas de:
- incendie
- accident de la circulation avec blessés
- explosion
- gaz/vapeurs toxiques
- noyade

Composez LE 17 – police secours – en cas de:
- agression
- toute situation d'urgence menaçant la sécurité des personnes

Zoom sur les adverbes

- Les adverbes sont des mots qui donnent plus de renseignements sur une action. Il y a quatre catégories principales: les adverbes de **manière** (comment on fait l'action), de **temps** (quand), de **lieu** (où) et d'**intensité** (un peu, beaucoup, etc).

1 Dans le test de la page 124, il y a cinq adverbes de manière et deux adverbes de temps. Lesquels?

2 Quelle est la bonne catégorie pour chaque adverbe?

énergiquement	après	encore
partout	tellement	beaucoup
bien	loin	très
toujours	franchement	devant

- Les adverbes de manière sont souvent formés à partir d'adjectifs. En général, on ajoute *-ment*:

doux/douce → doucement
franc/franche → franchement

simple → simplement
poli → poliment

prudent → prudemment
suffisant → suffisamment

Attention! Il y a des exceptions et des adverbes irréguliers. Exemples:

bon → bien
meilleur → mieux

- Où mettre les adverbes?
  – avant un adjectif ou un adverbe:
  Elle est **vraiment** sympa.
  Elle va **trop** vite.

  – après un verbe:
  Je vais **souvent** au stade.
  J'allais **régulièrement** au club.

  – entre l'auxiliaire et le participe passé:
  J'ai **déjà** joué au mini-basket.
  Ils sont **vite** partis.

  – certains, en début ou fin de phrase:
  Avant, je jouais au foot.
  Il a joué au tennis **hier**.

6

3 Recopiez et complétez ce récit avec des adverbes. Choisissez-les dans la boîte.

vite très mieux encore vraiment ensuite
beaucoup immédiatement tout de suite
aussitôt d'abord aujourd'hui doucement

Samedi dernier, je faisais du cheval à la campagne avec mon frère. ......, tout allait bien, c'était ...... super! Mais ......, mon cheval a commencé à s'énerver, il s'est mis à galoper .... J'ai perdu le contrôle. Il a sauté une haie et je suis tombé. Je me suis cogné la tête contre une pierre. Ça saignait .... Mon frère est ...... revenu vers moi. Il a ...... compris que c'était grave. Il a posé son blouson ...... sur moi, il est remonté à cheval et il est ...... parti chercher de l'aide. Il est revenu avec une ambulance une heure après.
...... , j'ai ...... mal à la tête mais ça va ....

4 A vous de décrire une expérience similaire, vraie ou imaginée. Utilisez le plus possible d'adverbes pour rendre votre récit plus intéressant.

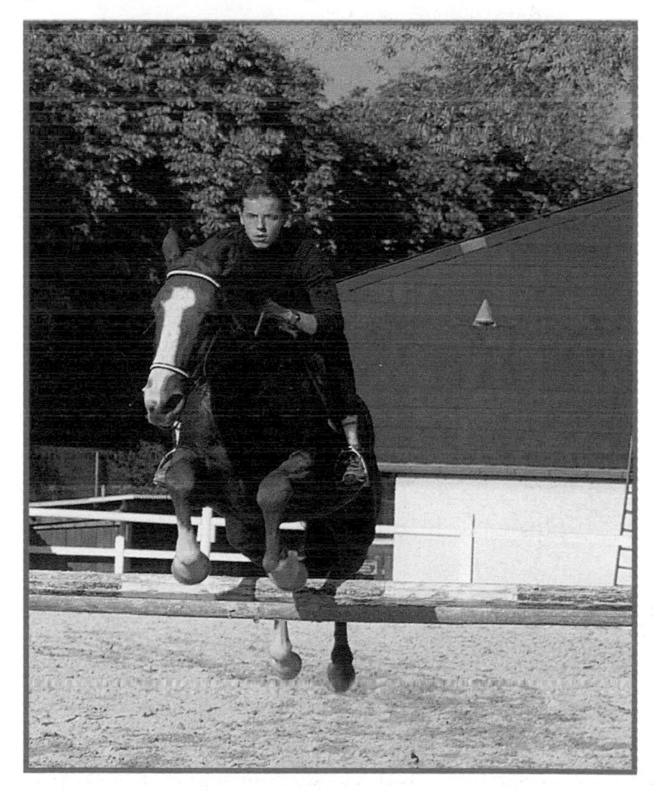

Une vie de championne

LAETITIA HUBERT

Laetitia Hubert fait du patinage artistique. En 1992, elle est devenue championne du monde juniors. Elle nous parle de sa vie de championne.

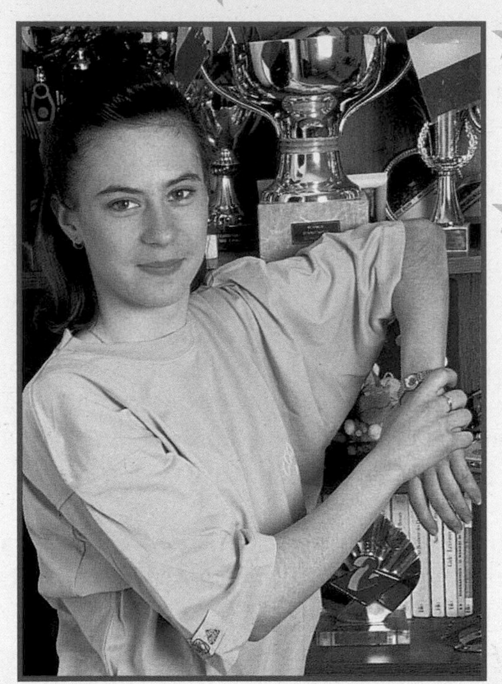

1 Mes parents faisaient du patin en amateurs. Un jour, ils ont décidé de m'emmener à la patinoire, j'avais trois ans. A la fin de l'après-midi, je ne voulais plus sortir de la piste. Ils ont décidé de m'inscrire dans un cours. A quatre ans, je donnais déjà mon premier gala!

2 Je suis dans une section "Sports-Etudes" et mes journées sont différentes de celles des autres lycéens. Je me lève à 5 h 30 le matin, je prends le train de 6 h 21, j'arrive à l'école à 8 h 10. Mon entraîneur vient me chercher à 11 heures. Il m'emmène à la patinoire où je patine de 11 h 40 à 13 heures. Je reviens à l'école, je déjeune et je retourne en cours de 14 h 30 à 16 h 30. Là, mon entraîneur revient me chercher pour patiner de 17 h 00 à 19 h 00.

3 On me pèse au club une fois par semaine, mais moi je me pèse tous les jours. J'essaie d'avoir une alimentation saine et diététique. J'évite les sucreries, les choses grasses. Je mange surtout du poisson et des légumes cuits à l'eau ...

4 Je voudrais terminer mes études, passer mon bac, puis suivre des cours dans une école de kiné de façon à travailler plus tard dans un cabinet, tout en restant attachée à un club sportif. Si possible, je me spécialiserai dans l'ostéopathie.

1 Pour chaque paragraphe, retrouvez la question posée par le journaliste.

- **a** Que fais-tu pour être en pleine forme?
- **b** Quand et comment as-tu commencé le patinage?
- **c** Quels sont tes projets pour l'avenir?
- **d** Comment se passe une journée typique?

2 Quelles phrases Laetitia pourraient-elle dire?

- **a** J'ai commencé le patinage à l'âge de quatre ans.
- **b** Je fais du patinage plusieurs fois par semaine.
- **c** Je vais à la patinoire avec mon entraîneur le week-end.
- **d** Je patine environ trois heures et demie par jour.
- **e** J'apprends le patinage seule.
- **f** Je prends des cours de patinage au collège.
- **g** Le patinage, c'est ma passion!
- **h** Je veux travailler dans le monde du sport plus tard.

3 *A* est journaliste et interviewe *B* sur son sport favori.
A prépare des questions.
B répond (si vous ne faites aucun sport, inventez!)
Aidez-vous du texte et des activités ci-dessus.

Interlude

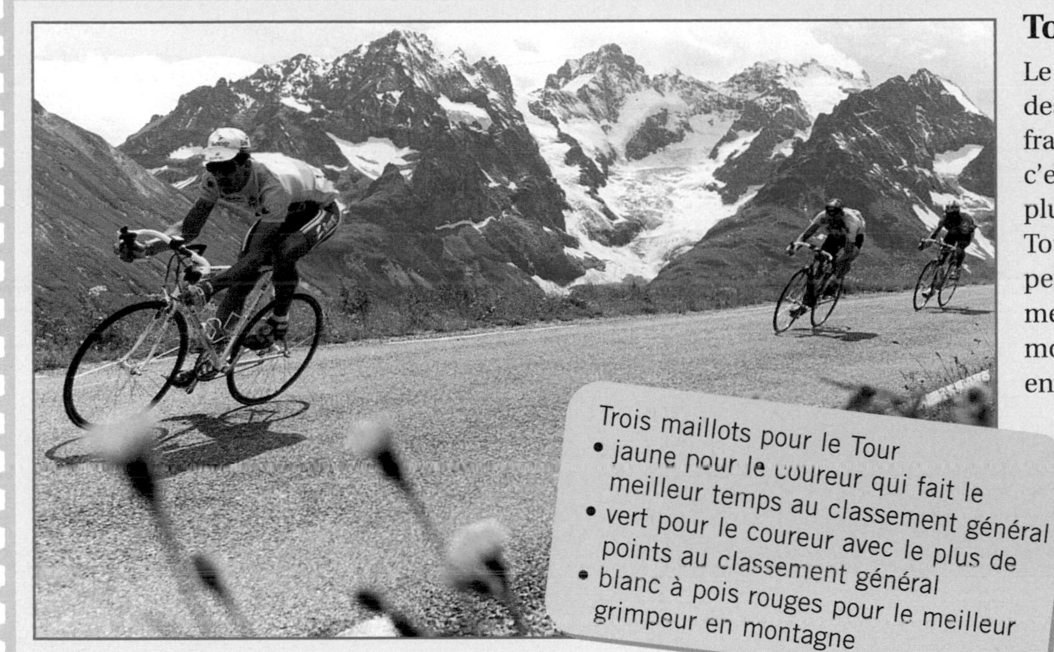

Tour de France

Le Tour de France est un des événements sportifs français les plus célèbres et c'est la course cycliste la plus prestigieuse du monde. Tous les ans, en juillet, pendant trois semaines, les meilleurs cyclistes du monde viennent parcourir environ 4 000 kilomètres sous l'œil attentif de milliers de spectateurs et téléspectateurs. Le Tour est divisé en étapes. Les plus spectaculaires sont les étapes de montagne et bien sûr l'arrivée sur les Champs-Elysées, à Paris.

1 Que savez-vous d'autre sur le Tour de France? Ecrivez un petit article pour votre classe. Si le cyclisme ne vous intéresse pas, présentez un autre événement sportif, sur cassette ou par écrit.

Tableaux et graphiques ASTUCES

Les sports les plus dangereux en Grande-Bretagne (nombre d'accidents pour 100 joueurs par an)

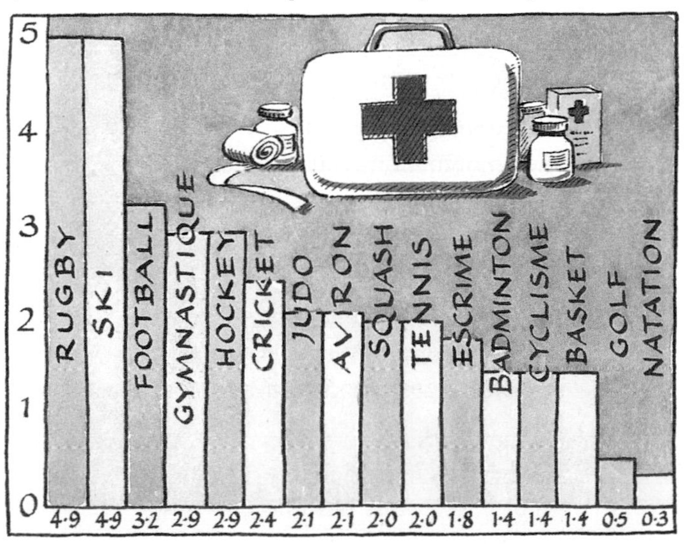

Le temps libre des Français: 4 heures par jour

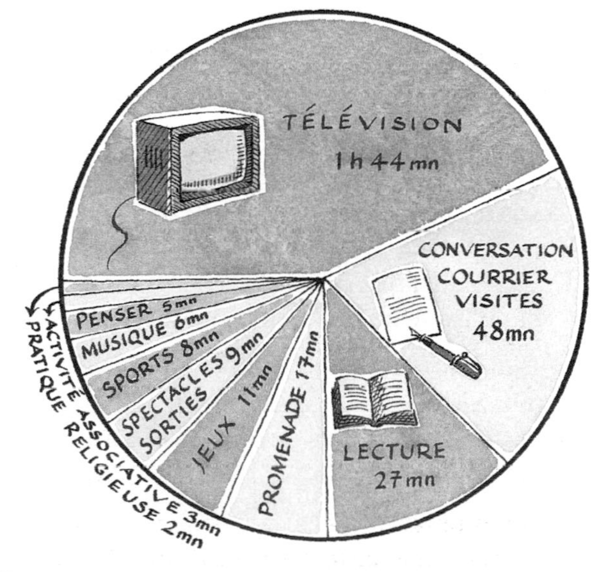

1 Regardez les graphiques. Ecoutez les opinions de Christophe et chaque fois, dites s'il a raison (✓) ou non (✗). Ecoutez la réponse donnée par Anya.

2 Les chiffres vous surprennent-ils? Lesquels? Pourquoi?

UNITÉ 10

Le sport à l'école

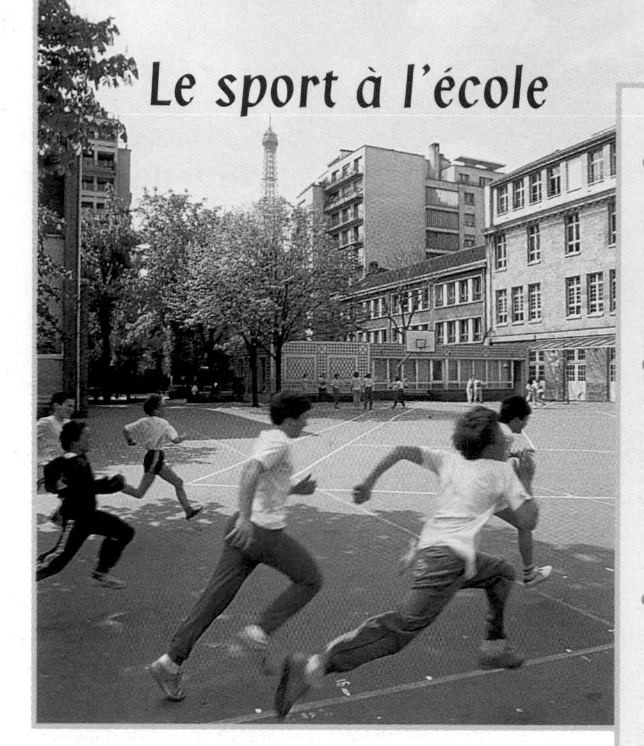

OPINIONS

SONDAGE

- **Vous intéressez-vous au sport à l'école?**

beaucoup	24%
assez	27%
peu	23%
pas du tout	24%
ne se prononcent pas	2%

- **Etes-vous favorable à l'idée de faire du sport tous les jours à l'école primaire?**

très favorable	34%
assez favorable	33%
peu favorable	18%
pas du tout favorable	8%
ne se prononcent pas	7%

- **Si vous deviez faire du sport tous les jours à l'école, préféreriez-vous le faire ... ?**

pendant les heures d'école	31%
en dehors des heures d'école (avec des horaires aménagés, par exemple après 15h00)	56%
ne se prononcent pas	13%

1 Faites ce sondage dans votre classe et présentez les résultats. Sont-ils similaires ou différents des résultats français (à droite)?

2 Voici une liste d'arguments. Classez-les: pour ou contre le sport à l'école?

a Personnellement, je pense que le sport est excellent pour la santé et qu'on doit en faire à l'école. *Karine*

b C'est une perte de temps. Je fais du sport à l'extérieur, ça suffit. *Luc*

c C'est une matière comme les autres. On apprend à utiliser notre tête, il faut aussi apprendre à utiliser notre corps. *Clément*

d Je suis nulle en sport et je déteste l'EPS. J'ai l'impression que les autres se moquent de moi, c'est horrible. *Eliane*

e C'est super parce que ça nous permet de changer un peu des autres cours, de nous relaxer et de dépenser un peu d'énergie! *Jean-Marc*

f Sans éducation physique à l'école, moi je ne fais pas d'exercice, alors, trois heures par semaine, c'est mieux que rien! *Lisa*

3 Ecoutez les réactions d'Anya et de Christophe. Avec quels arguments Anya est-elle d'accord? Et Christophe?
***Exemples:** Anya: a, ...; Christophe: b, ...*

4 **a** Réécoutez leur discussion et repérez certaines des expressions utiles.
b A vous de dire ce que vous pensez de chaque argument. Utilisez les expressions utiles.

5 *A* est pour le sport à l'école. *B* est contre. Trouvez d'autres arguments pour et contre. Ensuite, discutez. Qui est le/la plus convaincant(e)?

- **Les pronoms emphatiques**

je	**moi**	on/nous	**nous**
tu	**toi**	vous	**vous**
il	**lui**	ils	**eux**
elle	**elle**	elles	**elles**

10f

Expressions utiles

- **Pour donner son point de vue:**
  Pour moi/toi/nous/vous, c'est ...
  Pour elle/lui/elles/eux, c'est ...
  Moi, je pense que ...
  Nous, on trouve que ...

- **Pour exprimer son accord/désaccord:**
  Je pense comme / Je ne suis pas d'accord avec } toi/lui/elle/vous/eux/elles.

  J'aime l'EPS.
  – Moi aussi./Pas moi.
  – Lui aussi, mais pas elle.

  Je n'aime pas l'EPS.
  – Moi non plus./Moi si.
  – Elles non plus mais eux si.

Interview avec un professeur d'éducation physique

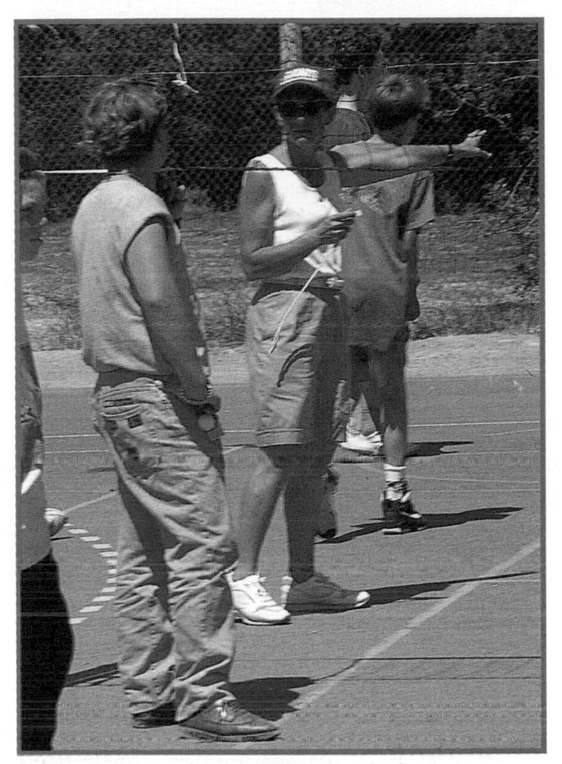

Jocelyne Galpin, professeur d'éducation physique

1 Ecoutez l'interview. Lisez le résumé de ce que dit Mme Galpin et corrigez les cinq erreurs.

Jocelyne Galpin est le seul professeur d'éducation physique au collège Sainte-Anne. Elle a 28 heures de cours par semaine. Elle ne travaille pas le jeudi. Ses élèves ont trois heures de gym par semaine.

Pour être prof de sport, il faut aimer le sport, le contact avec les enfants et faire quatre ans d'études après le bac.

Ce qui lui plaît dans son métier, c'est d'abord le contact avec les élèves. Les inconvénients du métier, c'est la fatigue et travailler dehors par mauvais temps. D'après elle, pour être prof de gym, il faut travailler plus intellectuellement que physiquement.

2 Elle dit que le prof de gym a des contacts différents avec les élèves que les autres profs. Pourquoi, à votre avis?

Ça se dit comme ça!

Les sons *u* et *ou*

1 Ecoutez et répétez.

[u]	jus	pur	lecture	urgence
[ou]	joue	pour	toujours	courir

2 Lisez ces mots puis écoutez. Dans quels mots n'entendez-vous pas [u] ou [ou]?

souvent fatigue équipe
rugby faux course
club football légumes
beau surf junior

3 Dites ces phrases à toute vitesse! Ecoutez la cassette pour vérifier.

Loulou joue toujours au foot en août.
Lulu ne joue plus du tout aux boules.
Tout est sens dessus dessous.

Savez-vous ... ?

- dire quels sports vous pratiquez et regardez
- vous renseigner dans un club sportif
- quoi dire en cas d'urgence
- raconter un accident de sport
- comprendre des tableaux et des graphiques
- discuter le pour et le contre de l'EPS
- bien prononcer les sons *u* et *ou*

Et en grammaire ... ?

- le comparatif et le superlatif (*plus grand que ..., le plus petit*, etc.)
- les adverbes (*simplement*, *vite*, etc.)
- les pronoms emphatiques (*moi*, *lui*, etc.)

Révisez! Unités 9 et 10

Révisez pages 110, 111, 117, 120, 121, 128.

1 a Ecrivez un programme intéressant pour le samedi 3 juin.
Exemple:
9h–11h tennis de table: concours
9h–10h jeux de société au café
10h–11h volley-ball, tir à l'arc (tous niveaux)
11h–12h théâtre
11h–12h30 cuisine chinoise

b Avec votre partenaire, échangez vos programmes. Imaginez que vous avez participé à l'anniversaire du club le 3 juin. Racontez cette journée dans votre journal.
Exemple: *Aujourd'hui, j'étais au club des jeunes toute la journée. C'était fantastique! D'abord, j'ai participé à un concours de tennis de table. Malheureusement, je n'ai pas gagné, mais je me suis quand même bien amusé(e)! ...*

Révisez page 114

2 a Choisissez des cadeaux pour tout le monde. Utilisez *lui* ou *leur*.
Exemple: *1 Je vais lui offrir une grande serviette de bain.*

1 Philippe adore la natation.
2 Ma mère adore faire du ski.
3 Alice et Pascale préfèrent l'escalade.
4 Mon cousin va apprendre le rugby.
5 Mes grands-parents aiment les animaux.
6 Mon père cherche un nouveau moyen de transport.
7 Mes sœurs veulent apprendre la photographie.

Révisez page 123

b Regardez les dessins. Ecrivez autant de phrases que possible pour comparer Agnès, Pierre et Jules. Comparez avec votre partenaire. Qui en a écrit le plus?
Exemples:
Agnès est plus sportive que Pierre et Jules.
La personne la plus petite, c'est Jules.
Pierre est moins grand qu'Agnès.
Pierre a plus de cheveux que Jules.

Jules *Agnès* *Pierre*

Révisez pages 111, 113, 121, 124, 125, 128

3 Lisez la lettre de Christine.

a Vrai ou faux?

1. Les passe-temps de Christine sont l'équitation, la musique et la correspondance.
2. Sa mère trouve l'équitation dangereuse.
3. Christine fait souvent du skateboard.
4. Elle a eu un accident et c'était de sa faute.
5. Le cycliste est parti sans l'aider.
6. Christine apprend un sport d'équipe au collège.
7. Christine propose une activité pour les vacances d'hiver.

b Imaginez que vous êtes son/sa correspondant(e). Répondez à la lettre.

Bourbourg, le 9 mai

Salut!

Ça va? Merci pour ta dernière lettre et pour les photos de ta famille.

Aujourd'hui je vais te parler de mes passe-temps. L'équitation, ça t'intéresse? Moi, oui! J'apprends l'équitation depuis un an, pour garder la forme et parce que j'adore les chevaux. J'ai aussi envie d'apprendre l'escalade, mais ma mère dit que c'est un sport trop dangereux. Qu'en penses-tu? Question musique, j'écoute surtout du reggae. Et toi, quelle sorte de musique aimes-tu? Un autre de mes passe-temps, c'est écrire des lettres. J'ai des correspondants (comme toi!) partout dans le monde. Et toi, quels sont tes passe-temps préférés? pourquoi?

Avant, je faisais souvent du skateboard, mais maintenant je n'en fais plus, parce que j'ai eu un accident. C'était il y a trois mois, je faisais du skateboard dans le parc. Soudain, j'ai perdu le contrôle et je suis rentrée dans un cycliste. Je suis tombée, je saignais beaucoup et j'avais mal à la tête. Heureusement, le cycliste était sympa et il est vite allé chercher de l'aide. Un docteur est arrivé mais finalement ce n'était pas trop grave.

Quels sports fais-tu au collège? Nous, en ce moment on apprend à jouer au basket et je trouve ça génial! L'EPS, c'est ma matière préférée, parce que je peux dépenser mon énergie! Moi, je pense que le sport est très important. Et toi?

Voici une suggestion. Est-ce que tu es libre au mois d'août? Si on faisait un tour à vélo dans ma région? Ce serait amusant et pas trop cher. Qu'en penses-tu? Ecris-moi vite!

Grosses bises, ta correspondante, Christine

4 Exposé

a Préparez un exposé, en utilisant les expressions-clés et le vocabulaire.

Révisez pages 115, 120, 121, 128

Sports et loisirs dans ma région

ou

Révisez pages 111, 121, 125, 126

Mon temps libre

Exemple:

SPORTS ET LOISIRS DANS MA REGION
terrain de sport: foot, basket, patinoire, piscine, club de jeunes, café, fast-food
besoin de: stade avec un grand choix de sports
piscine chauffée
café pour les jeunes

b Ecrivez des mots-clés comme aide-mémoire. Ecoutez l'exemple de la cassette si vous voulez.

c Parlez, en utilisant vos notes comme aide-mémoire.

Hitler, connais pas, de Bernard Blier

La vie en famille n'est pas toujours facile pour une adolescente qui recherche l'indépendance. Ici, une femme raconte des souvenirs de son adolescence: ses rapports avec sa mère qui essayait de la retenir, et les stratagèmes qu'elle a essayés pour pouvoir sortir.

A seize ans seulement j'ai commencé à sortir vraiment le soir. Avant, fallait que j'invente des tas d'histoires, des choses démentes... Je faisais écrire, par des amies, des lettres comme quoi j'étais invitée au théâtre pour voir ceci ou cela. Je partais, par le métro, l'autobus. J'allais... euh... passer le week-end, quoi. Ma mère réagissait très bien d'abord, parce que c'étaient des amies qui m'invitaient. Mais quand j'ai voulu sortir, en semaine, le soir, c'est devenu très difficile : elle ne voulait même pas que j'aille seule au cinéma, partout il fallait qu'elle m'accompagne...

Alors, au début, j'ai commencé par faire l'école buissonnière pour avoir un peu de liberté, puis j'ai réussi à trouver des prétextes pour sortir le soir avec des amis. J'ai commencé à rentrer à minuit ; puis ç'a été minuit et demi, puis deux heures... puis plus du tout. J'exagère, mais ça m'est arrivé...

Ma mère allait, à la police, dire que sa fille avait disparu depuis deux jours. Alors aussitôt les recherches commençaient ; j'étais toujours prévenue, je savais toujours qu'on me recherchait. Alors, évidemment, il m'est arrivé souvent de rentrer avant qu'on me 'retrouve' ; j'voulais pas d'histoires. Il fallait, au commissariat de police, dire que j'étais bien rentrée, que tout était arrangé.

L'épatant, c'est qu'à chaque fois, au commissariat, ce n'était pas moi qui me faisait attraper. Ça tombait systématiquement sur le dos de maman. On lui disait : « Si vous lui donniez un peu de liberté, à cette fille, elle n'aurait pas besoin de prendre de la liberté toute seule », et elle se faisait toujours disputer. Si bien qu'au bout d'un certain temps, elle en a eu assez de me faire rechercher et de se faire disputer. Elle m'a laissée sortir.

Union Générale d'Editions

(il) fallait que j'invente = *I had to invent*
des tas d'histoires = *loads of stories*
je faisais écrire, par des amies = *I got my friends to write*
réagissait = *reacted*
elle ne voulait même pas que j'aille = *she didn't even want me to go*
faire l'école buissonnière = *to skip school/play truant*
plus du tout = *not at all*
j'étais toujours prévenue = *I was always tipped off/warned*
il m'est arrivé souvent de rentrer = *it often happened that I'd go home*
j'voulais* pas d'histoires = *I didn't want any trouble/hassle*
l'épatant, c'est que = *what's amazing is that*
qui me faisait attraper = *who got told off*
au bout d'un certain temps = *after a while*
elle en a eu assez = *she'd had enough*
se faire disputer = *to get/getting told off*
* français familier

Les Récrés du petit Nicolas, de Sempé/Goscinny

Les créateurs du petit Nicolas sont l'auteur René Goscinny (créateur aussi d'Astérix) et l'artiste Jean-Jacques Sempé. Depuis 1954, ils ont publié plusieurs recueils de contes amusants, dans lesquels Nicolas raconte ce qui se passe dans sa vie.

Dans cet épisode, Nicolas et ses copains viennent jouer au football sur le terrain vague. Ils forment une équipe, et puis des garçons d'une autre école arrivent et les insultent. Ils sont tous en train de se battre quand le père de Nicolas arrive le chercher pour aller manger.

Le Football
On lui a expliqué comment on avait formé l'équipe et Papa a dit que ce n'était pas mal, mais qu'il faudrait qu'on s'entraîne et que lui il nous apprendrait parce qu'il avait failli être international (il jouait inter droit au patronage Chantecler). Il l'aurait été s'il ne s'était pas marié. Ça, je ne le savais pas ; il est terrible, mon papa.
– Alors, a dit Papa à ceux de l'autre école, vous êtes d'accord pour jouer avec mon équipe, dimanche prochain ? Je serai l'arbitre.
– Mais non, ils sont pas d'accord, c'est des dégonflés, a crié Maixent.
– Non, monsieur, on n'est pas des dégonflés, a répondu celui qui avait les cheveux rouges, et pour dimanche c'est d'accord. A 3 heures... Qu'est-ce qu'on va vous mettre !
Et puis ils sont partis.

Papa est resté avec nous, et il a commencé à nous entraîner. Il a pris le ballon et il a mis un but à Alceste. Et puis il s'est mis dans les buts à la place d'Alceste, et c'est Alceste qui lui a mis un but. Alors Papa nous a montré comment il fallait faire des passes. Il a envoyé la balle, et il a dit : « A toi, Clotaire ! Une passe ! » Et la balle a tapé sur Agnan, qui a perdu ses lunettes et qui s'est mis à pleurer.

Et puis, Maman est arrivée.
– Mais enfin, elle a dit à Papa, qu'est-ce que tu fais-là? Je t'envoie chercher le petit, je ne te vois pas revenir et mon dîner refroidit !

Alors, Papa est devenu tout rouge, il m'a pris la main et il a dit : « Allons, Nicolas, rentrons ! », et tous les copains ont crié : « A dimanche ! Hourra pour le papa de Nicolas ! »

A table, Maman rigolait tout le temps, et pour demander le sel à Papa elle a dit : « Fais-moi une passe, Kopa ! »

Les mamans, ça n'y comprend rien au sport, mais ça ne fait rien : dimanche prochain, ça va être terrible !

il faudrait qu'on s'entraîne = *we'd have to train*
il avait failli être international = *he almost played as an international*
terrible = *great/terrific*
l'arbitre = *the referee*
c'est des dégonflés* = *they're chicken/cowards*
qu'est-ce qu'on va vous mettre !* = *we're gonna show you!*
il a mis un but = *he scored a goal*
dans les buts = *in goal*
s'est mis à pleurer = *started to cry*
je t'envoie = *I send you*
refroidit = *is getting cold*
ça ne fait rien = *it doesn't matter*
* français familier

UNITÉ 11

En voyage

- Evitez le mal des transports!
- Les transports en commun
- Faites bonne route!
- Projets de voyage
- Les transports du futur

1 Trouvez le nom de chaque moyen de transport. Vérifiez le genre dans le dictionnaire.
***Exemple:** 1 un avion*

aéroglisseur	avion	bateau	bus	camion
car	cheval	Eurostar	hélicoptère	métro
mobylette	moto	pied	taxi	téléphérique
TGV	train	tramway	vélo	voiture

2 Ecoutez et répétez les phrases vraies pour vous. Adaptez les autres. ***Exemples:** Je vais à l'école à pied. Je prends le métro pour aller au centre-ville.*

Rappel

en avion/bateau/bus/taxi/voiture
à cheval/mobylette/moto/pied/vélo

Le mal des transports? Jamais!

Voyager, c'est super ... mais vous souffrez du mal des transports! Vous ne savez plus quoi faire? Suivez nos conseils et vous n'aurez plus jamais de problèmes!

Mal de l'air

- Ne prenez pas une place fumeurs! Et n'oubliez pas, les meilleures places ne sont ni à l'avant ni à l'arrière mais au milieu, au-dessus des ailes.
- Si vos oreilles vous font mal et si vous n'entendez plus rien au décollage ou à l'atterrissage, avalez en vous pinçant le nez, mâchez un chewing-gum ou sucez un bonbon.

Mal de mer

- Ne partez jamais l'estomac vide, mais ne mangez que des choses légères et digestes (pas trop de frites et pas de tarte à la crème!).
- Restez au grand air et fixez l'horizon. Si tout va mal, allongez-vous. Le meilleur endroit est dans une cabine au centre du bateau, le plus près possible du fond. Essayez de boire ou de manger quelque chose de chaud.

Mal d'auto

- En voiture ou en car, regardez bien la route et surtout ne lisez pas. Ouvrez une vitre et si possible, demandez au chauffeur de s'arrêter régulièrement.
- Un vieux remède de grand-mère contre le mal au cœur: mettez un petit bouquet de persil frais autour de votre cou ... ça ne coûte rien d'essayer!

Il existe bien sûr des médicaments contre le mal des transports. Mais évitez d'en prendre et suivez ce conseil: ne vous inquiétez pas à l'avance et vous n'aurez aucun problème!

1 Lisez les conseils. Ensuite, lisez ces phrases et décidez si ces gens ont eu raison ou tort.

a Je n'ai ni bu ni mangé avant de partir.
b Je n'ai rien lu pendant le voyage en car.
c On ne s'est jamais arrêtés en route.
d Après la tempête, je n'ai plus bougé de la cabine.
e Avant de partir, je n'ai mangé qu'un sandwich et un fruit.
f Je n'ai pris aucun médicament avant le départ.

Zoom sur la négation (2)

Vous savez déjà utiliser
ne + pas/jamais/rien/personne
(voir pages 32–33).

Il y a quatre autres formes négatives dans le texte ci-dessus. Retrouvez-les.
ne ... que **ne ... plus**
ne ... aucun **ne ... ni ... ni**

Il est possible de combiner des négations. Il y a deux exemples dans le texte. Retrouvez-les.
ne ... plus rien **ne ... plus jamais**

12

Où placer la négation?

- verbe au présent, à l'imparfait, au futur:
  ne + verbe + **pas/jamais/rien/personne/que/plus/aucun/ni ... ni**
  Exemples:
  Je **ne** suis **jamais** malade en voiture.
  Je **n'**ai **plus** de problème.
- verbe au passé composé (attention, ça dépend de la forme négative que vous utilisez!):
  ne + auxiliaire + **pas/jamais/rien/plus** + participe passé
  Exemple: Je **n'**ai **jamais** pris l'avion.
  ne + auxiliaire + participe passé + **personne/que/aucun/ni ... ni**
  Exemple: Je **n'**ai mangé **que** deux pommes.

UNITÉ 11

Votre attention, s'il vous plaît!

1 Ecoutez huit conversations. Où se passent-elles?
Exemple: *1 e*

2 a Réécoutez bien chaque conversation et prenez des notes en français sur ce qui se passe. Puis répondez aux questions de votre professeur.

b Réécoutez. Arrêtez la cassette avant d'entendre parler le voyageur/la voyageuse, et essayez de jouer son rôle, à l'aide de vos notes.

3 *A* veut les choses de la boîte A, et les demande à *B*. Faites deux conversations.
Puis changez de rôle: *B* demande à *A* les choses de la boîte B.

A	
	acheter un aller simple, Lille, 2e, à tarif jeunes
	horaires trains Paris-Vannes, prochain train – heure, quai?

B	
	réserver un aller-retour, Bordeaux, 2e, 12–15 juin, non-fumeurs
	bus pour plage? loin? quel arrêt?

4 Ecoutez. Quel résumé va avec chaque situation?

- **a** L'avion est retardé.
- **b** Le train est annulé.
- **c** Il ne reste plus de place dans le car.
- **d** Le bus ne va pas au terminus.
- **e** Il y a une grève de métro.

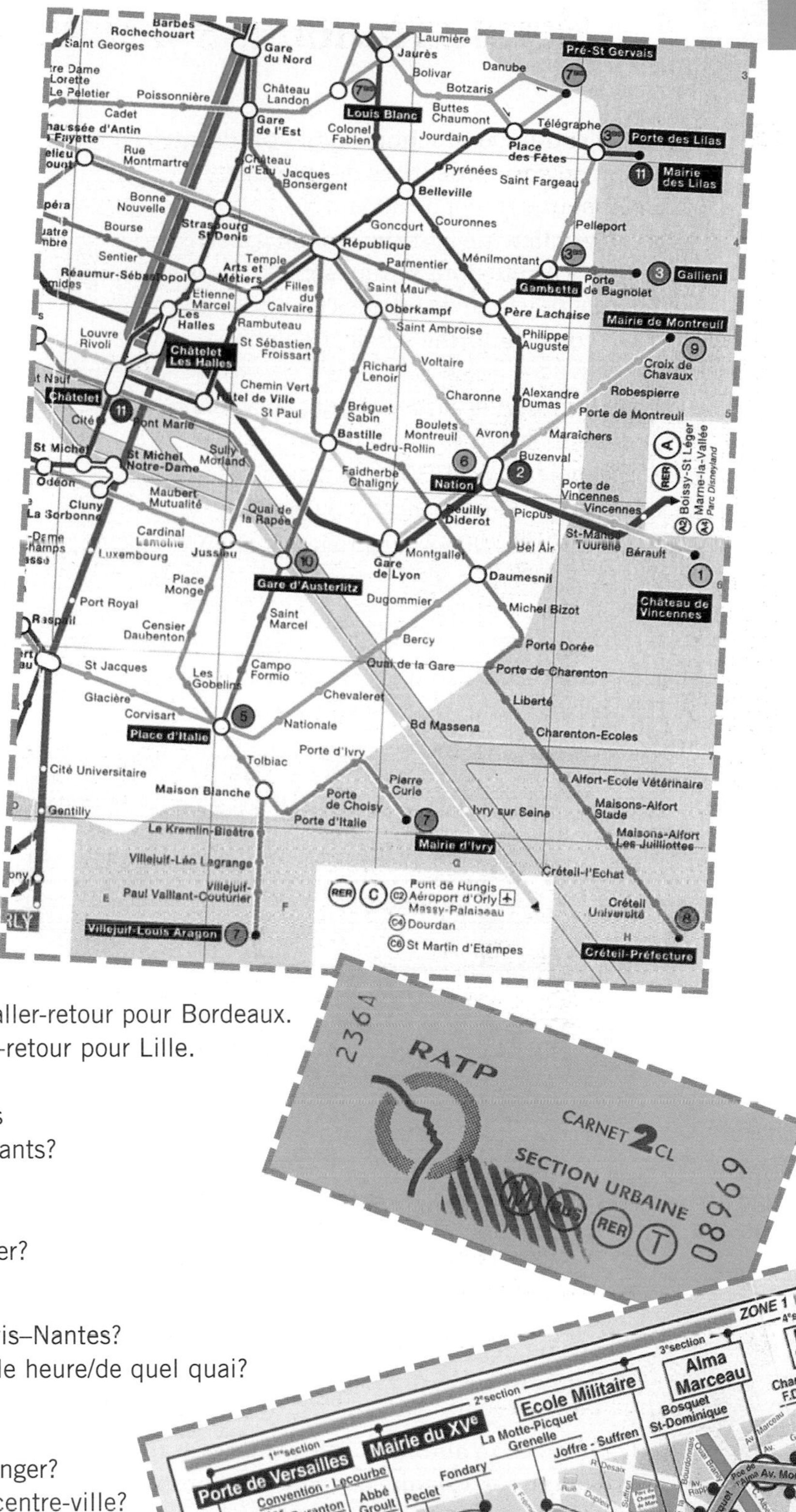

En métro à Paris

Trouvez votre station sur le plan. Repérez votre destination. Suivez la ligne jusqu'au terminus. Rappelez-vous le numéro et le nom des deux terminus. Il y a parfois une correspondance (changement de ligne).

Exemple: *Vous êtes à Belleville. Vous voulez aller à Place d'Italie. Prenez la ligne 11, Mairie des Lilas–Châtelet, direction Châtelet. Changez à République. Là, prenez la ligne 5, Bobigny-Pablo Picasso–Place d'Italie, jusqu'au terminus.*

5 Ecoutez Lisa dans le métro. Qu'achète-t-elle? Où est-elle? Où va-t-elle?

Expressions-clés

- **Le billet:**

(train) Je voudrais (réserver) un aller simple/un aller-retour pour Bordeaux.
Je voudrais deux allers simples/deux aller-retour pour Lille.
en seconde/première classe
côté fenêtre/couloir, fumeurs/non-fumeurs
Il y a un tarif réduit pour les jeunes/étudiants?
Il faut payer un supplément?

(métro) Je voudrais un ticket/un carnet.

(bus) C'est combien le ticket pour la rue Peletier?

- **Le trajet:**

(train) Vous avez des horaires pour les trains Paris–Nantes?
Le (prochain) train pour Paris part à quelle heure/de quel quai?
C'est direct? Il faut changer?

(métro) C'est quelle ligne/station?
Il y a une correspondance? Où faut-il changer?

(bus) C'est quel bus/quelle ligne pour aller au centre-ville?
C'est quel arrêt pour la piscine?
Où est l'arrêt du 12?

- **Vous entendrez/lirez:**

Veuillez composter/valider votre billet.
Il y a un supplément de 30 francs par personne.
Les passagers du vol ... sont priés de se rendre porte ...
Il faut confirmer votre vol retour.

UNITÉ 11

Bonne route!

1 Lisez l'extrait de brochure sur les autoroutes en France. A quoi correspondent ces définitions?

a On peut y rouler à 130 km/h.
b On y achète de l'essence ou du gazole.
c On s'y arrête pour se reposer de temps en temps.
d On peut y faire de l'exercice pour se détendre.
e On vous y informe sur la circulation.

- **y** = pour éviter les répétitions (placé entre le sujet et le verbe).
  Exemple: Il y a 6 300 km d'autoroutes et on roule à 130 km/h sur les autoroutes.
  → Il y a 6 300 km d'autoroutes et on **y** roule à 130 km/h.

10c

LES AUTOROUTES, MODE D'EMPLOI

- Le port de la ceinture de sécurité est obligatoire pour tous les passagers. La vitesse est limitée à 130 km/h.
- Vous trouverez une aire de service tous les 40 km (avec station-service, restauration, magasins, etc), une aire de repos tous les 15 km (avec toilettes et coin pique-nique), des "points relaxe" pour la détente (avec équipements sportifs, spectacles, expos, etc.).
- Aux points d'accueil Bison Futé, vous serez informés de l'état de la circulation ainsi que des meilleurs itinéraires possibles.

2 a Ecoutez. Quels sont les services mentionnés?
Exemple: C, ...

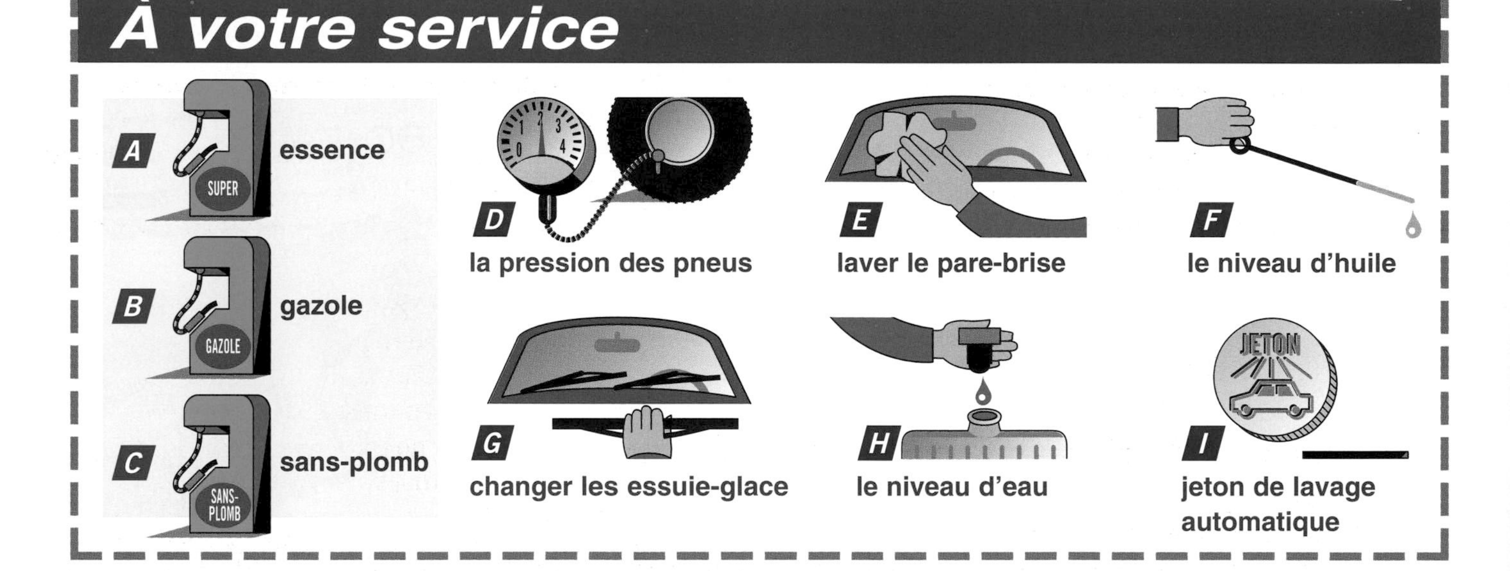

b A vous de demander ces services! Faites une phrase pour demander chaque service, A–I. Aidez-vous des expressions-clés page 139.

3 a Ecoutez. Cinq automobilistes en panne appellent le dépanneur. Chaque fois, notez: le problème, les détails du véhicule, et où il se trouve.
Exemple:
1 d, Renault Espace, au km 165 sur l'A6 → Paris.

b Réécoutez: quelles sont les trois questions posées par le dépanneur? Notez-les.

c Imaginez deux nouvelles conversations entre un automobiliste et le service de dépannage. Imitez celles de la cassette.

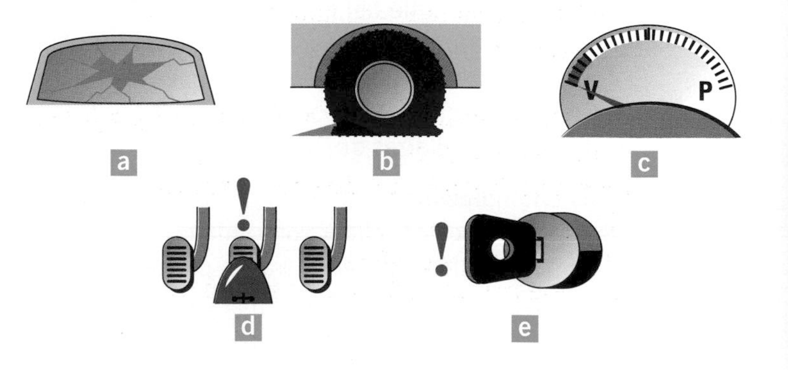

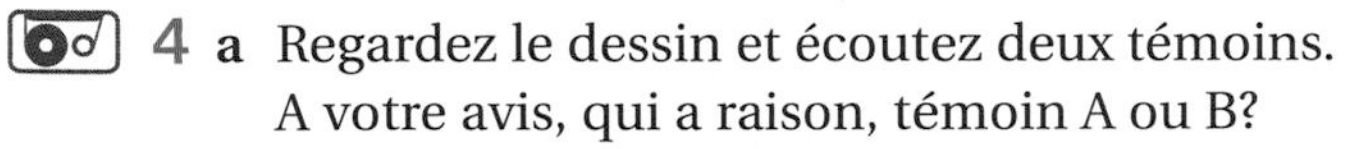

4 a Regardez le dessin et écoutez deux témoins.
A votre avis, qui a raison, témoin A ou B?

b Remettez les phrases de ce résumé dans l'ordre.
1 Le camion a freiné.
2 Elle roulait très vite.
3 Une moto arrivait en face.
4 Il n'y a pas eu de blessés.
5 La voiture rouge sortait de la rue Jean-Jaurès.
6 Le camion a renversé la moto.
7 Il a heurté la voiture rouge.
8 Elle ne s'est pas arrêtée au stop.

c Imaginez que vous êtes le témoin C.
Racontez l'accident par écrit.

Expressions-clés

- **A la station-service:**

Vous pouvez / (Où) est-ce que je peux — faire le plein d'essence/de gazole/de sans-plomb? / vérifier la pression des pneus/le niveau d'huile?

Je voudrais — laver le pare-brise. / un jeton de lavage automatique. / un reçu, s'il vous plaît.

- **En cas de panne:**

Allô, le service de dépannage?
Je suis au kilomètre x sur l'autoroute x, en direction de x.
Mon pare-brise est cassé. J'ai un pneu crevé.
Les freins ne marchent plus. Le moteur ne démarre plus.
Je suis en panne d'essence.

- **Un accident:**

La voiture roulait vite/sortait du parking.
Elle ne s'est pas arrêtée au stop/aux feux.
Elle a freiné/heurté le piéton/renversé la moto.
Il n'y a pas de blessés.
Ce n'est pas de sa faute. C'est de la faute de ...

Interlude

Une blague du célèbre comique, Raymond Devos

Le visage en feu

J'arrive à un carrefour, le feu était au rouge.
Il n'y avait pas de voitures, je passe! Seulement, il y avait un agent qui faisait le guet. Il me siffle.
Il me dit:
– Vous êtes passé au rouge!
– Oui! Il n'y avait pas de voitures!
– Ce n'est pas une raison!
Je dis:
– Ah si! Quelquefois, le feu est au vert ... Il y a des voitures et ... je ne peux pas passer!
Stupeur de l'agent! Il est devenu tout rouge.
Je lui dis:
– Vous avez le visage en feu!
Il est devenu tout vert! Alors, je suis passé!

Le coin des globe-trotters

Un magazine de jeunes pose la question suivante: « Vous aimez voyager? Vous avez des projets de voyage? Racontez-nous! » De jeunes lecteurs répondent.

Mon grand rêve, c'est de vivre pendant six mois avec des Touareg, les nomades du désert du Sahara, de les suivre dans le désert à dos de chameau! Les Touareg m'ont toujours fascinée et j'ai une passion pour le désert. Je veux absolument y vivre. Il y aura sûrement des problèmes: la vie dans le désert sera dure, les Touareg ne m'accepteront pas facilement au début. Mais je rêve de cette aventure depuis tellement longtemps! Ça arrivera un jour, j'en suis sûre!

Nadia, 16 ans Bastia

Mes parents sont de grands voyageurs. On est déjà allés dans plusieurs pays d'Amérique du Sud. Notre prochain voyage, l'été prochain, ce sera deux mois en Inde, un pays qu'on ne connaît pas. On partira de Paris en avion pour arriver à Delhi. On y restera quelques jours. Après, on prendra le train pour aller à Simla, où mes parents ont des amis. Ensuite, ça sera l'aventure! On ira peut-être vers l'Himalaya, ou bien on descendra en car vers le sud. On verra bien!

Isabelle, 15 ans Poitiers

Depuis mon enfance, je me dis que quand j'aurai 18 ans, je ferai un tour de France à vélo. Eh bien, on y est presque! Je commence à organiser ça avec une copine. On a déjà fait notre itinéraire pour trois mois: on partira de Strasbourg, puis on descendra dans les Alpes, on visitera la Côte d'Azur et la Provence et on traversera les Pyrénées. Ensuite, on remontera la côte atlantique et s'il nous reste de l'énergie, on fera le tour de la Bretagne avant de rentrer!

Philippe, 17 ans Strasbourg

Moi, un jour, quand j'aurai assez d'argent, je ferai un voyage au Québec. J'y resterai un ou deux mois. J'irai d'abord à Montréal en avion et de là, je ferai de l'auto-stop pour visiter la région. Comme ça, je pourrai discuter avec les gens. Parce que ce que je veux surtout, c'est rencontrer des Québécois. Tout le monde dit qu'ils sont super sympa. Et puis, le Québec, c'est les grands espaces et j'adore ça! Mais d'abord, il faut que je fasse des économies!

Arnaud, 17 ans Toulouse

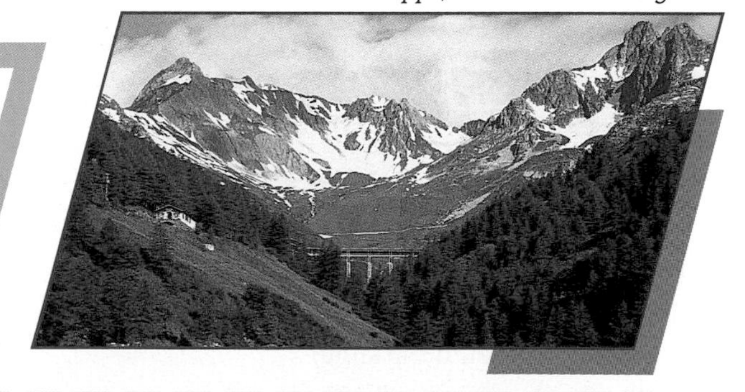

1 Lisez les lettres. A votre avis, qui a le projet de voyage le plus intéressant? Pourquoi?

2 Choisissez chacun(e) deux lettres. Prenez le rôle de Philippe, Nadia, Arnaud ou Isabelle et répondez aux questions de votre partenaire.
Dans quel pays veux-tu voyager?
Avec quel(s) moyen(s) de transport?
Pendant combien de temps?
Avec qui?
Pourquoi?

3 Ecoutez et comparez avec vos interviews. Ensuite, répétez après la cassette.

4 Imaginez! Vous allez faire un voyage fantastique cet été. Ecrivez au magazine.
Exemple: *Au mois d'août, je vais aller en Australie avec un groupe de copains ...*

Zoom sur le futur (1)

1 Relisez les lettres, page 140. Les lecteurs parlent de leur voyage au futur. Quels verbes sont au futur? Faites une liste pour chaque lettre.
***Exemple:** Isabelle – ce sera, on partira, ...*

Comment reconnaître un verbe au futur?
radical (comme l'infinitif) + terminaison

rester		(*je*)	**-ai**	je resterai/partirai/prendrai
partir	+	(*tu*)	**-as**	tu resteras/partiras/prendras
prendr(e)		(*il/elle/on*)	**-a**	on restera/partira/prendra

Notez bien!
Après *quand*, il faut un futur: *quand j'aurai 18 ans*

2 Certains verbes sont irréguliers.
Reliez ces formes futures avec leur infinitif:

verbe au futur	*infinitif*
je ferai	aller
on verra	avoir
ce sera	être
je pourrai	faire
on ira	pouvoir
il y aura	voir

3 Regardez la publicité.
a C'est une pub pour le train, l'avion ou les croissants?
b A votre avis, la pub signifie qu'à l'avenir:
– l'avion remplacera les trains,
– l'avion sera de moins en moins cher, ou
– tout le monde aura un avion?

Interview avec un voyagiste

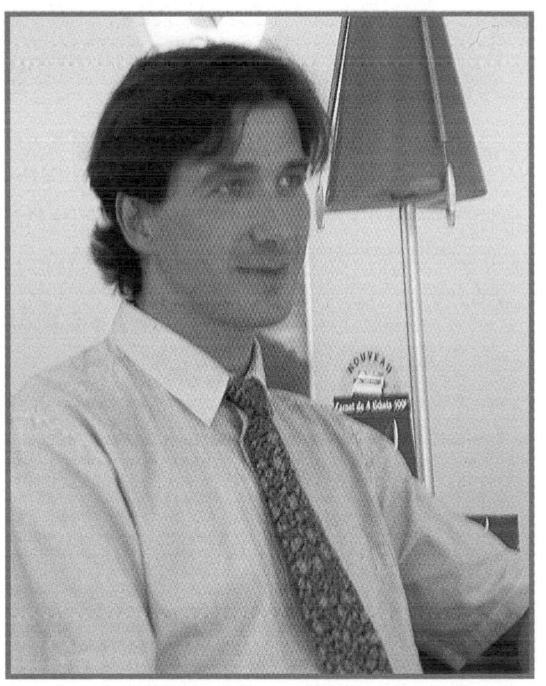

Denys Lambert, délégué régional du groupe Nouvelles Frontières à Nantes

1 Ecoutez l'interview. Choisissez a ou b.

1 Quelles études faut-il faire pour travailler dans une agence de voyages?
a Un BTS tourisme.
b Il n'y a pas d'études particulières.

2 Pourquoi est-il préférable de connaître l'anglais?
a Pour comprendre les données informatiques.
b Pour le contact avec les clients.

3 La plupart des clients de Nouvelles Frontières ont:
a entre 60 et 77 ans
b entre 25 et 45 ans.

4 Les destinations de vacances préférées des clients sont:
a les Antilles, la Grèce, la Corse, le Sud-Est asiatique
b l'Australie et la Polynésie française.

2 Aimeriez-vous travailler dans cette agence? Pourquoi (pas)?

UNITÉ 11

Les transports du futur

OPINIONS

En l'an 2100, la voiture sera propre, économique et intelligente: elle ne polluera plus l'atmosphère, elle ne consommera que peu d'énergie et elle sera équipée d'un ordinateur. Grâce à cet ordinateur, cette voiture sera presque automatique et la circulation sera améliorée. Finis les bouchons!

Il y aura beaucoup de transports en commun sous le dôme des grandes villes: des rames de métro continues, des bus aériens glissant sur des réseaux magnétiques, des taxis sans chauffeur; et pour les distances plus longues, des avions-fusées (Paris–New York en moins d'une heure), des navettes spatiales ultra-rapides pour rejoindre en quelques jours les cités spatiales installées un peu partout dans le système solaire ...

Science-fiction ou réalité? Qu'en pensez-vous?

1 Selon l'article, quels sont les transports du futur:
a en ville (il y en a quatre)
b d'une ville à une autre (il y en a deux)?

2 Cherchez les mots suivants dans le dictionnaire. Attention! Ils ont plusieurs significations. Laquelle convient ici?
consommer bouchon rame réseau

3 Répondez à la question posée à la fin de l'article.
Exemple: *Pour moi, la rame de métro continue, c'est possible, mais l'avion-fusée, c'est de la science-fiction ...*

4 Un groupe de jeunes choisit deux moyens de transport pour leur petite ville en 2100. Ecoutez-les discuter. Qu'est-ce qu'ils choisissent et pourquoi?

5 A votre tour! En groupes ou à deux, choisissez les deux meilleurs moyens de transport en 2100, pour votre ville ou pour les distances plus longues. Mettez-vous d'accord.

Expressions utiles

- Il y aura plus de circulation/moins de pollution.
- Ce sera (beaucoup) plus pratique que ...
- Ce sera aussi rapide que ...
- Le vélo, c'est moins facile que ...
- C'est vrai. Et en plus ...
- Oui, mais ...

pratique, économique, cher, écologique, bon pour la santé, facile, difficile, lent, rapide, automatique, confortable, individuel, collectif

ASTUCES

Lettres officielles

1 Lisez cette lettre. Reliez chaque chiffre à sa légende.
Exemple: 1c

- **a** votre signature
- **b** le nom de la personne à qui vous écrivez, ou son titre
- **c** votre adresse
- **d** la formule de politesse
- **e** l'introduction
- **f** l'adresse de la personne à qui vous écrivez
- **g** votre requête
- **h** la date
- **i** une requête spécifique

2 A vous! Choisissez une ville de France (ou du Canada, de Tunisie, etc.). Ecrivez une lettre à l'office de tourisme pour demander des renseignements sur la région. Expliquez que c'est dans le cadre d'un exposé pour votre classe de français.

1 Damien Le Corre
45, rue François Lemaistre
56100 Lorient

Office de Tourisme d'Avignon
Rue de la République
84000 Avignon 2

Le 15 mai 3

4 Madame, Monsieur,

5 Je serai en vacances dans la région d'Avignon au mois d'août et je vous serais très reconnaissant de bien vouloir me faire parvenir des renseignements sur votre région.

6 Je voudrais avoir la liste des campings de la ville et des environs. Pourriez-vous aussi m'envoyer des brochures et des dépliants sur ce qu'il y a d'intéressant à voir et à faire dans la région?

7 Comme je n'ai pas de voiture, je voudrais plus particulièrement savoir s'il existe des excursions en car.

8 Veuillez accepter, Madame, Monsieur, l'expression de mes meilleurs sentiments.

9 Damien Le Corre

Ça se dit comme ça!

Faites attention à l'accent tonique!

Où mettre l'accent tonique d'un mot?
– Sur sa dernière syllabe.
auto***mate*** automa***tique*** automatique***ment***

Et dans une phrase?
– Sur le dernier mot de chaque section.
J'adore voya***ger***.
Le vélo c'est ***bien***, parce que ce n'est pas pollu***ant***.

1 Dites ces phrases avec l'accent tonique. Vérifiez avec la cassette et répétez.

Je voyage.
Je ne voyage pas.
Je ne voyage pas souvent.
Je ne voyage pas souvent en avion.

Savez-vous ... ?

- dire quels moyens de transport vous utilisez
- acheter ou réserver un billet
- obtenir des renseignements sur les horaires et les trajets
- comprendre les annonces officielles
- quoi dire dans une station-service
- quoi dire en cas de panne ou d'accident de voiture
- parler d'un projet de voyage
- parler des transports du futur
- écrire une lettre officielle
- bien utiliser l'accent tonique

Et en grammaire ... ?

- le pronom *y*
- la négation (*ne + que*, *ne + plus*, *ne + aucun*, *ne + ni + ni*)
- le futur simple (*je partirai*, *on ira*, etc.)

UNITÉ 12 Le monde des médias

Vous avez vu un bon film récemment?
Acheter des billets au cinéma
A la télé: faites votre choix
Et si la télé disparaissait?
Le pouvoir de la publicité

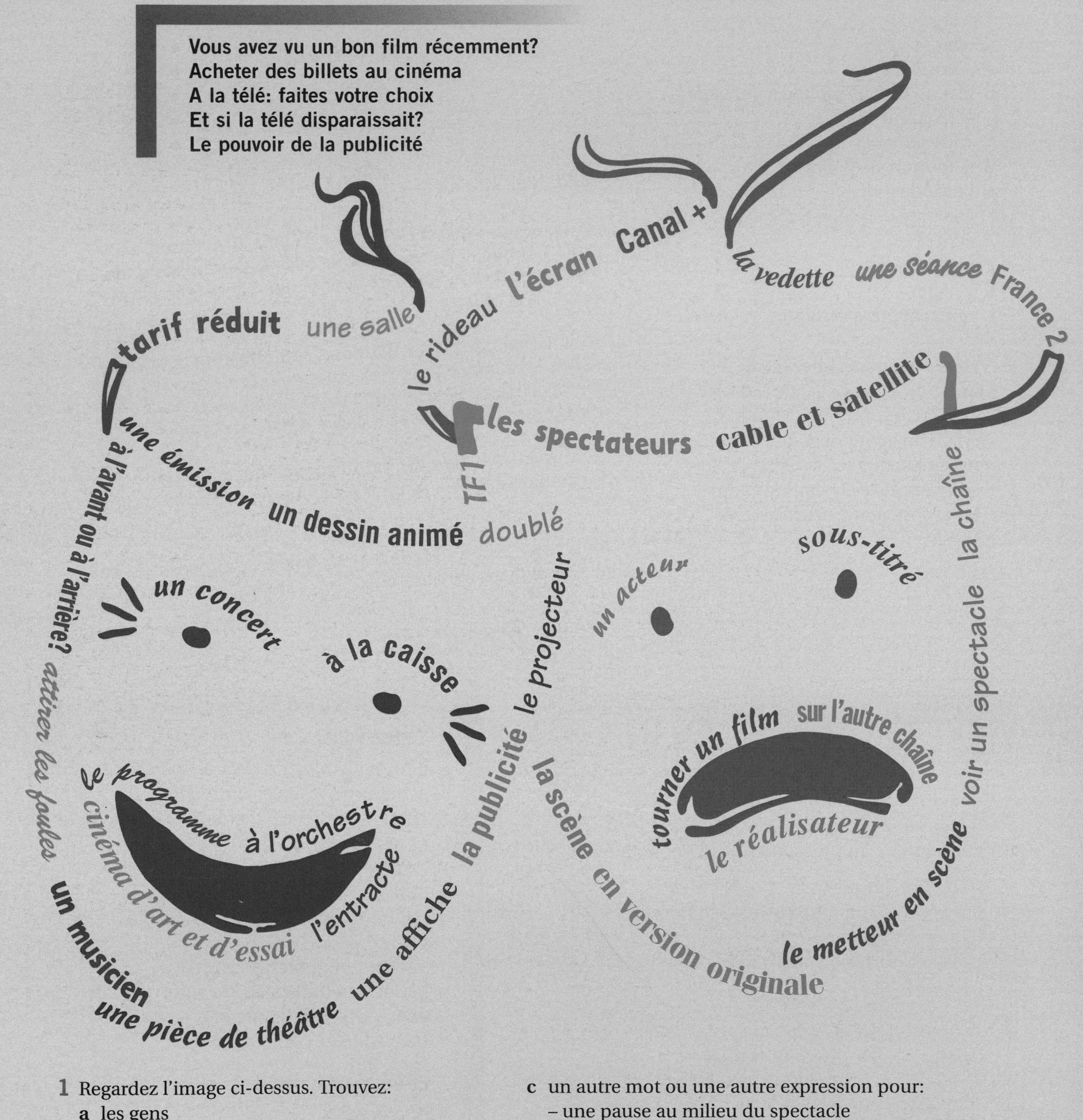

1 Regardez l'image ci-dessus. Trouvez:

a les gens
Exemple: un acteur

b les mots et expressions qui ont rapport avec le cinéma
Exemple: tourner un film

c un autre mot ou une autre expression pour:
– une pause au milieu du spectacle
– le public
– (film) réenregistré dans une autre langue
– (film) avec la bande sonore originale
– au niveau inférieur d'une salle de spectacle.

Grand écran

Les films à ne pas rater...

Jour de fête

de Jacques Tati, France

Un classique du rire français, qui vient d'être rénové en couleur. Suivez le brave François, facteur dans un petit village, au début des années cinquante. Sa tournée n'est pas triste!

Il était une fois dans l'Ouest

de Sergio Leone, Italie

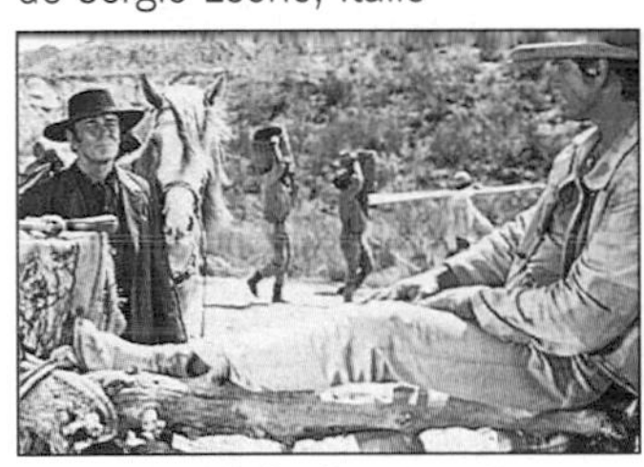

Ce film, particulièrement célèbre pour la musique d'Ennio Morricone, fait partie d'une longue série. Les films se passent dans l'Ouest américain, à la fin du siècle dernier. Ce western-spaghetti est une parodie du western classique avec des bons et des méchants, mais sans réelle authenticité historique.

Terminator 2

de James Cameron, Etats-Unis

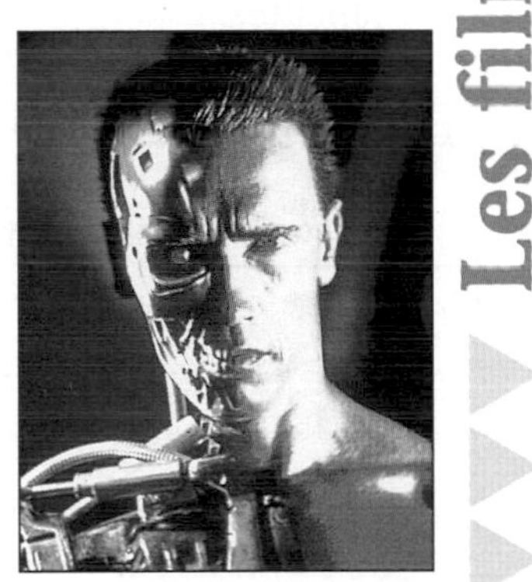

Entre le présent et le futur, l'homme et la machine se livrent une véritable guerre. La machine s'humanise, devient presque un père idéal et va jusqu'à sauver la planète. Le message est discutable, mais le film, qui utilise des procédés techniques totalement inédits, vaut surtout par ses incroyables effets spéciaux.

Cyrano de Bergerac

de Jean-Paul Rappeneau, France

Cyrano est laid. Il aime secrètement sa cousine Roxane, mais elle préfère un jeune soldat, Christian. Ce film est tiré d'une pièce de théâtre en vers classique. Surprenant? Oui! Pourtant, c'est un film plein d'aventure, de vie et de panache qui fera découvrir au grand public une œuvre classique.

La Fiancée de Frankenstein

de Kenneth Branagh, Grande Bretagne

Vous adorez avoir peur? Alors, vite, découvrez la suite du célèbre 'Frankenstein' de Mary Shelley. Cette fois, le créateur du monstre, obligé de lui fabriquer une fiancée, bascule dans l'horreur. Avec Robert de Niro dans le rôle du monstre de Frankenstein, ce film vous assure une bonne dose d'épouvante.

Les Aristochats

de Walt Disney, Etats-Unis

250 artistes ont collaboré à ce film, qui est le plus swing des films de Disney. 325 000 dessins sur 50 kilomètres de pellicule! Une histoire qui a du charme: à Paris, en 1910, Madame Bonnefamille dicte son testament à son notaire. Son héritage ira à ses chats. Edgar, le valet, décide de les noyer pour récupérer l'héritage. Un grand film, plein d'action, avec une belle histoire d'amour.

A voir aussi: *La Cité de la peur, Sister Act, Acte II, L'Affaire Pélican.*

1 Lisez les résumés de films.

a Quel est le genre de chaque film?

un dessin animé	un film d'amour
un film de guerre	un film policier
un film d'épouvante	un film comique
un western	un film d'aventure
un film historique	un film de science-fiction

b Suggérez d'autres films pour chaque genre.
Exemple: *'Napoléon' est un film historique.*

2 Ecoutez Rachid parler de ces films. Pour chaque renseignement qu'il donne, dites s'il a raison (✓) ou tort (✗).
Exemple: *1 ✓*

3 Ecoutez Julie, Rachid et Sara. Notez les films qu'ils ont vus, et ce qu'ils pensent de chaque film.
Exemple: *Julie – Cité de la peur, c'est nul, trop violent.*

UNITÉ 12

Grand écran

1 Interviewez votre partenaire sur les films qu'il/elle aime. Utilisez les expressions-clés.

a Lequel des films de la page 145 correspond le plus à ses goûts?

b Qu'est-ce qu'il/elle pense des films comiques, des films d'amour, etc.?

c Quel est son film préféré?

d Posez des questions sur son film préféré ou un film qu'il/elle a vu récemment. Notez: le titre, le genre, le sujet, les acteurs, l'opinion de votre partenaire.

Expressions-clés

Tu as vu *La Cité de la peur*?
Qu'est-ce que tu as pensé de *L'Affaire Pélican*?
Comment tu as trouvé *Jour de fête*? Tu as aimé *Napoléon*?
C'est (un film) génial/excellent/extraordinaire/formidable.
C'était (très/assez) intéressant/surprenant/émouvant
amusant/comique/drôle
ennuyeux/triste/violent
C'était bien/pas mal.
C'était nul. Ce n'était pas très bien.
C'est quoi comme film? C'est quel genre de film?
Ça raconte quoi?
C'est l'histoire de ...
Ça se passe à Paris en 1910.

2 a Recopiez et complétez cette critique de film avec les mots suivants: *acteur aimer aventure couleurs film interprété rôle*

Le Ballon d'or
un film de Cheik Doukouré

Bandian a douze ans et vit dans un village de Guinée. Le cadeau d'un ballon en cuir bouleverse son existence. Nul besoin d'...... le foot pour courir voir ce ....
C'est avant tout l'extraordinaire ......, pleine d'humour, vécue par un petit garçon. Le petit Aboubacar Sidiki Soumah joue avec énergie et charme le ...... de Bandian. Son entraîneur est ...... par Salif Keita, légende vivante du football en Afrique, qui est un ...... plein de talent.
Ce film riche en ...... nous montre différents aspects de la vie quotidienne en Afrique. A ne pas manquer!

b Devinez le nombre d'étoiles données à la fin de la critique du *Ballon d'or*.
★ = décevant ★★ = assez intéressant
★★★ = très intéressant ★★★★ = exceptionnel

3 Ecrivez la critique d'un film que vous avez vu récemment: soit un film qui vous a plu, soit un film que vous n'avez pas aimé.
Incluez:
– le genre du film
– un résumé de l'histoire et des personnages
– ce qui est intéressant dans ce film
– votre opinion, votre jugement.

Interview avec un projectionniste

Olivier Mège, opérateur projectionniste au Cinéma Katorza à Nantes

1 Ecoutez l'interview. Lisez le résumé et trouvez les chiffres qui manquent.

Au Katorza, il y a ...... projectionnistes pour ...... salles de cinéma. Chaque jour il y a ...... séances. Les habitués viennent ...... ou ...... fois par semaine, mais d'autres spectateurs viennent peut-être ...... fois par an.

2 Selon Olivier, quel genre de film a le plus de succès?

3 Selon Olivier, quels sont les avantages du métier de projectionniste? Et l'inconvénient?

Au cinéma

1 Recopiez cette grille. Ecoutez le répondeur automatique du Cinéma Forum et complétez la grille.

	Total Recall	La Cité des enfants perdus	Le Roi Lion	Fugueuses
numéro de la salle				
V.O. ou V.F.?				
limite d'âge				
heure de la 1ère séance				
dernière séance				

Bon à savoir! En France, les tarifs de cinéma sont réduits le mercredi.

2 Ecoutez une conversation à la caisse d'un cinéma. Prenez des notes. Expliquez en anglais pour un(e) ami(e) qui ne comprend pas le français:
- le prix d'une place
- s'il y a une limite d'âge
- si c'est en version originale
- l'heure de la prochaine séance.

3 *A*: vous travaillez à la caisse du Cinéma Forum: utilisez les renseignements dans la grille de l'activité 1.
B: choisissez un film de l'activité 1, demandez des renseignements et achetez des billets.
Puis changez de rôle. Choisissez d'autres films si vous préférez.

Expressions-clés

(Je voudrais) deux places pour *Le Ballon d'or*, s'il vous plaît.
à 50 francs/à tarif réduit/à tarif étudiant
Le film est interdit aux moins de 18 ans?
C'est sous-titré/en version originale?
C'est doublé/en version française?
Le film/La séance/La pièce/Le concert commence/finit à quelle heure?

Interlude

un strapontin = chaise (de cinéma, etc.) qui se relève
les jeunes premiers = les jeunes acteurs, les vedettes

La dernière séance – une chanson d'Eddy Mitchell

Eddy Mitchell (de son vrai nom Claude Moine) est chanteur et présentateur de télévision: il présente l'émission La dernière séance, sur le cinéma.

La lumière revient déjà et le film est terminé.
Je réveille mon voisin, il dort comme un nouveau-né.
Je relève mon strapontin, j'ai une envie de bâiller.
C'était la dernière séquence, c'était la dernière séance,
Et le rideau sur l'écran est tombé.

La photo sur le mot FIN peut faire sourire ou pleurer
Mais je connais le destin d'un cinéma de quartier:
Il finira en garage, en building, supermarché,
Il n'a plus aucune chance, c'était sa dernière séance,
Et le rideau sur l'écran est tombé.

'Bye bye' les héros que j'aimais, l'entracte est terminé,
'Bye bye' rendez-vous à jamais mes chocolats glacés, glacés.

J'allais rude et solitaire à l'école de mon quartier
A cinq heures j'étais sorti, mon père venait me chercher.
On voyait Gary Cooper qui défendait l'opprimé.
C'était vraiment bien, l'enfance, mais c'est la dernière séquence,
Et le rideau sur l'écran est tombé.

'Bye bye' les filles qui tremblaient pour les jeunes premiers,
'Bye bye' rendez-vous à jamais mes chocolats glacés, glacés.

La lumière s'éteint déjà, la salle est vide à pleurer,
Mon voisin détend ses bras et s'en va boire un café.
Un vieux pleure dans un coin, son cinéma est fermé,
C'était la dernière séquence, c'était sa dernière séance,
Et le rideau sur l'écran est tombé.

UNITÉ 12

Petit écran

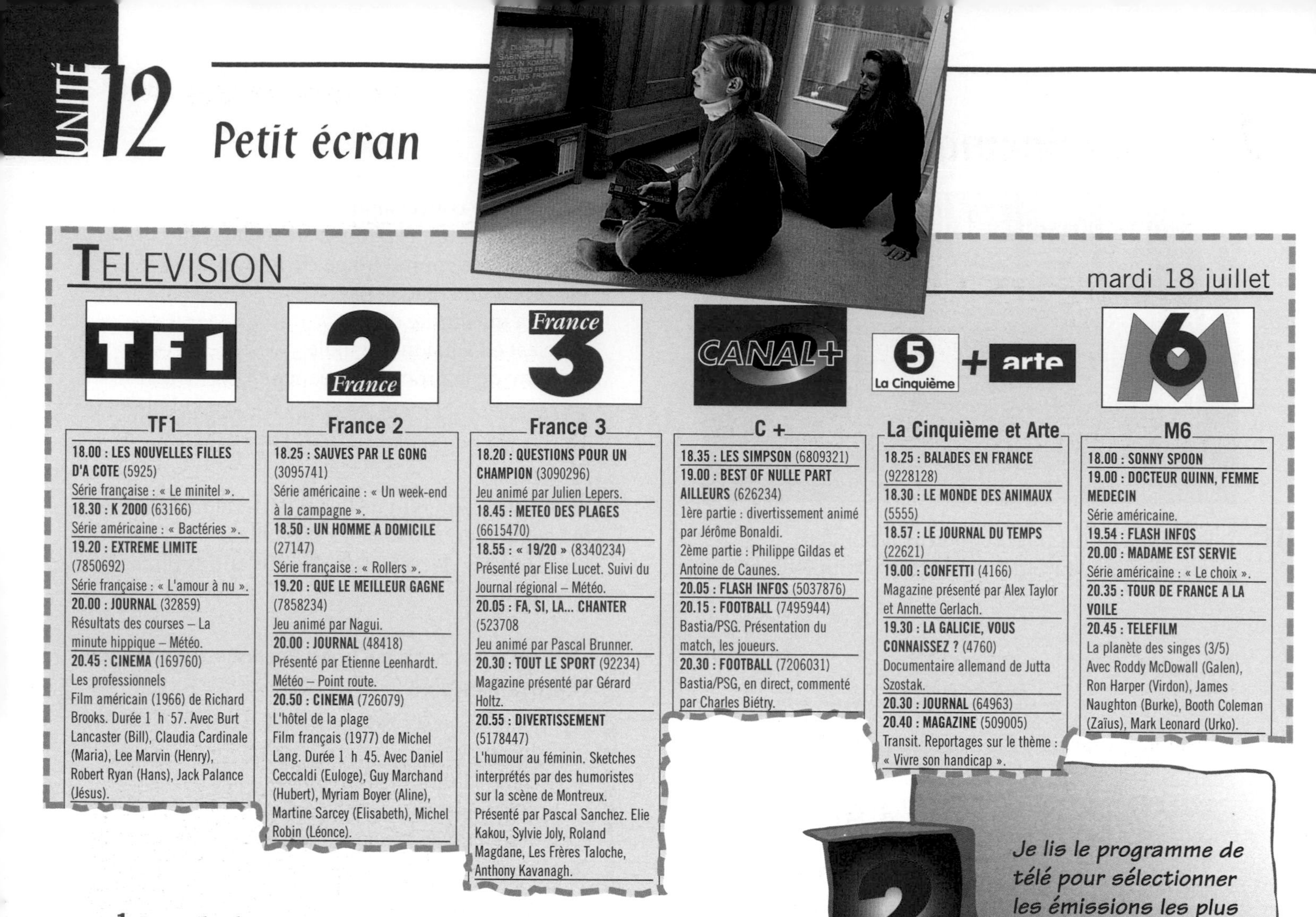

TELEVISION

mardi 18 juillet

TF1
18.00 : LES NOUVELLES FILLES D'A COTE (5925)
Série française : « Le minitel ».
18.30 : K 2000 (63166)
Série américaine : « Bactéries ».
19.20 : EXTREME LIMITE (7850692)
Série française : « L'amour à nu ».
20.00 : JOURNAL (32859)
Résultats des courses – La minute hippique – Météo.
20.45 : CINEMA (169760)
Les professionnels
Film américain (1966) de Richard Brooks. Durée 1 h 57. Avec Burt Lancaster (Bill), Claudia Cardinale (Maria), Lee Marvin (Henry), Robert Ryan (Hans), Jack Palance (Jésus).

France 2
18.25 : SAUVES PAR LE GONG (3095741)
Série américaine : « Un week-end à la campagne ».
18.50 : UN HOMME A DOMICILE (27147)
Série française : « Rollers ».
19.20 : QUE LE MEILLEUR GAGNE (7858234)
Jeu animé par Nagui.
20.00 : JOURNAL (48418)
Présenté par Etienne Leenhardt. Météo – Point route.
20.50 : CINEMA (726079)
L'hôtel de la plage
Film français (1977) de Michel Lang. Durée 1 h 45. Avec Daniel Ceccaldi (Euloge), Guy Marchand (Hubert), Myriam Boyer (Aline), Martine Sarcey (Elisabeth), Michel Robin (Léonce).

France 3
18.20 : QUESTIONS POUR UN CHAMPION (3090296)
Jeu animé par Julien Lepers.
18.45 : METEO DES PLAGES (6615470)
18.55 : « 19/20 » (8340234)
Présenté par Elise Lucet. Suivi du Journal régional – Météo.
20.05 : FA, SI, LA... CHANTER (523708
Jeu animé par Pascal Brunner.
20.30 : TOUT LE SPORT (92234)
Magazine présenté par Gérard Holtz.
20.55 : DIVERTISSEMENT (5178447)
L'humour au féminin. Sketches interprétés par des humoristes sur la scène de Montreux. Présenté par Pascal Sanchez. Elie Kakou, Sylvie Joly, Roland Magdane, Les Frères Taloche, Anthony Kavanagh.

C +
18.35 : LES SIMPSON (6809321)
19.00 : BEST OF NULLE PART AILLEURS (626234)
1ère partie : divertissement animé par Jérôme Bonaldi.
2ème partie : Philippe Gildas et Antoine de Caunes.
20.05 : FLASH INFOS (5037876)
20.15 : FOOTBALL (7495944)
Bastia/PSG. Présentation du match, les joueurs.
20.30 : FOOTBALL (7206031)
Bastia/PSG, en direct, commenté par Charles Biétry.

La Cinquième et Arte
18.25 : BALADES EN FRANCE (9228128)
18.30 : LE MONDE DES ANIMAUX (5555)
18.57 : LE JOURNAL DU TEMPS (22621)
19.00 : CONFETTI (4166)
Magazine présenté par Alex Taylor et Annette Gerlach.
19.30 : LA GALICIE, VOUS CONNAISSEZ ? (4760)
Documentaire allemand de Jutta Szostak.
20.30 : JOURNAL (64963)
20.40 : MAGAZINE (509005)
Transit. Reportages sur le thème : « Vivre son handicap ».

M6
18.00 : SONNY SPOON
19.00 : DOCTEUR QUINN, FEMME MEDECIN
Série américaine.
19.54 : FLASH INFOS
20.00 : MADAME EST SERVIE
Série américaine : « Le choix ».
20.35 : TOUR DE FRANCE A LA VOILE
20.45 : TELEFILM
La planète des singes (3/5)
Avec Roddy McDowall (Galen), Ron Harper (Virdon), James Naughton (Burke), Booth Coleman (Zaïus), Mark Leonard (Urko).

Je lis le programme de télé pour sélectionner les émissions les plus intéressantes.

1 Regardez les catégories d'émissions à la télévision. Pour chaque catégorie, donnez le titre d'une émission britannique.
Exemple: émission pour enfants: Blue Peter

actualités ***météo*** **feuilleton** **émission de sport** *jeu* ***émission pour enfants*** **émission musicale** **documentaire**

2 Prenez un magazine qui donne les programmes de télévision chez vous. Ecrivez à un(e) correspondant(e) français(e) et faites votre programme de la soirée: décrivez les émissions – l'heure, le titre, la catégorie, votre avis.

3 Lisez le programme de mardi soir ci-dessus.
Ecoutez la conversation chez les Arnaud.
a Que préfère Christine? Nicolas? leur père?
b Qu'est-ce qu'ils vont finalement regarder ce soir?

4 Choisissez trois émissions sur le programme que vous aimeriez voir. Comparez avec votre partenaire: mettez-vous d'accord sur votre programme de la soirée. Utilisez les expressions-clés.

5 Les mots de la télé. Devinez, cherchez dans le dictionnaire ou demandez à votre prof!

une émission en direct	la diffusion
une antenne parabolique	la pub
une télécommande	zapper
un flash d'information	un magnétoscope

Expressions-clés
- Je voudrais voir ...
- J'aimerais (bien) voir ...
- J'ai envie de voir ...
- Si on regardait ... ?
- Tu ne préférerais pas ...?
- Ce serait plus amusant/intéressant.
- Je n'ai pas tellement envie de voir ça.
- Je l'ai déjà vu.

Zoom sur le conditionnel

On utilise le conditionnel:
- pour exprimer un souhait ou faire une suggestion:

J'**aimerais** voir ce film ce soir.

On **pourrait** regarder la télé, non?

- par politesse:

Pourriez-vous changer de chaîne, s'il vous plaît?

- pour parler d'une situation ou d'une action, qui dépend d'une condition:

Si j'étais millionnaire, j'**habiterais** à Hollywood.

1 Lisez cet extrait de la conversation entre Christine, Nicolas et leur père. Notez les conditionnels. Pourquoi est-ce que les verbes sont au conditionnel (souhait, suggestion, politesse ou situation qui dépend d'une condition)?

Christine: On pourrait regarder le film ensemble. Ce serait plus amusant que ton match.
Nicolas: Tu ne préférerais pas regarder le match avec moi?
M. Arnaud: Christine, tu pourrais me passer le journal, s'il te plaît? Tiens, il y a un film que je voudrais voir ce soir.

Comment former le conditionnel?
Le **radical** du futur + les **terminaisons** de l'imparfait!

Le radical:
- Il ressemble à l'infinitif, mais les verbes en -**re** perdent le -**e** final:
  aimer → **aimer-** sortir → **sortir-** lire → **lir-**
- Beaucoup de verbes très communs ont un radical irrégulier:

aller → **ir-**	faire → **fer-**
avoir → **aur-**	pouvoir → **pourr-**
devoir → **devr-**	savoir → **saur-**
être → **ser-**	vouloir → **voudr-**

Regardez la page 141: comparez avec la forme des verbes au futur.

Les terminaisons:

Je regarder**ais** le film.	Nous voudr**ions** le voir aussi.
Tu devr**ais** lire le programme.	Vous préférer**iez** écouter la radio?
On ser**ait** en retard.	Ils finir**aient** plus tard.

Regardez la page 117: comparez avec la forme des verbes à l'imparfait.

19

2 Transformez les infinitifs en conditionnels.

On [*devoir*] tous aller plus souvent au cinéma. Vous [*vouloir*] savoir pourquoi? Eh bien, c'est simple! Au cinéma, il y a quelque chose pour tous les goûts. Vous [*aimer*] faire le tour du monde sans quitter votre fauteuil? Au cinéma, c'est possible. Vous [*préférer*] rire, pleurer, trembler? Au cinéma, vous le pouvez. Si j'avais les moyens, j' [*aller*] tous les jours voir un bon film. Mais les jeunes sortent de moins en moins. A leur place, je [*sortir*] tous les soirs. Ce ne [*être*] pas un effort, pour moi ce [*être*] un plaisir. Et avec mes copains, on [*aller*] surtout au ciné. Nous y [*dépenser*] tout notre argent. Nous [*faire*] même la queue pendant une heure si c'était nécessaire.

3 Regardez les dessins. Que feriez-vous dans chaque situation? Faites plusieurs suggestions.
Exemple: *a A votre place, je rentrerais à la maison.*

UNITÉ 12

Que ferait-on sans la télé?

Si la télé disparaissait, que se passerait-il?

1 Ecoutez cinq jeunes. Que feraient-ils si la télé disparaissait? Notez deux passe-temps pour chaque personne.

2 Lisez les lettres à droite.

a Deux des jeunes seraient vraiment tristes sans la télé. Lesquels?

b Quelles activités sont proposées pour remplacer la télé?

c Trouvez les expressions qui veulent dire:
- I wouldn't know what to do.
- I'd go out more often.
- I could easily do without it.
- It would be a shock for everybody.

3 Et vous? Que feriez-vous si vous n'aviez pas de télé? Ecrivez une liste. Comparez avec votre partenaire. Avez-vous les mêmes activités? Qui a la liste la plus longue?
Exemple: *Je ferais des promenades à vélo, je visiterais les musées, etc.*

4 Ecrivez un poème: *Un monde sans télé.*
Exemple: *Si la télé disparaissait*
On sortirait, on parlerait ...

Si la télé disparaissait, je pourrais tenir un jour ou deux, pas plus. Après, je ne saurais pas quoi faire. J'aime tellement la télé! Je crois que je serais prêt à aller jusqu'au bout du monde pour ne pas rater une bonne émission.
Yann

Sans la télé, les gens seraient obligés de bouger. Ça serait plutôt positif, non? Personnellement, si je n'avais pas de télé chez moi, j'écouterais de la musique, je ferais du sport ou je sortirais plus souvent avec mes copains. Je ne m'ennuyerais pas. Mais je suis sûr que, quelquefois, nous regretterions un peu les bonnes émissions.
Olivier

Je trouve la télé idiote. Je déteste les séries du style "Hélène et les garçons" ou encore "Premiers baisers". Mais en revanche, j'aime bien regarder les bons films. Si la télé disparaissait, je pourrais très bien m'en passer. On aurait plus de temps à consacrer à d'autres passe-temps. Par exemple, je lirais plus, et j'écouterais la radio pour m'informer. J'aurais plus de temps pour discuter avec ma famille et mes copines.
Leïla

La télé, c'est, à mon avis, un objet dont presque personne ne pourrait se passer. Quand je m'ennuie, un seul réflexe: foncer devant la télévision. Si elle disparaissait, ce serait un choc pour tout le monde. Des centaines de personnes se jetteraient par les fenêtres à cause du manque de télé. Enfin, j'exagère un peu, mais le petit écran est tellement attirant qu'il serait difficile de s'en passer.
Claire

Le pouvoir de la publicité

Est-ce que la publicité vous influence? Faites notre jeu-test et comptez vos points.

1 *Les panneaux publicitaires sont une forme d'art moderne. Sans la publicité, les rues seraient tristes.*

D'accord = **10 points** Pas d'accord = **0 point**
Sans opinion = **5 points**

2 *On dépense trop d'argent dans les campagnes publicitaires. Si la publicité n'existait pas, les produits pourraient être vendus moins cher.*

D'accord = **0 point** Pas d'accord = **10 points**
Sans opinion = **5 points**

3 *Sans la pub, les gens seraient moins tentés d'acheter. Ils feraient des économies.*

D'accord = **0 point** Pas d'accord = **10 points**
Sans opinion = **5 points**

4 *Si les produits n'étaient pas bons, les gens ne les achèteraient pas, même avec une bonne publicité.*

D'accord = **10 points** Pas d'accord = **0 point**
Sans opinion = **5 points**

5 *Les pubs à la télé sont amusantes. Elles nous font rêver.*

D'accord = **0 point** Pas d'accord = **10 points**
Sans opinion = **5 points**

6 *On devrait réfléchir avant d'acheter un produit, mais la plupart des gens achètent automatiquement, parce qu'ils sont conditionnés par la publicité.*

D'accord = **0 point** Pas d'accord = **10 points**
Sans opinion = **5 points**

Résultats:

Si vous avez entre O et 20 points:
Vous êtes un consommateur averti! Vous n'êtes pas dupe de la publicité. Vous avez déjà pensé au rôle de la publicité dans la vie de tous les jours et vous vous en méfiez.

Si vous avez entre 25 et 40 points:
Vous aimez regarder les pubs bien faites. Certaines vous font rêver, mais vous pensez qu'elles ne vous font pas acheter les produits présentés. En êtes-vous sûr(e)?

Si vous avez entre 45 et 60 points:
Vous êtes très influencé(e) par la publicité. Elle stimule votre imagination? Peut-être, mais un peu de bon sens! Réfléchissez avant d'acheter.

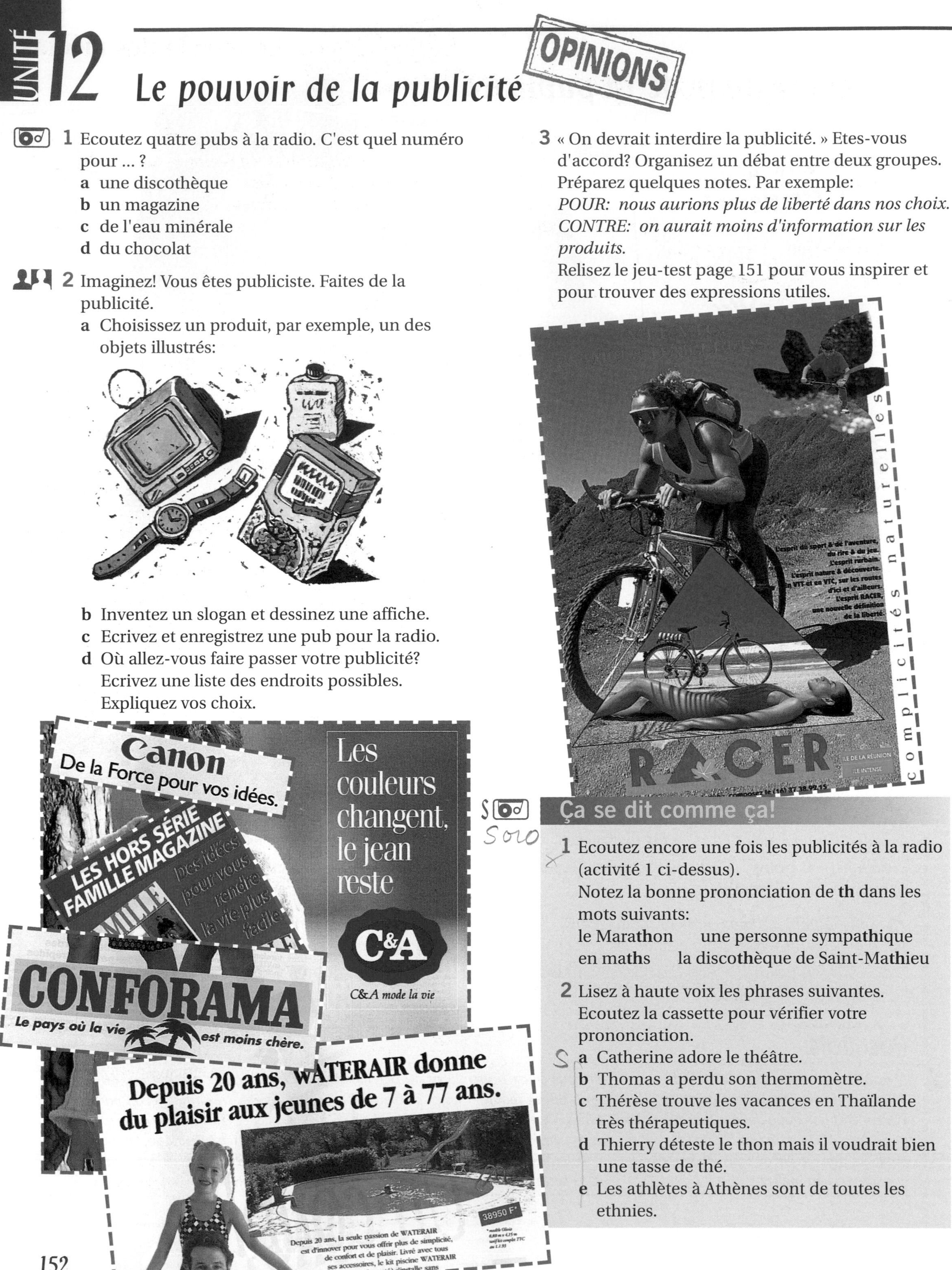

UNITÉ 12 Le pouvoir de la publicité

OPINIONS

1 Ecoutez quatre pubs à la radio. C'est quel numéro pour ... ?
- a une discothèque
- b un magazine
- c de l'eau minérale
- d du chocolat

2 Imaginez! Vous êtes publiciste. Faites de la publicité.
- a Choisissez un produit, par exemple, un des objets illustrés:
- b Inventez un slogan et dessinez une affiche.
- c Ecrivez et enregistrez une pub pour la radio.
- d Où allez-vous faire passer votre publicité? Ecrivez une liste des endroits possibles. Expliquez vos choix.

3 « On devrait interdire la publicité. » Etes-vous d'accord? Organisez un débat entre deux groupes. Préparez quelques notes. Par exemple:
POUR: nous aurions plus de liberté dans nos choix.
CONTRE: on aurait moins d'information sur les produits.
Relisez le jeu-test page 151 pour vous inspirer et pour trouver des expressions utiles.

Ça se dit comme ça!

1 Ecoutez encore une fois les publicités à la radio (activité 1 ci-dessus).
Notez la bonne prononciation de **th** dans les mots suivants:
le Mara**th**on   une personne sympa**th**ique
en ma**th**s   la disco**th**èque de Saint-Ma**th**ieu

2 Lisez à haute voix les phrases suivantes. Ecoutez la cassette pour vérifier votre prononciation.
- a Catherine adore le théâtre.
- b Thomas a perdu son thermomètre.
- c Thérèse trouve les vacances en Thaïlande très thérapeutiques.
- d Thierry déteste le thon mais il voudrait bien une tasse de thé.
- e Les athlètes à Athènes sont de toutes les ethnies.

ASTUCES

Un texte pour quoi faire?

1 Nous avons vu, pages 151 et 152, que la publicité a un seul but: persuader le public. Lisez les extraits de textes suivants. Quel est le but de chaque texte? Trouvez un extrait qui exprime:
- un souhait
- un conseil
- une demande
- une invitation
- un reproche
- un regret

2 Relisez les extraits. Trouvez les mots ou expressions qui vous ont donné la réponse à l'activité 1. Recopiez-les.
Exemple: *a (une demande) Pourriez-vous me dire si ...?*

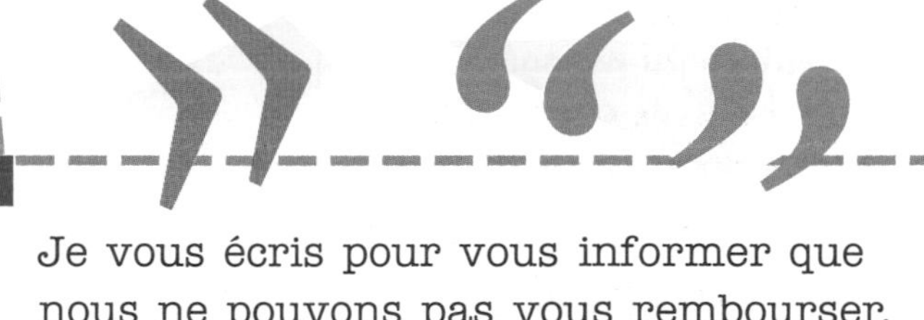

a *Je suis un grand fan de l'actrice Sophie Marceau. Pourriez-vous me dire s'il existe un club pour ses fans? J'aimerais bien lui écrire.*

b ***C'est dommage que je n'ai jamais appris une langue étrangère. J'aurais bien aimé voir des films italiens ou américains sans avoir à lire les sous-titres. Ça me donne mal à la tête.***

c *J'adore la radio: la preuve, je veux en faire mon métier. J'écoute Europe 1 (une radio géniale) le plus souvent possible, et cela me donne de plus en plus envie d'y travailler. J'aimerais tellement me trouver devant un micro et parler à des millions de personnes.*

d Vous n'avez pas de télévision dans votre chambre? Vos parents vous interdisent la télé "pour votre scolarité et votre bien"? Vous voulez tout de même mettre un peu d'animation dans votre chambre? Une idée! Ecoutez la radio. Il y a toutes sortes de musiques et d'émissions. Avant, j'écoutais des cassettes, mais maintenant, je me rends compte que la radio, c'est plus vivant, plus sympa. J'écoute la radio, et j'encourage tout jeune à l'écouter.

e Je vous écris pour vous informer que nous ne pouvons pas vous rembourser. Vous auriez dû nous rendre les billets avant le spectacle. Si cela n'était pas possible, vous auriez dû nous téléphoner.

f *Une bonne nouvelle! On m'a donné deux billets pour le concert de Patrick Bruel au Parc des Princes le 19 juin. C'est ma sœur qui les a achetés, mais elle ne peut plus y aller. Est-ce que tu voudrais m'accompagner?*

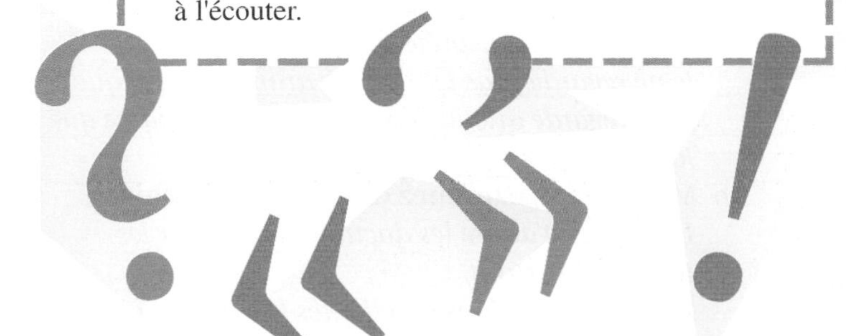

Savez-vous ... ?
- parler d'un film ou d'une émission de télé
- comprendre des informations sur les films au cinéma
- acheter des billets pour un spectacle
- vous mettre d'accord sur le choix d'une émission à regarder
- donner votre opinion sur la publicité
- la prononciation de *th*
- reconnaître le but d'un texte

Et en grammaire ... ?
- le conditionnel (comment le former et quand l'utiliser)

Révisez! Unités 11 et 12

samedi
Chère Mimi,
Tu vois, comme promis, je t'écris tous les jours! Le voyage de Marseille à Paris s'est mal passé. J'ai eu le mal de l'air, c'était horrible! Pendant le vol, j'ai lu le journal et j'ai mangé la grande boîte de chocolats que tu m'as donnée avant de partir.
A demain, ma chérie!
Alex

dimanche
Chère Mimi,
Tu me manques. La vie à Paris est dure sans toi! Aujourd'hui, je suis allé au cinéma... seul! J'ai vu "Braveheart" avec Mel Gibson. C'est un film historique qui se passe en Ecosse à la fin du 13e siècle. La reconstitution de la bataille de Stirling était exceptionnelle, c'était comme si on y était! J'ai trouvé le film super, mais il serait peut-être un peu trop violent pour toi. Je t'écrirai demain.
Grosses bises
Alex

lundi
Chère Mimi,
J'espère que tu n'es pas trop déprimée sans moi. Aujourd'hui, j'ai visité la tour Eiffel. C'était intéressant, mais il y avait trop de touristes! J'ai eu des ennuis dans le métro pour y aller. D'abord, j'ai pris la mauvaise ligne, puis je me suis trompé de direction et, enfin, j'ai oublié de changer aux Invalides. Pour rentrer, j'ai préféré prendre un taxi!
A demain, ma chérie
Alex

mardi
Chère Mimi,
Je suis allé au château de Versailles avec mon oncle Jules et on a eu un accident. Il conduisait assez vite quand soudain, un pneu a crevé. Il a vite freiné, mais j'ai quand même eu très peur, parce qu'on a presque renversé un cycliste. Au retour, nous avons eu une panne d'essence! Au fait, le château était vraiment très beau! Tu me manques beaucoup. Je t'aime!
Alex

mercredi
Ma chère Mimi,
Une journée tranquille, aujourd'hui. Ce soir, je pars pour Londres. J'ai choisi l'Eurostar parce que c'est rapide, confortable et pas trop cher. Je ne veux plus avoir le mal de l'air! Une semaine à Londres et puis je suis de retour près de toi! Grosses bises
Alex

Révisez pages 134, 137, 139, 146

1 Lisez les cartes postales d'Alex à sa petite amie.

a Mettez les activités d'Alex dans le bon ordre.
1 Il a visité un monument célèbre près de Paris.
2 Il a écrit sa première carte postale à Mimi.
3 Il a visité un monument célèbre à Paris.
4 Il a pris un taxi.
5 Il a pris l'avion.
6 Il a pris le train.
7 Il a eu des difficultés avec les transports à Paris.
8 Il a vu un film.
9 Il a presque eu un accident de voiture.

b Imaginez que vous êtes Alex. Ecrivez sa prochaine carte postale.

Révisez pages 135, 146, 148

2 a Exprimez des opinions négatives sur la télévision.
Exemples: *Je ne regarde rien à la télé le samedi soir, parce que je préfère sortir.*
Je ne regarde plus les dessins animés, parce que ...
Je ne regarde aucune émission de sport, parce que ...
Je n'aime pas ...

b Maintenant, exprimez des opinions positives!
Exemples: *J'adore les documentaires, sur les animaux surtout.*
Il y a des émissions excellentes le samedi soir. ...

Révisez pages 134, 142, 149

3 a Que feriez-vous sans la voiture?
Faites une enquête parmi vos amis et en famille. Présentez les résultats sous forme de graphique ou de résumé.
Exemples:
Que feriez-vous pour aller au collège/au travail?
Comment est-ce que vous feriez les courses?
Comment partiriez-vous en vacances?

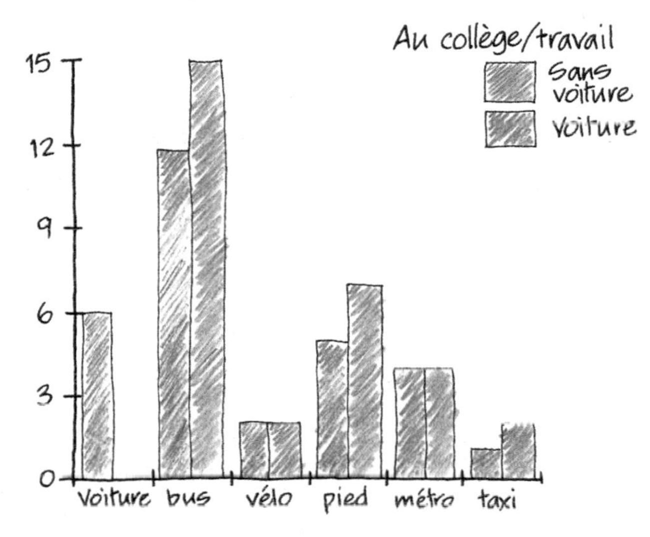

Résumé: *Que ferions-nous sans voiture?*
Ma mère pense que, sans voiture, les gens seraient obligés de prendre le vélo ou d'aller à pied et que ça serait positif. Mon père dit qu'il pourrait tenir un jour ou deux sans voiture, mais pas plus. Mon copain, Marc, n'a pas de voiture, alors, ça ne changerait rien pour lui! …

Révisez pages 140, 141

b Vous avez gagné un voyage fantastique! Lisez l'itinéraire ci-dessous. Ecrivez une lettre à votre correspondant pour lui donner les détails.
Exemple: *Cher Michel,*
Je vais faire un voyage super! Je partirai lundi. Je prendrai l'avion à Londres pour Paris, puis je continuerai mon voyage jusqu'à Disneyland Paris en car. J'y resterai trois jours. Je vais bien m'amuser, je crois! Puis …

c Imaginez que vous êtes en train de faire votre voyage. Ecrivez des cartes postales à votre correspondant pour décrire ce qui se passe.

Itinéraire
lundi 3 mai
Londres Heathrow-Paris Charles de Gaulle
Air France départ: 10h45
Car pour Disneyland Paris, départ devant l'aéroport CDG: 13h30
vendredi 7 mai
TGV Paris-Marseille départ 9h30
Hôtel Bellevue ****
samedi 8 mai
Croisière 3h en mer. Départ sur le port: 10h
lundi 10 mai
Ferry Marseille-Ajaccio, Corse arrivée: 13h
Hôtel Sans Souci ***
stage de ski nautique, planche à voile et plongée
samedi 15 mai
Ajaccio-Londres Heathrow départ: 11h30

4 Exposé

a Révisez les expressions-clés et préparez votre exposé. Ecoutez l'exemple de la cassette si vous voulez.

Révisez pages 145, 146, 147

Un film que j'ai vu récemment

ou

Révisez pages 140, 141, 142

Mes projets de vacances (vrais ou imaginaires)

Exemple:

PROJETS DE VACANCES
tour à vélo: John O'Groats – Land's End
passe-temps préféré
pas de problèmes de langue!
argent – tente, AJ, famille
problèmes possibles

b Parlez, en utilisant vos notes comme aide-mémoire. Si possible, enregistrez-vous. Travaillez avec un(e) partenaire pour améliorer votre exposé.

▶ Le Secret de Martin, de Catherine Béchaux

Catherine Béchaux, l'auteur du roman, *Le Secret de Martin*, est journaliste dans un magazine pour les jeunes. Elle voulait raconter l'histoire d'un adolescent qui essaie de percer le secret autour de la mort de son père. Ici, elle raconte le voyage de Martin, qui quitte Paris en cachette pour tenter de retrouver les parents de son père à Nantes.

Maintenant, Martin est seul à la maison. Posément, il prend son sac, ferme la porte derrière lui et d'un pas vif, se dirige vers l'arrêt du bus. Il a largement calculé son temps. Le train pour Nantes ne part que dans deux heures. A l'arrêt du 186, il y a quelqu'un. Il reconnaît de loin cette silhouette. C'est Marine.
– Je voulais te souhaiter bonne chance. Et puis je t'ai apporté un polar pour le voyage, un Agatha Christie, pas du Ronsard !

Elle ajoute en le regardant avec ses yeux toujours aussi rieurs :
– Tu te rends compte, je suis complice d'un fugueur. Si mes parents apprennent ça, aïe, aïe, aïe... Allez salut, je vais être en retard pour le match de volley.

Et la voilà partie en courant.

Dans le bus, Martin tient le roman policier serré dans sa main. Ça aussi, c'est comme un signe. RER, métro, deux changements... Enfin voilà la gare Montparnasse. On dirait un énorme paquebot en verre et en béton gris ancré dans la ville. D'un escalier roulant à l'autre, Martin se hisse vers le grand hall, presque désert à cette heure de la matinée. Par chance, il n'y a personne à la billetterie.
– Un billet pour Nantes, s'il vous plaît, par le TGV de 10 h 35.

A l'annonce du prix, Martin sursaute. C'est plus cher que ce qu'il avait calculé. Il n'a pas prévu le supplément. Si ça continue comme ça, il n'aura pas assez d'argent pour rentrer. Un peu contrarié, il poinçonne son billet et remonte le quai. Il reste dix minutes avant le départ du train. Largement de quoi trouver sa place. Aussitôt assis, il ouvre le roman policier de Marine avec la volonté farouche de s'immerger comme le plongeur en eau profonde. Ce qu'il veut surtout, c'est éviter de penser à ce qu'il est en train de faire. La peur n'est pas loin, il la sent qui affleure, qui lui chuchote insidieusement de sauter sur le quai. La honte... Sifflement. Le TGV démarre. Ouf ! Martin respire.

Maintenant il est pris en charge par le bel oiseau bleu et gris qui file vers l'océan. Il se sent libre et plonge avec délice dans son roman. Le train glisse déjà à vive allure, s'enfonce dans des tunnels, longe l'autoroute, narguant voitures et camions.

Je bouquine,

posément = *carefully*
d'un pas vif = *at a brisk pace*
se dirige vers = *heads for*
un polar* = *a detective novel*
Ronsard: *16th century French poet*
tu te rends compte = *you realise*
complice d'un fugueur = *an accomplice to a runaway*
un paquebot = *a liner/ship*
en verre et en béton gris = *made of glass and grey concrete*
ancré = *anchored*
se hisse vers = *hauls himself up to*
sursaute = *jumps*
il poinçonne = *he stamps/validates*
largement de quoi = *plenty of time to*
aussitôt assis = *as soon as he is sitting down*
la volonté farouche = *a mad urge*
il la sent qui affleure = *he feels it coming to the surface*
qui lui chuchote = *whispering to him*
la honte = *the shame*
sifflement = *a whistle*
longe l'autoroute = *runs alongside the motorway*
narguant = *taunting*

Records du cinéma

Les personnages le plus souvent filmés au cinéma :
Sherlock Holmes – 197 films
Napoléon – 172 films
Dracula – 155 films
Jésus-Christ – 135 films
suivis de Tarzan, Cendrillon, Robin des Bois, Cléopâtre.

Le film où l'on s'embrasse le plus :
Dans *Don Juan*, un film américain de 1927, le héros distribue 127 baisers à ses deux partenaires ! Record inégalé à ce jour...
Le plus long baiser de l'histoire du cinéma a duré 3 minutes et 5 secondes. Il a été donné, en 1940, par l'actrice Jane Wyman, première épouse du futur Président américain Ronald Reagan !

Le film qui a battu les records d'entrées :
Depuis sa réalisation, en 1939, *Autant en emporte le vent*, le célèbre film américain, a été vu, sur grand écran, par 120 millions de personnes, à travers le monde.

Le film le plus long :
Pour voir *Le Film le plus long et le plus insignifiant du monde*, un film anglais de 1970, il aurait fallu rester deux jours au cinéma ! Mais le film n'a pas été commercialisé dans sa version intégrale !

Le plus grand écran hémisphérique du monde :
C'est le Dôme Imax, face à la grande Arche de la Défense, à Paris. Il mesure 27 mètres de diamètre et couvre une surface de 1 144 mètres carrés. Le projecteur diffuse, sur cet écran, une image qui enveloppe le spectateur : l'angle optique est de 180 degrés.

Le pays où l'on produit le plus grand nombre de films :
Depuis près de 20 ans, c'est l'Inde, avec, en 1990, près de 1 000 films produits ! La même année, les Etats-Unis en ont produit 358, et la France 146.
Le cinéma français exporte ses films principalement en Allemagne, au Japon, en Italie et aux Etats-Unis.
Sur les 121 millions d'entrées dans les cinémas français en 1990, 37% concernaient des films français.

Cyrano de Bergerac

Le film le plus récompensé :
Ben Hur (1959) a reçu 11 Oscars. *Autant en emporte le vent* (1939) en a reçu 10. En France, *Le Dernier Métro* a reçu 10 Césars, en 1981. Dix ans plus tard, *Cyrano de Bergerac* en a reçu également 10.

Okapi, © *Bayard Presse*

UNITÉ

13 V comme vacances

- Souvenirs de vacances
- Quel type d'hébergement choisir?
- Faites vos réservations
- C'est permis?
- Au syndicat d'initiative

D 1 Vous partez camper: préparez votre expédition! Faites la liste des objets illustrés. Vérifiez dans le dictionnaire si les mots sont masculins ou féminins.
Exemple: *1 un sac à dos, ...*

allumettes appareil-photo argent boussole brosse à dents canif carte chaussettes chaussures confortables jogging K-way lampe de poche lunettes de soleil maillot de bain matelas pneumatique pantalon pull sac à dos sac de couchage sacs en plastique savon slip tee-shirts tente (ceinture-) banane

Souvenirs de vacances

Yannick Noah

chanteur et entraîneur de tennis

Avec une douzaine de copains, j'avais loué un bateau pour aller en Corse, en partant de Cannes. De jour en jour, la météo nous annonçait de tellement mauvaises nouvelles que nous repoussions sans cesse la fameuse traversée. Au bout de 15 jours: une accalmie, et nous nous sommes décidés à partir en pleine nuit. La tempête s'est levée en mer et tout le monde a été malade. Même le capitaine était en sueur, tellement il avait peur! Nous sommes vite rentrés sur la côte et avons finalement passé nos vacances à Saint-Tropez!

Jeanne Mas

chanteuse

C'était à Los Angeles, lors de l'enregistrement de mon dernier album. J'étais dans un hôtel et, toutes les nuits, nous étions réveillés par une infernale sonnerie d'incendie qui se mettait en route sans raison. Tous les matins, j'allais à la réception et on me disait que c'était normal! Seulement un jour, il y a vraiment eu le feu et je suis restée au lit, jusqu'à ce que l'on vienne me chercher ... J'ai vraiment eu chaud!

1 Lisez les souvenirs de vacances de ces vedettes. Trouvez un titre pour chaque texte:
A cheval *Au feu!* *Mal de mer*

2 Répondez aux questions.
Yannick Noah:
D'où est-il parti? Avec qui?
Où allaient-ils? Comment?
Qu'est-ce qui s'est passé pendant la traversée?
Qu'est-ce qu'ils ont fait?
Jeanne Mas:
Que faisait-elle à Los Angeles? Où dormait-elle?
Qu'est-ce qui la réveillait toutes les nuits?
Qu'a-t-elle fait lors de l'incendie?

3 Ecoutez les souvenirs de vacances de Valérie, Frédéric, Christelle et Patrick. Pour chacun, notez:
a date du départ
b destination
c moyen de transport
d logement
e activités
f impression générale.

4 *A* raconte ses dernières vacances (vraies ou imaginaires!).
B pose des questions: *Où es-tu allé(e)? Qu'est-ce que tu as fait? C'était comment?*, etc.
Puis changez de rôle. Aidez-vous des expressions-clés.

5 Ecrivez une lettre à un(e) correspondant(e) français(e) pour décrire vos dernières vacances (vraies ou imaginaires).

Expressions-clés

- Je suis parti(e) le premier août à Dublin.
- J'ai passé trois semaines en Irlande/au pays de Galles.
- Je suis allé(e) au bord de la mer/dans un village de vacances.
- Nous avons fait le voyage en train/en voiture/en avion.
- J'ai logé dans des auberges de jeunesse/un hôtel/un gîte.
- J'habitais chez une copine/ma tante.
- On a fait du camping. On a loué une caravane.
- Il a fait beau/mauvais temps. Il a plu.
- J'ai visité des musées. Je me suis fait bronzer.
- On a fait des excursions/des promenades.
- J'ai fait de la planche à voile/du cyclotourisme.
- C'était super. Il y avait beaucoup d'activités.

Un toit pour les vacances

1

CHOISIR DIEPPE

Dieppe

NORMANDIE

FRANCE

2

HOTELS

	N° plan	Nom	Classement
sur le front de mer	43	AGUADO	☆☆☆NN
	60	GRAND HOTEL (LE)	☆☆☆NN
	35	EPSOM	☆☆NN
	51	EUROPE (DE L')	☆☆NN
	44	PLAGE (DE LA)	☆☆NN
en ville	56	ARCADE	☆☆NN
	45	SELECT	☆☆NN
	54	TOURIST'HOTEL	☆NN
	61	FORMULE 1	NC
	46	HAVRE (DU)	NC
	47	JETÉE (DE LA)	NC
	71	PÊCHERIE (LA)	NC
aux alentours	53	CHEZ FANFAN	NC
		LE CLOS ROBINSON	NC
NC = non classé			

3

Séjours en milieu rural, tout un art de vivre

★ Le **GITE RURAL** est une maison de vacances à la campagne, aménagée selon les critères d'une charte de qualité qui offre des garanties d'équipement, de prix et d'accueil.
200 gîtes ruraux.
Capacité 6–8 personnes.
La semaine de 800 F à 1 500 F,
le week-end de 450 F à 600 F.

★ La **CHAMBRE D'HÔTE** chez l'habitant, version française du « Bed and breakfast », offre la nuit + le petit déjeuner.
180 chambres d'hôtes.
A partir de 125 F par jour.

★ La **FERME-AUBERGE**
• en région de Dieppe
Ferme-auberge de Patteville
• en région de Rouen
Ferme-auberge du Plessis
Ferme-auberge d'Yquebeuf
• en région du Havre
Ferme-auberge de Beaucamp

Gîte rural de France

4

Accueil et documentation

OFFICE DE TOURISME-SYNDICAT D'INITIATIVE, Pont Ango,
ouvert toute l'année sauf dimanche, tél. 35 84 11 77

- Pâques - mai - juin - septembre : 9 h à 13 h - 14 h à 19 h
- Juillet-août : 9 h à 13 h - 14 h à 20 h
- Dimanches et jours fériés de mai à septembre : 10 h à 13 h - 15 h à 18 h
- Octobre à Pâques, tous les jours sauf dimanche : 9 h à 12 h - 14 h à 18 h

5

TERRAINS CAMPING & CARAVANING

▲ **DIEPPE-LES VERTUS** : CAMPING VITAMIN' ***
ouvert toute l'année, tél. 35 82 11 11.
▲ **BOURG-DUN** : CAMPING MUNICIPAL **
ouvert du 1er avril au 30 septembre, tél. 35 83 10 44.
▲ **MARTIGNY** : CAMPING DE LA VARENNE ***
ouvert du 26 mars au 9 octobre, tél. 35 85 60 82.
▲ **OFFRANVILLE** : CAMPING MUNICIPAL DU COLOMBIER ***
ouvert du 1er avril au 1er octobre, tél. 35 85 21 14.
▲ **OMONVILLE** : CAMPING "OMONVILLAGE"**
ouvert du 1er avril au 15 octobre, tél. 35 83 70 75.
▲ **POURVILLE-SUR-MER** : CAMPING "LE MARQUEVAL"**
ouvert du 15 mars au 30 septembre, tél. 35 82 66 46.
▲ **SAINT-AUBIN-SUR-MER** : CAMPING MUNICIPAL DU MESNIL **** ouvert du 1er avril au 31 octobre, tél. 35 83 02 83.

1 Trouvez le document le plus utile pour:

- **a** quelqu'un qui veut contacter l'office de tourisme
- **b** une famille anglaise qui voudrait vivre chez l'habitant
- **c** des jeunes qui viennent d'acheter une tente
- **d** une femme d'affaires qui doit passer la nuit à Dieppe
- **e** quelqu'un qui n'a pas encore décidé où passer les vacances.

2 La famille Tellier parle des vacances. Ecoutez la conversation.

- **a** Quel type d'hébergement suggère chaque personne: M. Tellier, Mme Tellier, Gabrielle, Florian, Marie? Pourquoi?
- **b** Quelle est la décision finale?
- **c** Jeu de rôles. Par groupes de cinq, recréez la conversation. Chacun(e) prend le rôle d'un membre de la famille Tellier.

 **3** Ecoutez Mme Tellier téléphoner au camping pour réserver un emplacement.

a Recopiez et remplissez le formulaire du camping.

Camping Vitamin'	Réservation par téléphone
Nom	
Tente/Caravane	
Voiture	
Combien de nuits?	
Date	
Heure d'arrivée	
Animaux	
Electricité	
N° de l'emplacement	

b Utilisez vos notes pour compléter la lettre de confirmation.

Issoire, le 23 avril

Monsieur,

Je vous écris pour confirmer la réservation faite au téléphone hier soir.

Je voudrais donc réserver ...❶... pour ...❷... dans votre camping. Ma famille voudrait passer ...❸... dans votre camping du ...❹... au ...❺... . Nous arriverons vers ...❻... . Nous sommes une famille de ...❼... et notre chien sera, bien sûr, tenu en laisse. Nous n'avons pas besoin d'...❽.... .

Je vous prie d'agréer, Monsieur, l'expression de mes sentiments les meilleurs.

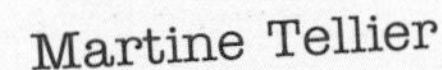

Martine Tellier

4 Ecoutez cinq extraits de conversations. Décidez si les gens arrivent au camping, à l'hôtel, à l'auberge de jeunesse, dans un gîte ou une chambre d'hôte.

5 Téléphonez et/ou écrivez une lettre pour réserver des chambres pour votre famille dans un hôtel ou une auberge de jeunesse en France.

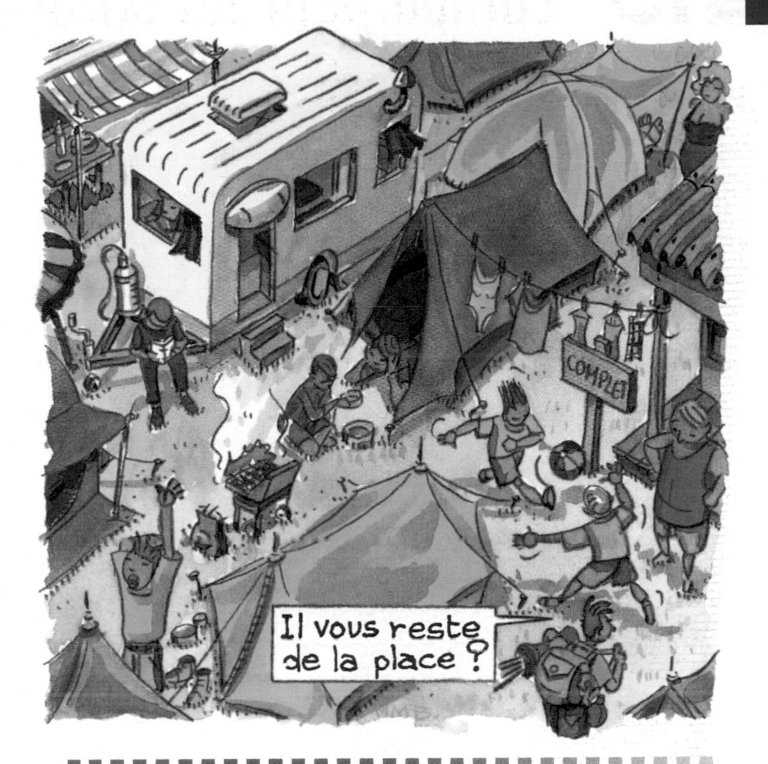

Expressions-clés

- **Au camping:**

  Je voudrais réserver un emplacement.
  pour une caravane/une tente et une voiture
  pour deux adultes et un enfant
  pour trois nuits du 6 au 17 août
  Avez-vous/Il vous reste de la place?
  à l'ombre/dans un endroit tranquille
  près du bloc sanitaire/de la piscine, de préférence

- **A l'auberge de jeunesse:**

  Pouvez-vous nous réserver quatre lits?
  pour deux nuits, du 28 au 29 juillet
  Nous sommes deux filles et deux garçons.
  Nous voudrions prendre le petit déjeuner.
  Est-ce que les cartes d'adhérent sont obligatoires?
  On peut louer des draps?

- **A l'hôtel:**

  Avez-vous des chambres de libre?
  Je voudrais (réserver) une chambre.
  avec deux lits/avec douche/avec salle de bains/avec cabinet de toilette
  avec un balcon/une télévision/un téléphone
  qui donne sur la mer
  Nous préférons en demi-pension/en pension complète.
  J'ai fait la réservation par téléphone.

UNITÉ 13 Camper sans décamper!

Les 7 commandements du campeur

1) Si vous faites du camping sauvage, il faut demander l'autorisation du propriétaire.
2) Il faut respecter la nature et les règles de sécurité.
3) Il ne faut pas conduire vite sur le terrain de camping.
4) Il ne faut pas faire de bruit après minuit.
5) Il ne faut pas faire de feu en forêt.
6) Il ne faut pas boire d'eau sauf quand c'est indiqué: "eau potable."
7) Il ne faut pas laisser de traces de votre passage.

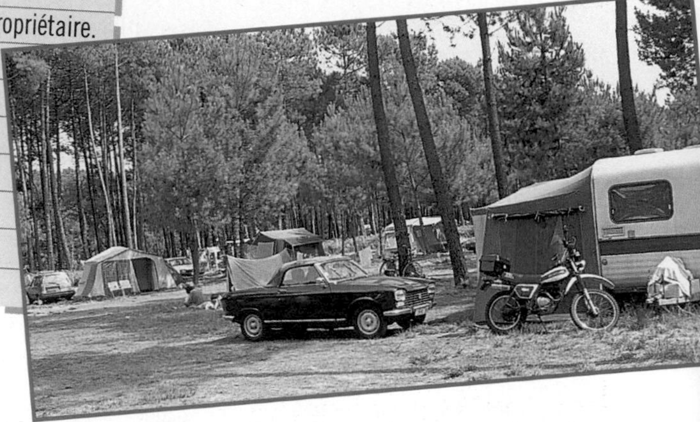

1 Trouvez une illustration pour chaque règle.
Quelle règle n'est pas illustrée? Expliquez-la en anglais.

2 Ecoutez les conversations. Il s'agit de quelle règle? Réécoutez et notez à chaque fois l'expression utilisée dans la question et la réponse.
Exemple: *1 = règle 3, On peut garer ... ?, il est interdit de ...*

3 Regardez les affiches. Trouvez ensemble au moins trois façons différentes d'exprimer chaque règle.
Exemple: *1 Il faut réserver en juillet et août.*
Vous devez réserver en juillet/août.
La réservation en juillet/août est obligatoire.

Faites la même chose pour les illustrations a–f ci-dessus.

4 C'est vous le propriétaire. Ecrivez ou dessinez (en secret) trois interdictions, par exemple: *Il ne faut pas faire de bruit après 10 heures.* Ensuite, essayez de deviner les trois interdictions choisies par votre partenaire, en demandant ce qu'on peut faire.
Exemple:
A: Est-ce que je peux amener mon chien?
B: Oui, les animaux sont autorisés.
A: On peut jouer de la musique pendant la nuit?
B: Non, il ne faut pas faire de bruit après 10 heures.
(= interdiction numéro un)

Expressions-clés

Je peux/Nous pouvons arriver après 22 heures?
Est-ce qu'**il est permis d'**allumer un barbecue?
Est-ce qu'**il faut** réserver?
On doit acheter un jeton pour les douches?

Vous pouvez amener vos chiens en laisse.
Vous ne pouvez pas garer votre voiture ici.
Les radios sont **autorisées** jusqu'à 21h30.
Il faut réserver d'avance si possible.
Il ne faut pas faire de bruit.
Vous devez respecter la nature.
Vous ne devez pas faire de feu.
Il est interdit/défendu de conduire vite.
Il est conseillé/obligatoire de laisser votre passeport ici.

Interview avec un gérant de camping

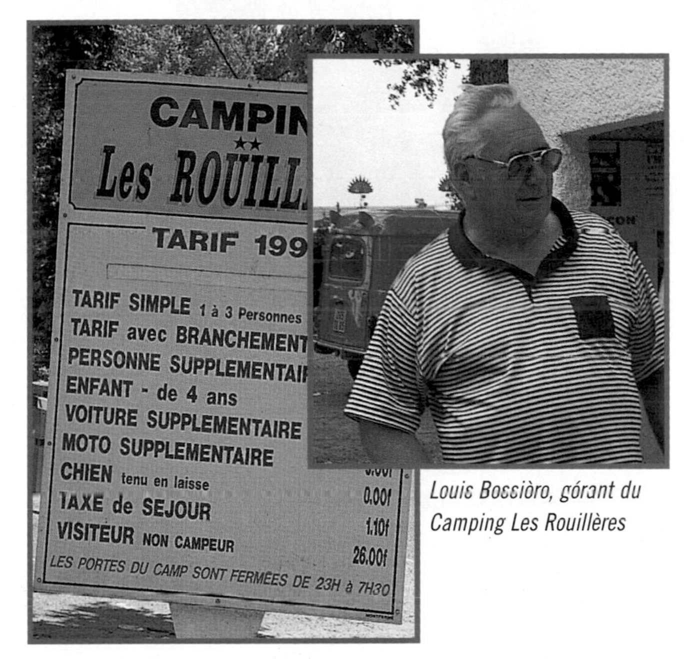

Louis Bossièro, gérant du Camping Les Rouillères

1 Ecoutez. Qu'est-ce qu'il y a au Camping Les Rouillères? Notez les lettres des installations mentionnées.

a supermarché
b bar
c tabac
d bureau de change
e salle de jeux
f courts de tennis
g location de vélos
h mini-golf
i piscines

2 60% des clients sont français.
De quelle nationalité sont les autres clients?
(Il y en a quatre.)

3 A votre avis, quels sont les avantages et les inconvénients de ce métier?

Interlude

Provence vacances

Les cymbales des cigales
Dans les pins odorants.

Le soleil est brûlant.

Les collines, le maquis,
Le ciel pur tout le temps
Et l'œil bleu
De la mer provençale:

Paysage
Sans nuages.

C'est le lieu
Des vacances
Et la plage

Nous attend.

Georges Jean

1 Est-ce que le poète vous donne l'impression que la Provence est un endroit de vacances agréable? Comment?

Ça se dit comme ça!

En français, on ne prononce pas la lettre **h** au début d'un mot.

1 Lisez ces phrases à haute voix. Ecoutez la cassette pour vérifier votre prononciation et répétez.

A quelle **h**eure est-ce qu'on arrive à l'**h**ôtel?
Il y a des chambres d'**h**ôte à **H**oulgate?

Attention! Dans certains mots, la lettre **h** est "aspirée".
On ne dit pas **l'h–**, mais **le h–** ou **la h–**.
Dans un dictionnaire, ces mots sont indiqués avec un * ou un '
Ecoutez les exemples:
– ne sont pas aspirés:
l'hôtel, l'homme, l'hôpital
– sont aspirés:
la Hollande, le hot-dog, le hurlement.

2 Aspiré ou pas? Utilisez un dictionnaire si vous ne savez pas. Ecoutez la cassette pour vérifier.

humour huile hoquet hospitalité
hors-d'œuvre horaire honte
hasard habitude haricot hockey

UNITÉ 13

Un séjour dans une AJ

Chère Lucie
Je suis rentrée samedi dernier de mes vacances en Vendée et, comme promis, je t'écris pour te donner de mes nouvelles.

Je suis partie avec ma copine Murielle. Nous voulions dormir dans des auberges de jeunesse. Je savais qu'il fallait une carte d'adhérent et nous avions tout prévu. Mais je ne savais pas qu'il fallait réserver à l'avance! La première nuit, l'auberge était complète. Nous n'avons pas pu trouver de lit! Nous avons dû aller dans un hôtel ... pas trop cher, bien entendu.

Le lendemain, nous avons trouvé une auberge où on pouvait nous prendre. C'était un vieux manoir, l'ambiance était sympa. Le soir, ils servaient le dîner, mais le matin on devait préparer le petit déjeuner nous-mêmes.

Notre dortoir était petit mais assez moderne. Nous avons partagé avec deux Américaines et deux étudiantes parisiennes. Il était défendu de fumer dans le dortoir, et nous ne pouvions pas écouter la radio non plus, pour ne pas déranger les autres. Le matin, il fallait se lever assez tôt parce qu'on devait libérer les dortoirs avant neuf heures et quart.

Le matin, nous devions faire le ménage avant de partir. Chacun avait un travail particulier. Nous, on devait vider les poubelles! Pas trop difficile – en dix minutes, c'était fait.

1 Lisez la lettre de Florence. Puis écoutez sa copine Murielle: est-ce qu'elle dit des choses correctes? Répétez les phrases, en corrigeant les erreurs.

Les AJ (auberges de jeunesse)
6 000 auberges de jeunesse sont présentes dans 63 pays. En France, les 200 auberges gérées par la FUAJ (Fédération unie des auberges de jeunesse) proposent 17 000 lits et assurent 700 000 repas par an.

Zoom sur des verbes utiles

✓ il faut **✗ il ne faut pas**
Relisez les commandements du campeur, page 162.
Il faut + infinitif = *you have to/you must/it's necessary to*
Il ne faut pas + infinitif = *you must not/you're not allowed to*

1 Inventez des commandements pour un touriste, ou pour quelqu'un qui vient visiter votre école.
Exemple: *Il faut acheter des cartes postales.*

2 Trouvez dans la lettre de Florence deux exemples de *il faut* à l'imparfait. Recopiez les deux phrases et traduisez-les en anglais.

pouvoir devoir vouloir savoir
Ce sont des verbes très utiles, et des verbes irréguliers, donc essentiels à apprendre par cœur! (Voir les formes complètes dans la *Grammaire*.)

25

Ils sont souvent suivis d'un infinitif:
Est-ce que **je peux** allumer un barbecue ici?
Tu dois réserver une chambre.
Il veut avoir un autre emplacement.
Nous ne **savons** pas monter une tente.

Attention! Ne confondez pas:
Elle **peut** monter la tente = *She can put the tent up, she has permission to.*
Elle **sait** monter la tente = *She can put the tent up, she knows how to.*

3 Relisez la lettre ci-dessus. Trouvez les formes à l'imparfait de ces verbes au présent.
Exemple: *on peut – on pouvait*
nous voulons je sais on peut on doit
nous pouvons nous devons

16c

4 Trouvez dans la lettre les formes au passé composé des verbes *pouvoir* et *devoir*.

Au syndicat d'initiative

1 a Avant d'écouter six conversations à l'office de tourisme, essayez de relier les débuts et les fins de phrases ci-dessous.
Puis écoutez pour vérifier.

1 Je cherche un hôtel
2 Vous avez
3 Est-ce que le musée d'art moderne est
4 Pourriez-vous me dire où se trouve
5 Qu'est-ce qu'il y a à voir
6 Pourriez-vous me dire

a pas trop cher.
b au Parc animalier?
c ouvert le dimanche?
d la piscine, s'il vous plaît?
e comment y aller, s'il vous plaît?
f un plan de la ville, s'il vous plaît?

b Imaginez d'autres questions qui commencent par les débuts de phrases 1–6.
Exemple: *Je cherche un hôtel près de la gare.*

2 Vous faites un stage dans un syndicat d'initiative en Val de Loire. Lisez la brochure ci-dessous.

a Quel endroit vous attire le plus? Pourquoi?

b Ecoutez et répondez aux questions des touristes.

c A deux, inventez des conversations entre l'employé(e) et des touristes français dans le syndicat d'initiative. Enregistrez vos conversations si possible.

VAL DE LOIRE
FRANCE

Le musée du champignon

Imaginez des kilomètres de galeries souterraines réservées à la culture des champignons ... 7 tonnes produites au milieu des visiteurs (champignons de Paris, pleurotes, pieds-bleu et shii-také). La plus grande exposition mycologique d'Europe, 208 espèces. Les gourmets peuvent ensuite se restaurer avec des champignons grillés ! Tous les jours du 15 février au 15 novembre de 10 h à 19 h.

St-Hilaire-St-Florent, 49400 SAUMUR
Tél. 41.50.31.55

Cave touristique de Montlouis

Groupement de vignerons producteurs de l'appellation contrôlée Montlouis. Cave dans le roc, exposition de vieux outils. Entrée, visite et dégustation gratuites. Vente à emporter. Ouvert tous les jours de 10 h à 12 h et de 14 h à 19 h du 1er mai au 1er novembre. De mi-mars au début décembre, ouvert les samedis et dimanches, et jours fériés.

37270 MONTLOUIS-SUR-LOIRE
Tél. 47.45.18.19

Grottes pétrifiantes

Curiosité naturelle signalée par Bernard Palissy en 1547. Reconstitution de la Faune Préhistorique avec le ramphorhynchus, le tylosaurus, etc. Vous y admirerez ses stalactites et ses cascades où l'eau pétrifie les objets en terre cuite. Température 14°. Ouvert tous les jours du 1er avril au 30 septembre de 9 h à 19 h. Du 8 février au 31 mars et du 1er octobre au 15 décembre de 9 h à 12 h et de 14 h à 18 h.

37510 SAVONNIERES Tél. 47.50.00.09

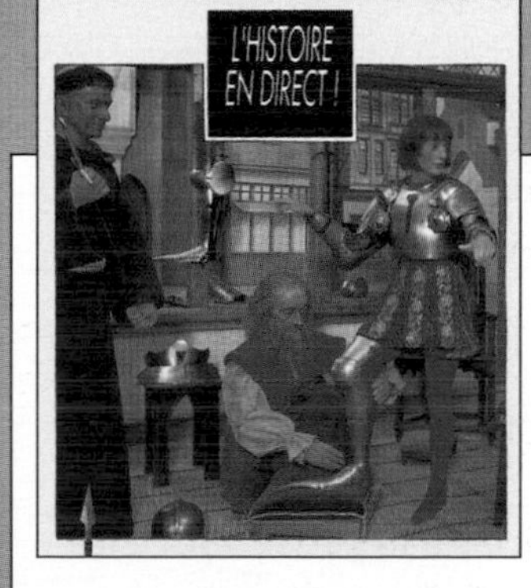

Musée Grévin

Dans le château royal de Tours, au son du luth, 165 personnages en costumes d'époque vous font revivre en 31 scènes les moments les plus forts de l'histoire tourangelle. Ouvert tous les jours, toute l'année.

Château Royal, Quai d'Orléans, 37000 TOURS Tél. 47.61.02.95

UNITÉ 13

OPINIONS

Vous ne partez pas?

On peut profiter des vacances même quand on ne part pas! Voici quelques idées.

« Nous ne partons jamais en vacances l'été. Je m'ennuie. Qu'est-ce que je pourrais faire? » – *Isabelle*

a « Pourquoi ne pas échanger des livres, des cassettes ou des vidéos avec tes amis? »

b « Organise des sorties avec des copains: pique-niques, promenades à vélo, visites de musée ... Ce n'est pas cher et c'est amusant. »

c « Tu devrais profiter du temps libre pour lire tous les bouquins que tu as toujours voulu lire ou écouter tous tes vieux disques. »

d « Tu pourrais assister aux fêtes ou aux festivals de ta ville ou de ta région. L'été, il y a souvent des spectacles gratuits à chaque coin de rue. »

e « S'il n'y a pas de spectacles dans votre ville, avec des copains ou copines, faites votre propre spectacle! »

1 Lisez les suggestions. Laquelle vous semble la plus intéressante? Laquelle vous semble la moins intéressante? Pourquoi?

2 Ecoutez deux amis d'Isabelle. Notez leurs suggestions.

3 Trouvez d'autres suggestions. Ecrivez une liste. Qui a la liste la plus longue?

4 Présentez vos suggestions à la classe. Qui a les idées les plus intéressantes? Votez!

5 Ecrivez une lettre à Isabelle. Envoyez-lui vos suggestions.

Expressions utiles

- Tu peux/Tu pourrais écouter tes vieux disques.
- Tu dois/Tu devrais profiter de ton temps libre.
- Pourquoi ne pas faire du sport?
- Fais du tricot/du bricolage.
- Fais de la natation/de la musique.
- Si tu organisais une boum, ce serait sympa.

ASTUCES

Le portefeuille perdu

6, allée des Aubépines
74000 Annecy

Hôtel La Frégate
24, quai de l'Amirauté
66190 Collioure

Annecy, le 28 août

Monsieur,

Je vous écris parce que j'ai perdu mon portefeuille dans votre hôtel la semaine dernière. J'avais la chambre 16 au rez-de-chaussée, et je crois avoir laissé le portefeuille dans un tiroir du placard.

C'est un portefeuille neuf en cuir noir qui contient deux photos et un billet de 50 francs. Si vous avez un portefeuille qui correspond à cette description, je vous serais très reconnaissant de me le retourner. (Je joins une enveloppe timbrée.)

Je vous remercie d'avance et vous prie d'agréer, Monsieur, l'expression de mes sentiments les meilleurs.

Christian Lamartine

Christian Lamartine

Annecy, le 28 août

Chère Stéphanie

Me voilà de retour de vacances. En rentrant d'Espagne, nous avons dû passer la nuit dans un hôtel à Collioure. Et là, catastrophe! J'ai laissé mon portefeuille dans le tiroir d'un placard. Oui, celui en cuir noir que tu m'as offert pour mon anniversaire. Il n'y avait pas beaucoup d'argent dedans, mais je suis très peiné de l'avoir perdu, surtout qu'il contient une photo de toi! S'il te plaît, envoie-moi une autre photo. Merci d'avance.
Je t'écrirai bientôt une lettre plus longue.
Grosses bises.
Christian

1 Christian a écrit deux lettres au sujet du portefeuille perdu. Notez les styles différents des lettres: notez s'il dit *tu* ou *vous*, et les différentes expressions qu'il utilise:
- **a** pour la salutation
- **b** pour demander une faveur
- **c** pour remercier
- **d** pour terminer la lettre.

2 Vous avez laissé votre parapluie dans un train. Ecrivez deux lettres:
- **a** au bureau des objets trouvés de la SNCF
- **b** à l'ami qui vous a offert le parapluie.

Savez-vous ... ?
- parler de vos dernières vacances
- réserver au camping, à l'AJ et à l'hôtel
- demander ce qu'on peut faire et ce qu'on ne peut pas faire
- vous renseigner dans un syndicat d'initiative
- proposer des activités à ceux qui ne partent pas en vacances
- écrire une lettre pour récupérer un objet perdu
- reconnaître les différences entre une lettre à un ami et une lettre plus officielle
- bien prononcer les mots qui commencent par *h*

Et en grammaire ... ?
- *il faut/il ne faut pas/il fallait* + infinitif
- les verbes *pouvoir, devoir, vouloir, savoir* au présent et à l'imparfait
- les verbes *pouvoir, devoir* au passé composé

UNITÉ 14

A chacun son look!

- Un défilé de mode
- Choisir son look
- Où et comment acheter des vêtements
- Quand ça ne va pas
- La mode, vous êtes accro?

des baskets
un blouson en jean délavé
des bottines en cuir
une casquette
une ceinture en cuir naturel
des chaussettes blanches
des chaussures en cuir
une chemise jaune à carreaux
un chemisier large en coton
un collant beige
un foulard en soie à fleurs
une jupe courte en toile imprimée
un manteau bleu marine
un pantalon en velours marron clair
une robe longue en laine verte
des sandales en plastique
un short rayé
un sweat-shirt bleu
un tee-shirt rouge uni
une veste marron foncé

1 Faites une liste des vêtements de chaque mannequin.
Exemple: *Kristina – une robe longue en laine verte, ...*

2 Ecoutez le défilé de mode pour vérifier vos réponses.

Le look "cool" ou "chicos"?

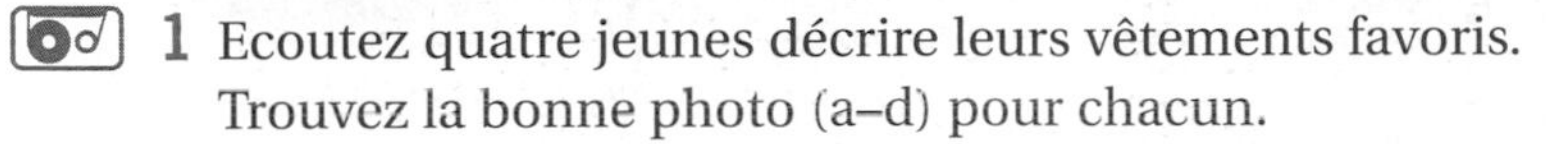

1 Ecoutez quatre jeunes décrire leurs vêtements favoris. Trouvez la bonne photo (a–d) pour chacun.

2 a Grégor, Alicia, Hugo et Estelle parlent des vêtements qu'ils aiment. Ecoutez et prenez des notes.
b Regardez les illustrations et suggérez des vêtements pour chacun.
Exemple: Grégor pourrait mettre cette veste et ... parce qu'il aime ...

3 Choisissez des vêtements pour chaque occasion.
Exemple: Pour une soirée en disco, je mettrais/choisirais ce/cet/cette/ces ... parce que ...
- a une soirée en disco
- b un entretien pour un emploi
- c la fête de l'école
- d un week-end en camping.

4 Et vous, qu'est-ce que vous aimez comme vêtements? Décrivez vos vêtements favoris.

Expressions-clés

- **Décrire les vêtements:**
  une jupe courte/longue bleue/verte
  une chemise à carreaux/à fleurs
  un pull rayé/uni/imprimé
  un pantalon en toile/en jean/en velours
  des chaussures en cuir (naturel)/en plastique
  un gilet à manches courtes/sans manches
- **Dire comment on s'habille et pourquoi:**
  J'aime les vêtements habillés/décontractés/confortables/pratiques/sport/classiques/chic.
  J'aime bien être à la mode/à l'aise.
  Je préfère être branché(e)/bien habillé(e).
  J'aime le style sport/branché/classique.

- Pour désigner quelque chose

	singulier		pluriel
masc.	***ce***	***cet***	***ces***
fem.	***cette***		***ces***

UNITÉ 14

Entrée libre

1 Des jeunes disent où ils achètent leurs vêtements. Ecoutez et trouvez la bonne photo pour chacun. Puis écoutez encore une fois et faites une liste des raisons qu'ils donnent.
***Exemple:** – 1b, ce n'est pas cher, ...*

2 Et vous, où achetez-vous vos vêtements? Expliquez pourquoi.

3 Lisez ce texte et les commentaires des jeunes. Vous êtes d'accord? Pas d'accord? Qu'en pensez-vous?

Lèche-vitrines du futur?

Où va-t-on faire nos achats dans 20 ou 30 ans? Sans doute à distance.

De plus en plus de gens achètent à distance (par catalogue ou téléachats). On pourra facilement utiliser l'ordinateur pour acheter des vêtements. On consultera un catalogue sur CD-Rom ou bien on se branchera sur Internet et on pourra faire du lèche-vitrines en réalité virtuelle!

On pourra ainsi acheter n'importe quoi, n'importe où dans le monde et ceci à n'importe quelle heure! Peut-être même pourra-t-on donner nos mensurations, les vêtements seront alors faits sur mesure et livrés à domicile 24 heures plus tard!

Je préfère essayer les vêtements avant de les acheter. Moi, je continuerai à aller dans les magasins.
Grégor

Moi, je pense que ce sera super pratique de faire ses achats à distance!
Alicia

Sur catalogue CD-Rom, on ne voit pas bien les couleurs ni les formes et puis, on perdra le contact humain qui existe dans les magasins.
Estelle

Il faut vivre avec son temps et je pense qu'acheter des vêtements à distance est une solution d'avenir. Tout sera moins cher et il y aura plus de choix.
Hugo

4 Ecoutez deux conversations dans un magasin de chaussures. Regardez les dessins. Quels sont les modèles achetés?

5 Regardez les dessins et complétez cette conversation. Utilisez les expressions-clés. Puis changez de rôle.

> ***vendeur/euse:*** *Bonjour, je peux vous aider?*
> ***client(e):*** ......
> ***vendeur/euse:*** *Vous faites quelle pointure?*
> ***client(e):*** ......
> ***vendeur/euse:*** *J'ai celles-ci, à ...... francs ou celles-là, à ...... francs. Lesquelles voulez-vous essayer?*
> ***client(e):*** ......
>
> Plus tard:
> ***vendeur/euse:*** *Ça va?*
> ***client(e):*** ......
> ***vendeur/euse:*** *Entendu. Merci.*

6 Ecoutez deux conversations dans un magasin de vêtements. Retrouvez la bonne réponse pour chaque question.

Questions	Réponses
Conversation 1	
1 Est-ce que je peux essayer cette jupe et cette veste?	*a* Ah non, désolée.
2 Ça vous va?	*b* Les cabines d'essayage sont là.
3 Vous faites quelle taille?	*c* 36 ou 38.
4 Vous ne l'avez pas en bleu?	*d* Ça ne me va pas.
Conversation 2	
1 Lequel préferez-vous?	*a* Oui, bien sûr.
2 En quelle taille?	*b* En taille moyenne.
3 Vous voulez l'essayer?	*c* Non, c'est pour offrir.
4 Vous pouvez me faire un paquet-cadeau?	*d* Je voudrais celui-là, en rouge.

7 *A* pose les questions des conversations ci-dessus et *B* donne les réponses, de mémoire! Ensuite, changez de rôle.

8 Aidez votre ami qui ne parle pas français à acheter un cadeau pour son père! Ecoutez la cassette et utilisez les expressions-clés.

Expressions-clés

- **Rayon chaussures:**
  Je cherche/voudrais voir des sandales.
  Vous avez ma pointure dans ce modèle-ci?
  Et ce modèle-là?
  Je fais du 37.
  Elles sont trop larges/étroites.
- **Rayon vêtements:**
  Est-ce que je peux essayer cette robe-ci?
  Ce n'est pas ma taille.
  Je fais du 38.
  Vous avez la taille au-dessus/au-dessous?
  Ça ne me va pas. Ça me va très bien.
  Vous avez ce pantalon-ci en vert?
  Lequel est le moins cher?
  Je vais le/la/les prendre.
  Je ne le/la/les prends pas.
  Vous pouvez faire un paquet-cadeau?

UNITÉ 14

La fripe originale

Vous aimez vous habiller, vous aimez surtout changer de vêtements mais ça coûte cher et vos parents ne sont pas trop d'accord? Alors, voici des idées pour changer votre look ... sans dépenser un centime!

Laquelle ou lequel d'entre vous n'a jamais envié le pull du copain ou le blouson de la copine? Eh bien, proposez un échange pour une semaine! Je te prête mon pull vert et toi, tu me passes ton pull bleu et blanc. Ce tee-shirt-ci te plaît? Je te le prête mais passe-moi ton sweat, celui que tu mets pour les cours de gym. Une chose: n'oubliez pas de rendre les vêtements propres!

Pourquoi ne pas organiser un "troc aux enchères"? Rassemblez tous les vêtements que vous ne mettez plus: ceux qui sont trop petits, ceux que vous n'aimez plus ou n'avez jamais aimés. Retrouvez-vous entre copains un après-midi et échangez vos vêtements! Jean-Marc propose un super sweat-shirt? Vous lui proposez votre écharpe tricotée main ... Albert, lui, offre un jean troué, Céline un très beau tee-shirt Greenpeace. Vous proposez d'ajouter les gants assortis ... mais ça ne marche pas, Jean-Marc préfère le jean d'Albert. Tant pis, cette fois-ci c'est perdu, mais vous gagnerez peut-être à la prochaine!

Pourquoi toujours assortir les vêtements? Faites des cocktails surprises, mélangez les styles! Mettez donc cette chemise hyper-chic avec ce caleçon rigolo; pour aller avec ce pantalon très classique, ne mettez pas cette veste bleue unie, préférez-lui celle à rayures vertes et jaunes! Et pourquoi porter les mêmes chaussettes? Choisissez-en une d'une couleur et l'autre d'une autre! Les possibilités sont sans limites!

Si vous n'êtes pas du genre excentrique et que vous avez un peu d'argent de poche, faites les puces ou les magasins d'occasion. Vous y trouverez souvent de bonnes affaires! Pour ceux ou celles qui n'aiment que le neuf, on vous conseille d'attendre les soldes, celles d'été ou celles qui ont lieu juste après Noël.

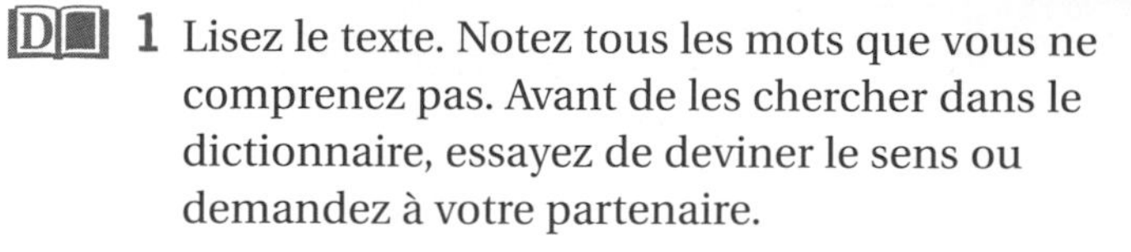

1 Lisez le texte. Notez tous les mots que vous ne comprenez pas. Avant de les chercher dans le dictionnaire, essayez de deviner le sens ou demandez à votre partenaire.

2 Présentez les idées du texte pour un magazine en Grande-Bretagne: écrivez un article en anglais d'environ 150 mots.

3 Que pensez-vous de chaque suggestion? Ecrivez vos réactions.
Exemple: *Echanger des vêtements pour une semaine serait très bien: j'aime bien l'idée parce que ...*

4 Avez-vous d'autres suggestions à proposer? Travaillez en groupes et écrivez d'autres paragraphes à ajouter au texte.
Exemple: *Trouvez dans la classe ceux qui savent coudre et demandez s'ils veulent faire des vêtements pour les autres ...*

Zoom sur les démonstratifs

Pour désigner quelque chose, on utilise des adjectifs démonstratifs ou des pronoms démonstratifs.

Les adjectifs démonstratifs: regardez page 169.
Pour contraster deux objets, on ajoute **-ci** ou **-là**
ce jean-**ci** et **ce** jean-**là**
cette robe-**ci** et **cette** robe-**là**
ces gants-**ci** et **ces** gants-**là**

Les pronoms démonstratifs: **celui/celle/ceux/celles**
Ils remplacent *ce/cet/cette/ces + nom.*
Ils s'accordent comme les adjectifs et s'utilisent:

– avec **-ci** ou **-là**
Ce jean? Oui, **celui-là**.
Cette robe? Oui, **celle-ci**.

10h

– avec **qui** ou **que**
J'aime bien **ceux qui** sont en vitrine.
Je vais prendre **celles que** j'ai essayées.

– avec **à**, **en** ou **de**
Quelle robe as-tu achetée? **Celle à** rayures. **Celle à** 100F.
Quel blouson aimes-tu? Je préfère **celui en** cuir.
Tu veux des gants comment? Comme **ceux de** Sylvain.

Pour poser des questions: **lequel/laquelle/lesquels/lesquelles**
J'ai ces deux blousons: **lequel** préférez-vous?
Il y a plusieurs couleurs: **laquelle** allez-vous prendre?

1 « *Un peu de tact!* » Imaginez! Vous êtes avec un(e) ami(e) dans un magasin de vêtements. Il/Elle essaie, mais rien ne lui va. Comment le lui dire avec tact? Complétez d'abord les phrases avec les bons démonstratifs et ensuite, choisissez!

1 *a* A mon avis, ... pantalon n'est pas vraiment fait pour toi.
b Essaie un autre pantalon! Tu es ridicule dans ......-...... .

2 *a* Comme chaussures, moi, je prendrais ...... en cuir.
b Ne prends pas ......-......, elles sont affreuses!

3 *a* Essaie ..... gants-......, ils sont moins moches que ......-......!
b Les gants unis sont peut-être plus jolis que ...... à rayures.

4 *a* Beurk! ...... chemise ne te va pas du tout!
b Je crois que ...... chemise- ...... t'irait mieux que ...... - .... Essaie!

● *Les réponses avec tact: 1a, 2a, 3b, 4b*

UNITÉ 14

Echangé ou remboursé

1 a Ecoutez six conversations. Les clients ne sont pas satisfaits. Retrouvez la bonne illustration pour chaque conversation.
b Réécoutez. Qui va échanger l'article? Qui va se faire rembourser?

2 *A* est le/la commerçant(e). *B* est un(e) client(e) qui n'est pas satisfait(e). Choisissez un des problèmes ci-dessus et adaptez cette conversation. Puis changez de rôle.

A: Bonjour, je peux vous aider?
B: Oui, j'ai un problème: un ami m'a offert ce pull et ça ne me plaît pas du tout./mais il a un trou.
A: Ah d'accord, oui.
B: J'ai le ticket de caisse. Est-ce que vous pouvez me rembourser?
A: Oui, bien sûr, sans problème./Ah non, désolé(e), mais vous pouvez l'échanger si vous voulez.
B: D'accord, merci.

3 Vous avez les problèmes suivants. Ecoutez les dialogues. Lequel correspond à chaque problème?
- **a** Il y a un trou dans la semelle de vos sandales.
- **b** Le talon de votre botte est cassé.
- **c** Vous avez acheté un pantalon mais il est trop long.
- **d** Il y a des taches sur votre chemise en soie.
- **e** Tous vos tee-shirts sont sales.
- **f** Il y a un petit trou dans votre chaussette.

Ecoutez encore une fois. Qui va:
– à la laverie automatique?
– à la cordonnerie?
– au pressing?

S SOLO 4 Regardez les dessins, écoutez la cassette et parlez:
– demandez s'ils font des réparations
– expliquez le problème
– demandez le prix
– demandez quand ce sera prêt.

Au pressing **A la cordonnerie**

Expressions-clés

- **Quand il y a un problème:**
  Il y a un trou/une tache.
  C'est sale/déchiré.
  Il manque un bouton.
  La fermeture éclair est cassée/ne marche pas.
  C'est trop grand/petit/large/étroit.
  Ça ne me plaît pas.
  C'est possible d'échanger?
  Vous pouvez me rembourser?
  J'ai le ticket de caisse.
- **Au pressing/A la cordonnerie:**
  Je voudrais faire nettoyer cette chemise à sec.
  Est-ce que vous faites les retouches/les réparations?
  Pouvez-vous refaire la semelle/le talon?
  Ça va coûter combien?
  Ça sera prêt quand?

OPINIONS

La mode, vous êtes accro?

Beaucoup de jeunes suivent la mode de très près. D'autres préfèrent l'ignorer. Qu'en pensez-vous?

1 Lisez les réactions de ces jeunes Français.
  a Qui pense qu'il est important d'être à la mode?
  b Quelle est votre opinion?

2 Faites un sondage dans la classe. Qui suit la mode, qui ne la suit pas? Demandez pourquoi.

3 En groupes, résumez les résultats du sondage par écrit ou sur cassette.
Exemple: La majorité des élèves de notre classe (65%) ne suivent pas vraiment la mode. La raison principale: c'est trop cher ...

Expressions utiles

- J'aimerais m'habiller/avoir des vêtements ...
- Je préfère acheter ...
- Je ne veux pas être ...
- Je ne peux pas acheter ...
- Je ne sais jamais ...
- Pour moi, l'important, c'est de ...
- Suivre la mode, c'est intéressant/inutile/difficile/amusant parce que ...

Pour parler de styles, regardez page 169.

Interlude

Le look en chiffres

Les Français dépensent de moins en moins d'argent pour les vêtements (9,6% de leur budget en 1970, 6% en 1993).

Le look mode est de moins en moins important. On préfère acheter des vêtements plus classiques qui durent plus longtemps.

Le "sportswear" est devenu la garde-robe de base, surtout chez les jeunes: survêtements, trainings, tee-shirts, sweat-shirts, shorts, polos, etc.

Entre 10 et 16 ans, les filles ont en moyenne 28 articles de plus dans leur garde-robe que les garçons.

Les jeunes ont tendance à acheter de moins en moins de vêtements de marques et préfèrent les articles mode achetés en grande surface.

Les Français sont les plus gros acheteurs de chaussures d'Europe: cinq ou six paires par an.

Les Français vont chez le coiffeur environ sept fois par an. 57% y vont une fois par mois. 10% n'y vont jamais.

1 Quels chiffres vous surprennent? Pourquoi?

2 Faites une enquête dans la classe sur les points mentionnés ici. Quels sont les résultats?

Interview avec une coiffeuse

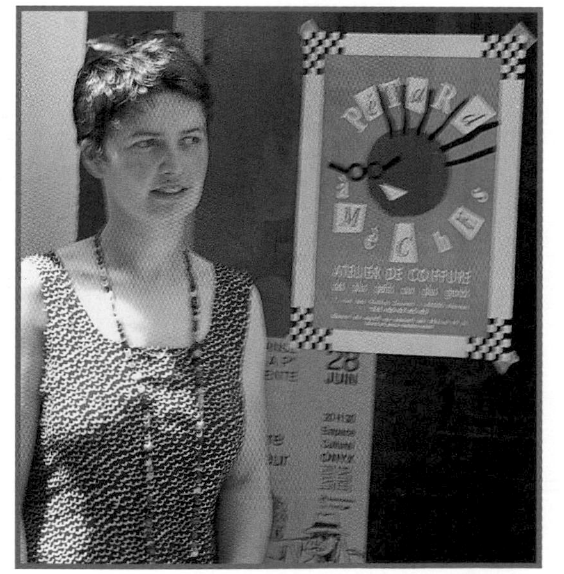

Sophie Pergeline, coiffeuse à Nantes

1 Ecoutez Sophie et répondez aux questions.
- **a** Depuis combien de temps Sophie est-elle coiffeuse?
- **b** Où travaille-t-elle?
- **c** Quelle formation a-t-elle faite?
- **d** Combien de temps dure la formation?
- **e** Quels sont les deux diplômes qu'elle mentionne?
- **f** Quels sont ses horaires?
- **g** Quel âge ont les enfants qu'elle coiffe?
- **h** Qu'est-ce qui lui plaît dans son travail?
- **i** Quels sont les inconvénients?

2 Sophie conseille la formation qu'elle a faite pour deux raisons. Lesquelles?

3 Aimez-vous aller chez le coiffeur? Pourquoi (pas)?

Les faux amis

En français, on utilise assez souvent des mots anglais ou des mots adaptés de l'anglais.

Mais attention aux *faux amis,* les mots qui ressemblent aux mots anglais mais qui n'ont pas le même sens.

1 Trouvez le bon mot anglais pour ces faux amis.

- **a** Un *costume* deux-pièces, c'est un pantalon et une *veste.*
- **b** Marc a besoin d'un *slip* de bain pour aller à la piscine.
- **c** Les docteurs portent des *blouses* blanches.
- **d** Je vais à l'école en *car.*
- **e** On met le bon vin à la *cave.*
- **f** Pour le pique-nique, j'ai pris des *chips.*
- **g** Elle est en *pension* complète à l'hôtel.
- **h** La *location* de la maison n'était pas chère.

2 Collectionnez les faux amis! Faites-en la liste sur un carnet et révisez-les de temps en temps.

passer un examen = to take an exam
un smoking = a dinner jacket
un agenda = diary
la librairie = bookshop

Ça se dit comme ça!

Les liaisons

1 Parfois, entre deux mots, on ajoute un son pour faciliter la prononciation. On dit qu'on fait *une liaison.* Ecoutez les exemples et répétez.

Vous avez des gants? = Vous (z)avez des gants?
C'est une jupe en soie. = C'est (t)une jupe en soie.
Je la mets en été. = Je la mets en (n)été.
J'ai deux écharpes. = J'ai deux (z) écharpes.

2 Recopiez ces phrases et lisez-les à haute voix. Indiquez les liaisons comme dans l'exemple. Ecoutez pour vérifier. Ensuite, répétez.
Exemple: *Ce manteau est super en hiver.*

Je porte toujours cette jupe en automne.
Vous achetez souvent des vêtements?
Ses habits sont trop grands pour moi.
C'est assez cher dans ce magasin.
J'ai acheté ce manteau il y a six ans.

Savez-vous ... ?

- décrire des vêtements et des styles
- dire où vous achetez vos vêtements
- quoi dire pour essayer et acheter des vêtements
- quoi dire quand vous n'êtes pas satisfait(e)
- quoi dire au pressing ou à la cordonnerie
- exprimer votre opinion sur la mode
- reconnaître les faux amis
- faire quelques liaisons

Et en grammaire ... ?

- les adjectifs démonstratifs *(ce, cet, cette, ces; ce ...-ci/là)*
- les pronoms démonstratifs *(celui, celle, ceux, celles)*

Révisez! Unités 13 et 14

Révisez page 159

1 a Voici votre collection de documents rapportés des vacances. Utilisez-les pour écrire une lettre à votre correspondant(e) et lui parler de vos vacances.

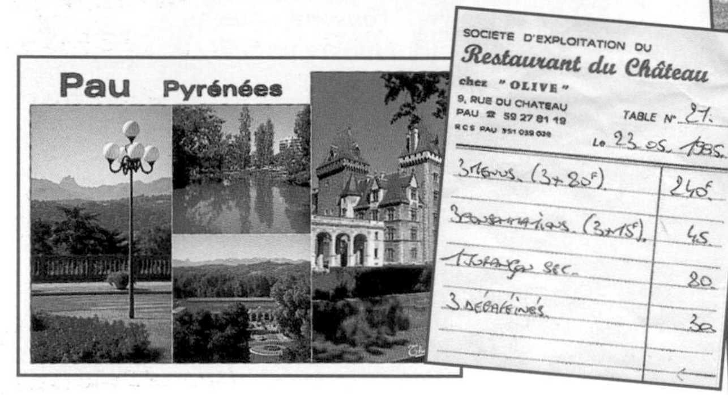

b Travaillez avec votre partenaire. Est-ce que vous pouvez améliorer votre lettre?

Révisez pages 168, 169, 173

2 a Regardez ces vêtements et discutez de vos préférences avec votre partenaire.
Exemple: *– Il y a deux chemises. Laquelle préférez-vous?*
– Celle-ci, parce qu'elle est plus chic.
– Moi, je préfère celle-là parce qu'elle est moins chère: celle-ci coûte 200F.

Révisez pages 164, 171

b Complétez cette conversation dans une boutique avec la forme correcte des verbes suivants: *devoir, pouvoir, savoir, vouloir.*

Mme Valéry: Allez, viens, Luc. Tu ...... acheter un nouveau pantalon si tu ...... travailler dans une banque cet été.
Luc: Je ne ...... pas, maman. J'aime bien mon jean déchiré.
Mme Valéry: Mais, Luc, on ne ...... pas travailler dans une banque avec un jean déchiré. Tu ...... faire un effort!
Luc: Tu ...... acheter un pantalon sans moi si tu ....
Mme Valéry: Ça suffit, maintenant, Luc. Viens, on entre dans cette boutique.

Vingt minutes plus tard:
Vendeuse: *(entourée de pantalons)* Voilà encore un pantalon. ......-vous l'essayer, monsieur?
Luc: Sûrement pas! Je n'aime ni le style ni la couleur.
Mme Valéry: Luc, tu ...... qu'il faut être bien habillé pour ton entretien à la banque.
Luc: Mais je ne ...... pas travailler dans une banque.
Mme Valéry: Je m'excuse, madame. ......-vous où nous ...... trouver un plus grand choix de pantalons?
Vendeuse: Pas ici!

Val d'Isère, le 31 août

Chère Tante Gisèle

Merci pour ta carte postale. Quelle chance tu as d'avoir visité New York. Nous, nous ne sommes pas partis en vacances cet été. Mais on peut quand même s'amuser quand on ne part pas, hein? Avec des copains, on a organisé des pique-niques, des promenades en montagne et des boums. Ce n'était pas mal. La dernière boum des vacances, c'était hier soir. Tous mes copains y étaient, parce que c'est la rentrée lundi prochain. Je portais mes vêtements favoris: mon blouson en jean délavé (celui que tu m'as donné à Noël!) et ma jupe noire courte. J'ai invité notre nouveau voisin. Il s'appelle Christophe et il a 16 ans, comme moi. Il est venu à Val d'Isère parce que son père a trouvé un travail de guide de montagne.

Christophe revient juste d'Angleterre où il a campé avec son frère. Ça s'est mal passé: il pleuvait tout le temps, leur emplacement était trop près des toilettes, son frère s'est coupé avec un canif et Christophe a perdu son appareil-photo. Quel désastre!

Le soir de la boum, il était très chic avec un pantalon en velours bleu foncé, une chemise rayée bleue et une cravate. Je l'imagine mal en camping! La boum était très réussie. On a tous beaucoup dansé... Christophe danse très bien! A bientôt! Je t'écrirai après la rentrée.

Ta nièce, Martine

3 **a** Lisez la lettre de Martine, puis complétez ces phrases.

1 ...... a visité New York.
2 Martine a reçu ......
3 Pendant les vacances, elle ......
4 Lundi prochain, elle ira ......
5 Christophe est venu habiter près de chez Martine, parce que ......
6 Pendant les vacances, Christophe ......
7 Martine ne peut pas imaginer Christophe dans un camping, parce que ......
8 Pendant la boum, tout le monde ......

Révisez pages 159, 166, 169

b Imaginez et écrivez la conversation entre Christophe et Martine pendant la boum (leurs vacances, leurs vêtements, le père de Christophe, la rentrée ...). Enregistrez la conversation avec un(e) partenaire, si possible.

Exemple:

Christophe: *Tu es partie en vacances?*
Martine: *Non, on est restés à la maison, et j'ai fait beaucoup de choses ...*

4 Exposé

a Préparez votre exposé sur un des thèmes ci-dessous. Révisez les expressions-clés et le vocabulaire utile.

Révisez pages 159, 160, 161, 162, 164, 166

Souvenirs de vacances

ou

Révisez pages 168, 169, 170, 174, 175

Mon choix de vêtements

Exemple:

MON CHOIX DE VETEMENTS
la mode: mon opinion
ce que je porte: au collège, le week-end, à une boum, au travail le samedi
où j'achète: marché, grand magasin
– pas dans une boutique – problème

b Ecrivez des mots-clés comme aide-mémoire. Ecoutez l'exemple de la cassette si vous voulez.

c Parlez en utilisant vos notes comme aide-mémoire. Discutez de votre exposé avec votre partenaire et essayez de l'améliorer!

▶ *Les Vacances du petit Nicolas, de Sempé/Goscinny*

Le petit Nicolas, que vous avez déjà rencontré à la page 133, raconte ici ses grands soucis au sujet des vacances d'été. Tous les ans, il part avec ses parents, normalement au bord de la mer ou à l'hôtel. Il ne sait pas encore que cette année, ses parents ont décidé de l'envoyer en colonie de vacances.

Il faut être raisonnable
Ce qui m'étonne, moi, c'est qu'à la maison on n'a pas encore parlé de vacances ! Les autres années, Papa dit qu'il veut aller quelque part, Maman dit qu'elle veut aller ailleurs, ça fait des tas d'histoires. Papa et Maman disent que puisque c'est comme ça ils préfèrent rester à la maison, moi je pleure, et puis on va où voulait aller Maman. Mais cette année, rien.

Pourtant, les copains de l'école se préparent tous à partir. Geoffroy, qui a un papa très riche, va passer ses vacances dans la grande maison que son papa a au bord de la mer. Geoffroy nous a dit qu'il a un morceau de plage pour lui tout seul, où personne d'autre n'a le droit de venir faire des pâtés. Ça, c'est peut-être des blagues, parce qu'il faut dire que Geoffroy est très menteur.

Agnan, qui est le premier de la classe et le chouchou de la maîtresse, s'en va en Angleterre passer ses vacances dans une école où on va lui apprendre à parler l'anglais. Il est fou, Agnan. Alceste va manger des truffes en Périgord, où son papa a un ami qui a une charcuterie. Et c'est comme ça pour tous : ils vont à la mer, à la montagne ou chez leurs mémés à la campagne. Il n'y a que moi qui ne sais pas encore où je vais aller, et c'est très embêtant, parce qu'une des choses que j'aime le mieux dans les vacances, c'est d'en parler avant et après aux copains.

ce qui m'étonne = *what surprises me*
quelque part = *somewhere*
ailleurs = *somewhere else*
des tas d'histoires* = *a big row*
je pleure = *I cry*
faire des pâtés = *to make sandcastles*
très menteur = *a big liar*
le chouchou* = *pet*
la maîtresse = *teacher (in a primary school)*
des truffes = *truffles (expensive type of mushroom)*
leurs mémés* = *their grannies*
il n'y a que moi = *there's only me*
embêtant = *annoying*
* français familier

En attendant Godot, de Samuel Beckett

Samuel Beckett (1906–1989) est né en Irlande. Il s'installe à Paris en 1936. Il écrit des romans et des pièces et obtient un immense succès en 1953 avec *En attendant Godot*. Son théâtre exprime l'absurdité de la condition humaine.

Les deux personnages attendent le mystérieux Godot ('God'?, Dieu? on ne sait pas) qui ne vient jamais. Alors, pour passer le temps, ils parlent, ils s'occupent. Ici, Vladimir encourage Estragon à essayer des chaussures qui sont peut-être les siennes...

Estragon va vers les chaussures, se penche, les inspecte de près.
ESTRAGON. Ce ne sont pas les miennes.
VLADIMIR. Pas les tiennes !
ESTRAGON. Les miennes étaient noires. Celles-ci sont jaunes.
VLADIMIR. Tu es sûr que les tiennes étaient noires ?
ESTRAGON. C'est-à-dire qu'elles étaient grises.
VLADIMIR. Et celles-ci sont jaunes ? Fais voir.
ESTRAGON (*soulevant une chaussure*). Enfin, elles sont verdâtres. [...]
VLADIMIR. Si tu les essayais ?
ESTRAGON. J'ai tout essayé.
VLADIMIR. Je veux dire les chaussures. [...] Essaie.
ESTRAGON. Tu m'aideras ?
VLADIMIR. Bien sûr.
ESTRAGON. On ne se débrouille pas trop mal, hein, Didi, tous les deux ensemble ?
VLADIMIR. Mais oui, mais oui. Allez, on va essayer la gauche d'abord.
ESTRAGON. On trouve toujours quelque chose, hein, Didi, pour nous donner l'impression d'exister ?
VLADIMIR (*impatiemment*). Mais oui, mais oui, on est des magiciens. Mais ne nous laissons pas détourner de ce que nous avons résolu. (*Il ramasse une chaussure.*) Viens, donne ton pied. (*Estragon s'approche de lui, lève le pied.*) L'autre, porc ! (*Estragon lève l'autre pied.*) Plus haut ! (*Les corps emmêlés, ils titubent à travers la scène. Vladimir réussit finalement à lui mettre la chaussure.*) Essaie de marcher. (*Estragon marche.*) Alors ?
ESTRAGON. Elle me va.
VLADIMIR. (*prenant de la ficelle dans sa poche*). On va la lacer.
ESTRAGON (*véhémentement*). Non, non, pas de lacet, pas de lacet !
VLADIMIR. Tu as tort. Essayons l'autre. (*Même jeu.*) Alors ?
ESTRAGON. Elle me va aussi.
VLADIMIR. Elles ne te font pas mal ?
ESTRAGON (*faisant quelques pas appuyés*). Pas encore.
VLADIMIR. Alors tu peux les garder.
ESTRAGON. Elles sont trop grandes.
VLADIMIR. Tu auras peut-être des chaussettes un jour.
ESTRAGON. C'est vrai.

Acte II, En attendant Godot, Les Editions de Minuit

verdâtres = *greenish*
on ne se débrouille pas mal = *we don't manage too badly*
ne nous laissons pas détourner = *let's not be put off*
emmêlés = *entwined/tangled up*
ils titubent à travers la scène = *they stagger across the stage*
de la ficelle = *some string*
même jeu = *same actions again*
quelques pas = *a few steps*

UNITÉ 15

Autour de nous

- Comprendre le chemin
- C'est comment par chez vous?
- Par tous les temps
- Spécial écologie

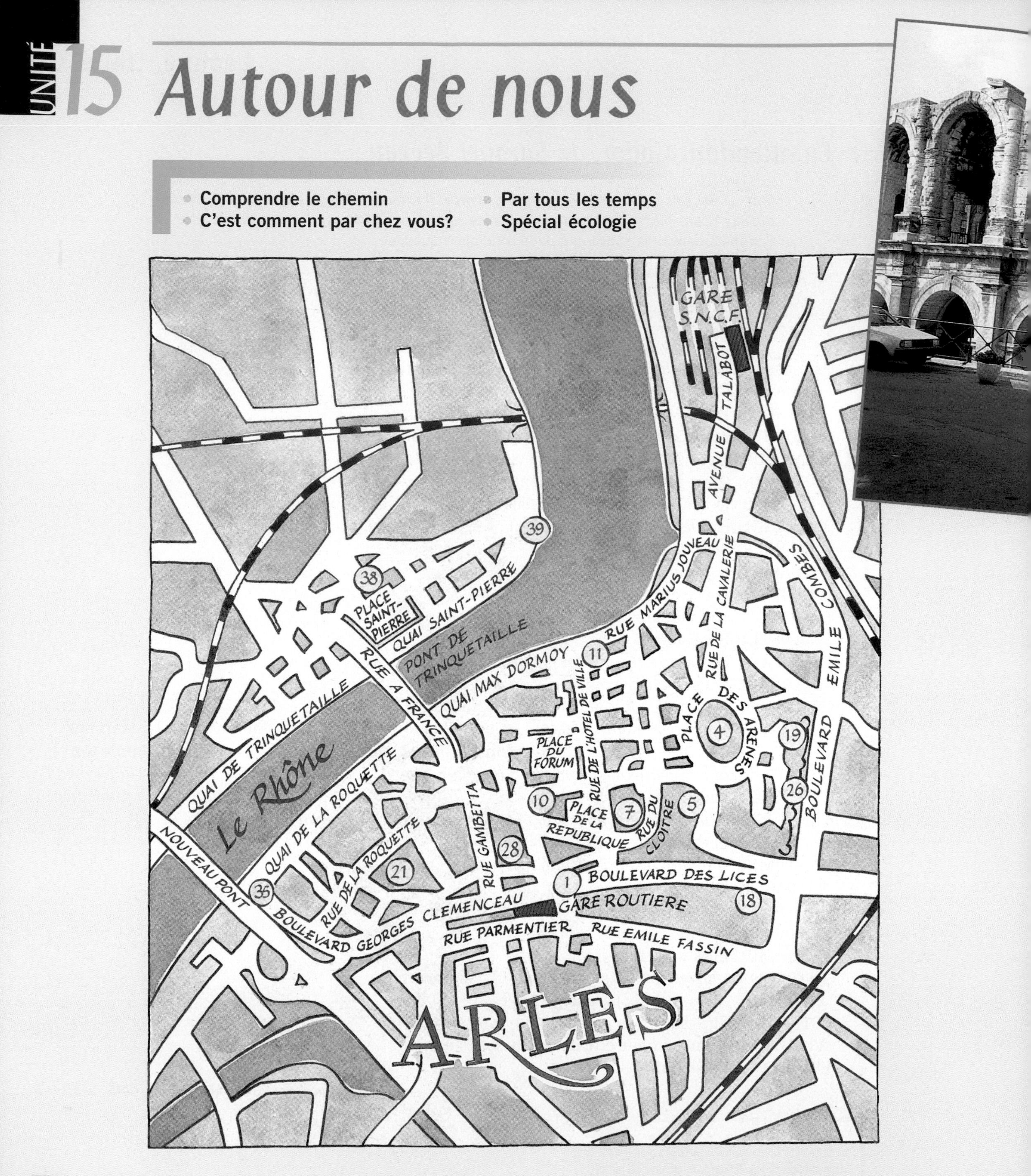

1 Vous êtes à la gare d'Arles. Ecoutez des touristes demander leur chemin. C'est quel numéro sur le plan pour: l'amphithéâtre, le musée Réattu, la gendarmerie, l'église Saint-Pierre, la tour de l'Ecorchoir?

2 A vous d'indiquer le chemin pour les endroits de l'activité 1, mais cette fois, vous êtes à la gare routière, rue Parmentier.

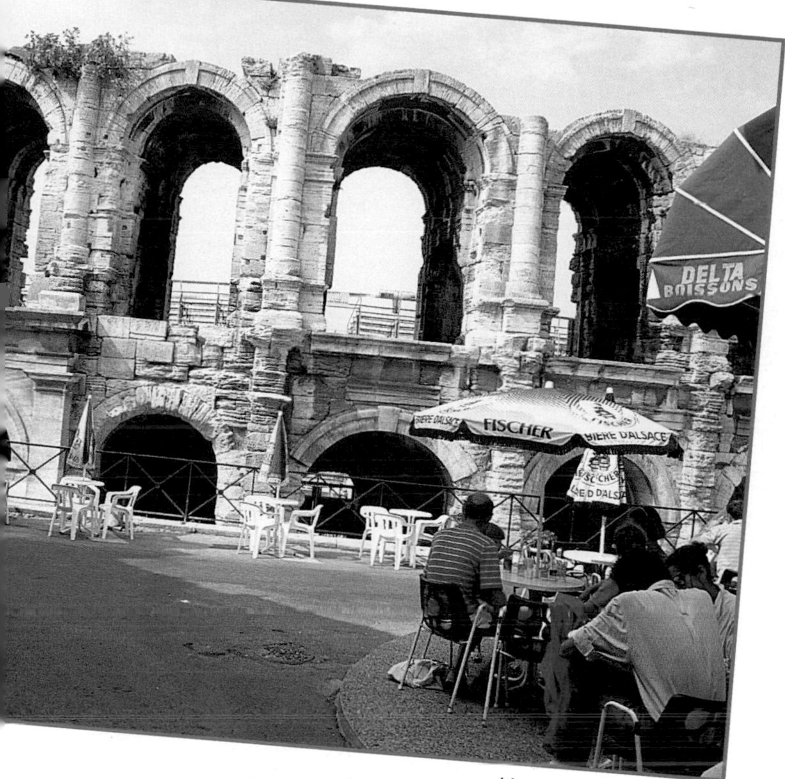

L'amphithéâtre, Arles

Expressions-clés

- **Pour demander le chemin:**
  Pour aller à la poste/au musée, s'il vous plaît?
  Vous pouvez m'indiquer le chemin pour aller ... ?
  Où se trouve ... ? C'est loin d'ici?
- **Pour indiquer le chemin:**
  C'est facile. C'est assez compliqué.
  Allez tout droit.
  Tournez à droite/à gauche.
  Prenez la première/la deuxième (rue) à droite/à gauche.
  Continuez jusqu'au bout/aux feux/au croisement.
  Longez le fleuve.
  Traversez le pont/la place/la rue.
  Passez devant le parking.
  Descendez/Montez la rue.
  C'est sur votre droite/gauche.
  C'est en face/au bout/au coin de la rue.

Zoom sur l'impératif

Quand utiliser un impératif?
- pour donner un ordre:
  Ouvre la porte! Ouvrez les rideaux!
- pour donner des indications:
  Va tout droit. Allez jusqu'aux feux.
  Prends à droite. Prenez à gauche.

Comment former l'impératif?
Prenez la forme du verbe au présent:

tourner	tu tournes	→	tourne! (sans le *s*)
	vous tournez	→	tournez!
courir	tu cours	→	cours!
	vous courez	→	courez!
prendre	tu prends	→	prends!
	vous prenez	→	prenez!

Quel ordre dans une phrase impérative?
- avec une négation:
  Ne va **pas** jusqu'aux feux **Ne** traversez **pas**.
- avec un pronom:
  Tu vois cette rue? Prends-**la**.
  (mais au négatif: Ne **la** prends pas.)
  Vous avez un ami là-bas? Téléphonez-**lui**.
  (mais au négatif: Ne **lui** téléphonez pas.)

18

1 Reliez chaque panneau à la bonne explication.
- **a** Faites attention aux deux-roues.
- **b** Ne tournez pas à gauche.
- **c** Ne doublez pas.
- **d** Tournez à droite.
- **e** Ne faites pas demi-tour.
- **f** Roulez à plus de 30 km/h.

UNITÉ 15

C'est comment, là où tu habites?

Fatou, 16 ans, habite à Saint-Louis, au Sénégal

« Saint-Louis est à 260 km au nord de Dakar, au bord de la mer. C'est une ville magnifique et très historique, avec de vieux bâtiments de l'époque coloniale. En plus, Saint-Louis est située dans une belle région, où il y a beaucoup de choses à voir: la plage, le fleuve Sénégal, le désert, la brousse, les animaux ...

Moi, j'habite au centre-ville, près du village des pêcheurs, le quartier le plus animé. C'est bien, mais très bruyant! Il y a quelques distractions en ville: un cinéma en plein air, des restaurants sympa, des boîtes, des marchés.

Le temps aussi est très agréable: pendant la saison sèche, de novembre à juin, il fait chaud et il y a du soleil. Même l'hivernage, la saison des pluies qui va de juillet à octobre, est doux et agréable ici. »

Eric, 15 ans, habite à Villetaneuse, en banlieue parisienne

« Villetaneuse est une ville de banlieue typique au nord de Paris: laide, très industrielle et pas du tout intéressante. Je vis dans une cité avec de grandes tours. L'environnement est très pollué, par les voitures, les déchets, le bruit. Il n'y a presque pas d'espaces verts.

Ici, il n'y a rien à voir ni à faire, ni magasins ni distractions. Bref, on a tous les inconvénients de la grande ville, sans en avoir les avantages. Pour sortir, il faut prendre le train et aller à Paris ou bien plus au nord d'ici. Là, c'est la campagne: on peut se promener dans la forêt de Montmorency, visiter le château de Chantilly et son parc qui est très joli. Mais ce n'est pas tout près.

Et puis, le temps n'est pas toujours beau! En été, oui, mais en automne ou en hiver, c'est nuageux, il fait souvent froid et il pleut beaucoup. »

1 Lisez et cherchez les mots nouveaux dans le dictionnaire.

2 Ecoutez l'interview de Fatou. Réécoutez et notez les questions. Répondez à ces questions pour Eric, Camille et Roberto.

3 *A* interviewe *B* sur son endroit préféré, en posant les questions de l'activité 2. Ensuite, changez de rôle.

4 Ecoutez les visites guidées. Notez les renseignements supplémentaires sur Saint-Louis, Villetaneuse, Saint-Rémy-de-Provence et le Val d'Aoste.

5 Préparez une description de l'endroit où vous habitez: un dépliant ou un documentaire enregistré. (Envoyez-le à votre correspondant(e)!)

Roberto, 16 ans, habite au Val d'Aoste, dans les Alpes

« Mon village est tout petit: il y a 150 habitants! La ville la plus proche est Aoste. Le Val d'Aoste est une région autonome en Italie, entre la France et la Suisse. Ici, on parle encore français.

J'adore la montagne: l'air pur, les paysages magnifiques, le calme. Je ne pourrais pas vivre en ville. Pour moi qui adore la nature et le sport, il y a beaucoup de choses à faire ici: des randonnées ou du vélo en été, du ski ou de la luge en hiver. Je ne m'ennuie jamais mais, c'est vrai, il faut aimer la solitude!

Le temps n'est pas toujours facile à vivre: l'été, il fait beau, même s'il ne fait pas très chaud, mais l'hiver, il fait très froid, il gèle et il neige dès octobre, il fait souvent -15 degrés! Le pire, c'est le brouillard! Ça, je n'aime pas du tout! »

Camille, 15 ans, habite à Saint-Rémy-de-Provence, dans le sud de la France

« J'adore Saint-Rémy. C'est une petite ville de 9 500 habitants, située à une vingtaine de kilomètres au nord-est d'Arles. Il y a toujours beaucoup de monde ici parce que c'est un endroit très touristique. La vieille ville est très pittoresque avec ses petites rues et ses vieux bâtiments. Il y a beaucoup de choses à voir dans la région: par exemple, Glanum, le site romain célèbre, et le village des Baux, à quelques kilomètres au sud-ouest.

En hiver, par contre, ce n'est pas très animé. Il n'y a pas beaucoup de distractions pour les jeunes. C'est mort et je m'ennuie un peu.

L'été, en Provence, il fait beau et chaud, mais il y a aussi de gros orages. L'hiver est doux, il neige rarement ici mais il y a du vent! Au printemps, on est entourés de champs de lavande, c'est super et ça sent bon! »

Expressions-clés

J'habite à ...
C'est une ville/un village, situé(e) à ... km de ...
au nord/sud à l'est/l'ouest
C'est au centre-ville/à la campagne/à la montagne/au bord de la mer.
Il y a ... habitants.
C'est une ville/un endroit historique/pittoresque/touristique.
C'est très industriel/intéressant/laid/bruyant/pollué.
Il y a beaucoup de choses/Il n'y a rien à faire/à voir.
Il y a des paysages magnifiques/de vieux bâtiments/une forêt/un château.
Il y a des distractions pour les jeunes/les touristes.
On peut se promener/visiter des musées/faire du sport.
C'est animé/calme/mort.
La ville/La plage la plus proche, c'est ...

UNITÉ 15

Quel temps fait-il?

1 a Relisez ce que les jeunes disent du temps dans leur région, pages 184 et 185. Retrouvez les bons symboles pour chaque région.
Exemple: *Fatou – b, a, d*

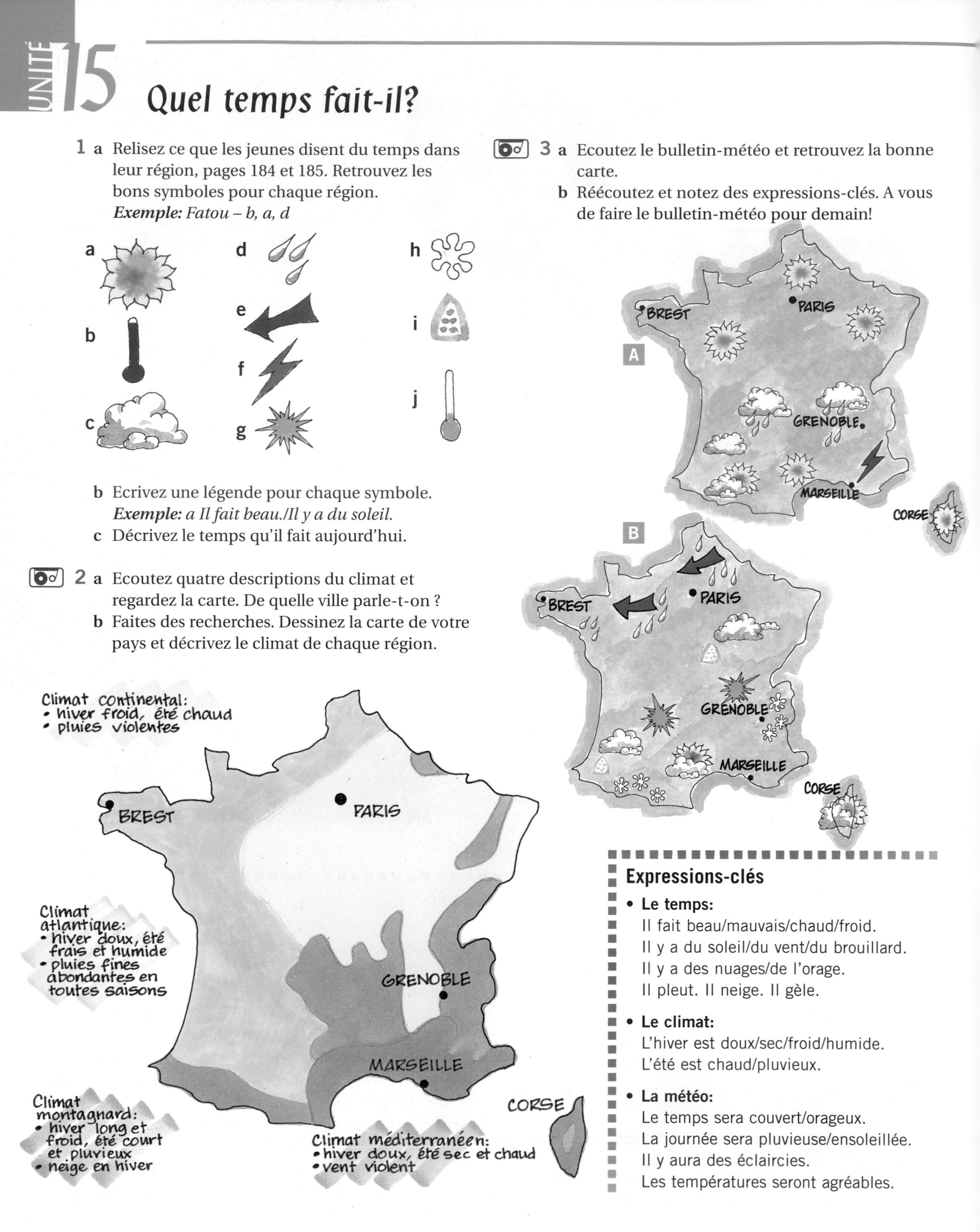

b Ecrivez une légende pour chaque symbole.
Exemple: *a Il fait beau./Il y a du soleil.*

c Décrivez le temps qu'il fait aujourd'hui.

2 a Ecoutez quatre descriptions du climat et regardez la carte. De quelle ville parle-t-on ?

b Faites des recherches. Dessinez la carte de votre pays et décrivez le climat de chaque région.

3 a Ecoutez le bulletin-météo et retrouvez la bonne carte.

b Réécoutez et notez des expressions-clés. A vous de faire le bulletin-météo pour demain!

Expressions-clés

- **Le temps:**
  Il fait beau/mauvais/chaud/froid.
  Il y a du soleil/du vent/du brouillard.
  Il y a des nuages/de l'orage.
  Il pleut. Il neige. Il gèle.
- **Le climat:**
  L'hiver est doux/sec/froid/humide.
  L'été est chaud/pluvieux.
- **La météo:**
  Le temps sera couvert/orageux.
  La journée sera pluvieuse/ensoleillée.
  Il y aura des éclaircies.
  Les températures seront agréables.

La Terre a mal!

Nous vivons sur une belle planète. Pourtant, nous ne prenons pas soin d'elle, nous l'asphyxions, l'abîmons, la transformons en poubelle. Après des années de pollution, va-t-on enfin voir "la vie en vert"?

Je crois qu'il faut s'inquiéter de l'état de la planète. Si nous continuons à la polluer, nous ne pourrons plus y vivre dans 100 ans! Je crois que les jeunes ont pris conscience du problème et que nous allons agir. Respectons l'environnement à tout prix, notre avenir en dépend!

Christelle

Ce sera très dur de sauver la Terre. On change difficilement les mentalités et les habitudes. On va continuer à polluer la nature, par exemple avec les engrais chimiques. Si on n'utilise plus d'engrais, il n'y aura pas assez à manger pour tout le monde. C'est le cercle vicieux de la vie moderne.

Jean-Philippe

Les dangers qui menacent notre planète sont énormes. Après avoir ignoré si longtemps les signaux d'alarme (la pollution et ses conséquences, par exemple), nous essayons de réagir. Mais à mon avis, c'est trop tard, il y a trop de choses à changer. Nous allons tout droit vers l'autodestruction.

Jasmine

Moi, je crois que si on faisait attention à ce qu'on achète, si on gaspillait moins, si on faisait des efforts pour éviter de polluer, si on n'utilisait plus l'énergie nucléaire, on pourrait éviter la catastrophe écologique. Il ne faut pas baisser les bras. Réagissons et protégeons la Terre!

Martin

1 Des jeunes répondent à la question: *Peut-on sauver la Terre*? Lisez les lettres à droite. Qui est optimiste? Qui est pessimiste? Avec qui êtes-vous le plus d'accord?

2 A votre tour, répondez à la question par écrit. Lisez les réponses en classe. Etes-vous en majorité optimistes ou pessimistes?

3 Les choses changent. Reliez chaque début de phrase à la fin de phrase qui convient.

1 Après avoir jeté tout dans la même poubelle, ...
2 Après avoir détruit des forêts entières, ...
3 Après avoir tout fabriqué en plastique, ...
4 Après être allés partout en voiture, ...
5 Après s'être longtemps moqués des "écolos", ...

a certains préfèrent prendre leur vélo, pratique et écologique.
b on réutilise des matériaux plus traditionnels et moins polluants.
c on se met à replanter systématiquement des arbres.
d on essaie enfin de suivre les conseils "verts".
e on commence à recycler certains déchets.

- Remarquez dans les lettres de Christelle et de Martin, l'impératif à une autre personne, *nous*: Respectons ... Réagissons ... Protégeons ...

18

Zoom sur l'infinitif passé

après { avoir / être / s'être } + participe passé, par exemple: jeté / allé(e)(s) / moqué(e)(s)

On utilise cette structure pour montrer une succession d'actions dans le passé.
Exemple: **Après avoir gaspillé** l'eau trop longtemps, on essaie de l'économiser.
La première action, c'est de gaspiller l'eau; la deuxième, c'est d'essayer de l'économiser.

16h

1 Quelle est la première action, et la deuxième, dans les phrases suivantes?

a Elle a acheté des produits naturels après avoir entendu une émission sur l'écologie à la radio.
b Nous comprenons mieux le problème de la forêt amazonienne après être allés en Amérique du Sud.
c Après s'être levée ce matin, elle a pris une douche plutôt qu'un bain, pour ne pas gaspiller d'eau.

UNITÉ 15

Le réflexe vert

Comment protéger l'environnement?
Ce ne sont pas les conseils qui manquent.
En voici une petite sélection.

Ne jetez plus, recyclez!
- en distribuant vos vieux jouets ou livres
- en utilisant le côté blanc des feuilles de papier déjà utilisées
- en fabriquant votre propre papier à partir de vieux journaux
- en jetant les déchets dans des conteneurs spéciaux (pour le verre, l'aluminium, etc.)

Evitez au maximum de polluer!
- en ne jetant rien sur les trottoirs, les plages, etc.
- en achetant des produits recyclables, biodégradables ou réutilisables
- en refusant les emballages inutiles (sacs en plastique, etc.)
- en ne prenant pas la voiture mais le vélo si possible

Economisez l'énergie et l'eau!
- en éteignant les lumières dans les pièces vides
- en mettant un pull au lieu de monter le chauffage
- en fermant le robinet quand vous vous brossez les dents
- en prenant une douche plutôt qu'un bain

1 Lisez les conseils "verts". Lesquels suivez-vous déjà?

2 Discutez en groupes. Trouvez d'autres idées pour chaque point. Ecrivez-les et présentez-les aux autres.
Exemples: *On peut éviter de polluer en achetant des aérosols sans gaz CFC. On économisera de l'énergie en mettant une feuille d'aluminium derrière les radiateurs.*

ZOOM sur en + participe présent

Comment former le participe présent d'un verbe?
Prenez la forme conjuguée de *nous* au présent et remplacez *-ons* par *-ant*:
nous économis**ons** → économis**ant**

Quand l'utiliser?
- pour expliquer comment une action se fait:
  On protège la planète **en économisant** l'énergie.
- pour indiquer que deux actions sont simultanées:
  Il lisait **en mangeant**.
  (= Il lisait et il mangeait en même temps.)
  Il est tombé **en descendant** l'escalier.
  (= Il est tombé pendant qu'il descendait l'escalier.)

20

1 Transformez les phrases comme dans l'exemple.
Exemple: *a Mon père économise l'essence* ***en faisant*** *vérifier son carburateur deux fois par an.*

a Mon père économise l'essence: il fait vérifier son carburateur deux fois par an.
b J'évite de polluer l'eau des rivières: j'utilise le moins possible de lessive et de détergents.
c Je trie mes déchets: je mets le verre dans un conteneur spécial.
d Je protège la couche d'ozone: je n'achète pas de bombes aérosols avec des gaz CFC.
e Nous contribuons à purifier l'air: nous plantons des arbres dans la cour de l'école.

Interview avec une architecte-paysagiste

1 Ecoutez Dominique. Reliez ces éléments pour résumer ce qu'elle dit sur son métier, puis réécoutez pour vérifier.

Exemple: *1e*

1 Un architecte-paysagiste
2 Une journée au bureau
3 Une journée en déplacement
4 On se déplace
5 Pour être architecte-paysagiste
6 La qualité principale à avoir

a va de 9 h le matin à 7 h le soir.
b il faut faire quatre ans d'études après le bac.
c pour voir un site ou suivre un chantier.
d est beaucoup plus longue.
e conçoit des aménagements paysagers.
f c'est une grande ouverture d'esprit.

2 A votre avis, est-ce qu'il est important d'avoir des architectes-paysagistes?

un aménagement paysager = *landscape design*
avoir une ouverture d'esprit = *to be open-minded*

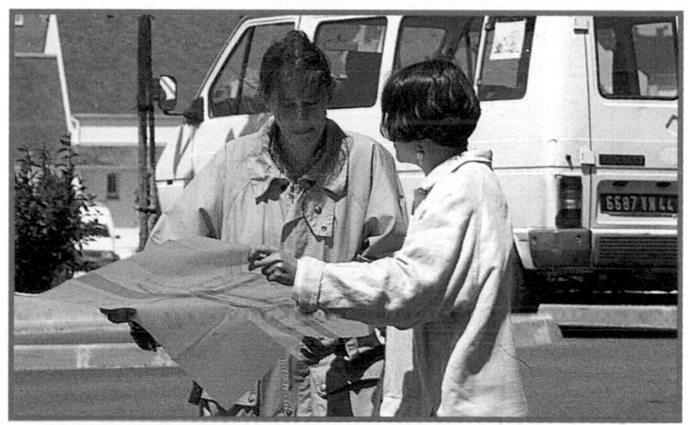

Dominique Vignaux, architecte-paysagiste à Nantes

Des trucs pour bien parler! ASTUCES

C'est au-to-ma-tique!

Apprenez par cœur toutes les expressions-clés et les expressions utiles dans *Envol*. Vous n'aurez plus à réfléchir pour répondre!

Miroir, oh, miroir!

Parlez le plus possible: en classe, devant votre miroir, à votre magnétophone, ou à un copain imaginaire, en racontant votre journée, en rejouant dans votre tête une conversation dans un magasin, cette fois en français.

Ecoutez pour parler

Ecoutez souvent la radio française et essayez de répéter, même si vous ne comprenez pas! Ça améliorera votre prononciation et votre intonation.

Ni oui, ni non

Ne répondez pas seulement par oui ou non. Ajoutez une explication ou une information, c'est plus intéressant!

Tu veux aller au Macdo?
Non, pas vraiment, je n'aime pas le fast-food, pour des raisons de santé et aussi pour des raisons économiques. Et d'ailleurs ma mère qui s'y connaît me dit toujours que

Pas de panique!

Parlez lentement, hésitez (*euh..., ben...*,) ou répétez la question pour vous donner le temps de réfléchir. Et souriez, c'est plus sympa!

Pratiquez, encore et toujours!

Enregistrez des questions suivies d'une pause. Passez la cassette et arrêtez-la au hasard. Répondez et recommencez! Utile pour réviser l'oral de l'examen!

UNITÉ 15

Eco-campagne

OPINIONS

A vous de préparer une campagne pour l'écologie.

1 a Travaillez en groupes. Choisissez un thème:
Etre un bon écolo ...
à la maison – dans son jardin – dans les magasins – dans sa ville – dans la nature.

b Trouvez des suggestions pour votre thème, parmi celles de droite.

c Ajoutez d'autres idées. Relisez les pages 187 et 188 pour vous aider.

Choisir les produits "verts"

Ne pas faire de pollution sonore.

Ne pas laisser traîner de déchets

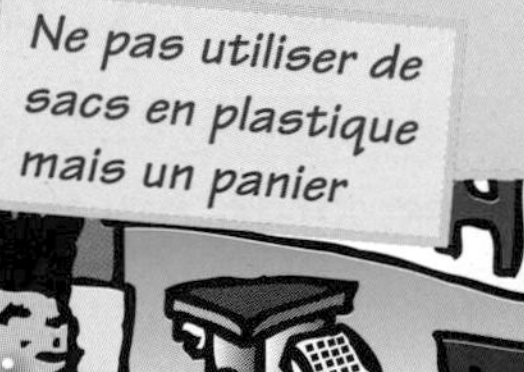

Arroser (avec un arrosoir) tôt le matin ou le soir

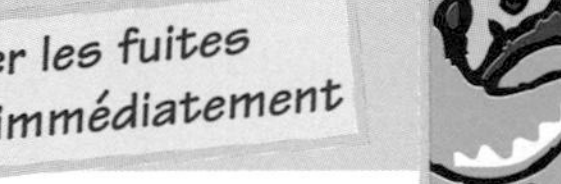

2 a Choisissez une formule de campagne pour faire passer vos idées:
un reportage vidéo, un reportage radio, un article de journal, un dépliant, une série d'affiches.

b Choisissez le type d'introduction (a–e) le mieux adapté à votre formule.

a

L'environnement en danger.
Reportage de X.
Il est grand temps de prendre conscience des dangers qui menacent notre environnement. La pollution nous concerne tous et nous devons réagir...

b

« Regardez cette fille, elle est jeune et sympa, mais c'est une criminelle! Regardez-la de plus près: elle porte un sac en plastique, fume une cigarette, laisse tomber son papier gras à côté de la poubelle ... »

c

Apprenez les réflexes écolo!
- Economisez l'eau
  - en prenant moins de bains
  - en fermant les robinets dès que possible
- Economisez l'électricité ...

d

Respectez la mer – ce n'est pas une poubelle! Campagne *Apprenons l'écologie*
Pour tous renseignements, contactez XX

e

« Bonjour à tous. Le thème de notre émission d'aujourd'hui: comment mieux protéger l'environnement dans notre ville. Pour cela, nous avons interviewé plusieurs jeunes. Bonjour ... »

3 Vous avez les idées, la formule et un exemple d'introduction. Maintenant, à vous de faire la campagne!

Interlude

Bravo Monsieur le monde – Michel Fugain

Bravo Monsieur le monde,
Chapeau Monsieur le monde,
Même quand les gens diront
Que vous ne tournez pas toujours très rond

Bravo pour vos montagnes,
C'est beau, c'est formidable,
Compliments pour vos saisons
Qui nous donnent des idées de chansons.

Bravo la mer
On n'a jamais trouvé un vert plus bleu, un bleu plus vert
Aucune symphonie n'est riche d'autant d'harmonie
Qu'un merveilleux tonnerre qui fait l'amour avec la pluie

Bravo le vent
Qui fait danser les blés, qui fait trembler les océans
Bravo pour le soleil et la colère du volcan
Bravo pour l'arc-en-ciel qui met de la joie dans le cœur d'un enfant.

Bravo Monsieur le monde
Chapeau Monsieur le monde
Nous vous demandons pardon
Pour tous ceux qui vous abîmeront

Bravo Monsieur le monde
Bravo pour la colombe
Si vous lui laissez la vie
Nous vous dirons simplement merci.

Paroles: Pierre Delanoë
Musique: Michel Fugain

1 Reliez les mots à la bonne définition:

chapeau!	*anger*
tourner rond	*to go well*
le tonnerre	*well done!*
le blé	*dove*
la colère	*wheat*
abîmer	*to spoil*
la colombe	*thunder*

2 Cette chanson est-elle plutôt optimiste ou pessimiste? Discutez.

Ça se dit comme ça!

Les sons *-ille, -ail, -aille, -eil, -eille*

1 Ecoutez et répétez.
Camille travail soleil
fille taille vieille

2 Ecoutez. Quels mots ne sont pas prononcés comme *fille*?
gentille Antilles mille
habille tranquille ville

3 Dites ces phrases. Ecoutez et répétez!
La fille de Camille travaille à Versailles.
Les abeilles piquent l'oreille et l'orteil de Mireille.
La vieille ville de Marseille est tranquille sous le soleil qui brille.

Savez-vous ... ?

- comprendre et indiquer le chemin
- décrire là où vous habitez et poser des questions
- parler du temps et comprendre la météo
- discuter de problèmes et de solutions écologiques
- préparer une campagne pour l'écologie
- vous entraîner à parler
- prononcer les sons *-ille/-ail(le)/-eil(le)*

Et en grammaire ... ?

- l'impératif
- l'infinitif passé (*après avoir fait,* etc.)
- *en* + participe présent (*en faisant,* etc.)

UNITÉ

16 Vers demain

- Le système scolaire français
- Quels métiers vous attirent?
- Orientation: comment choisir
- Etes-vous optimiste ou pessimiste pour l'avenir?
- Hier, aujourd'hui et demain

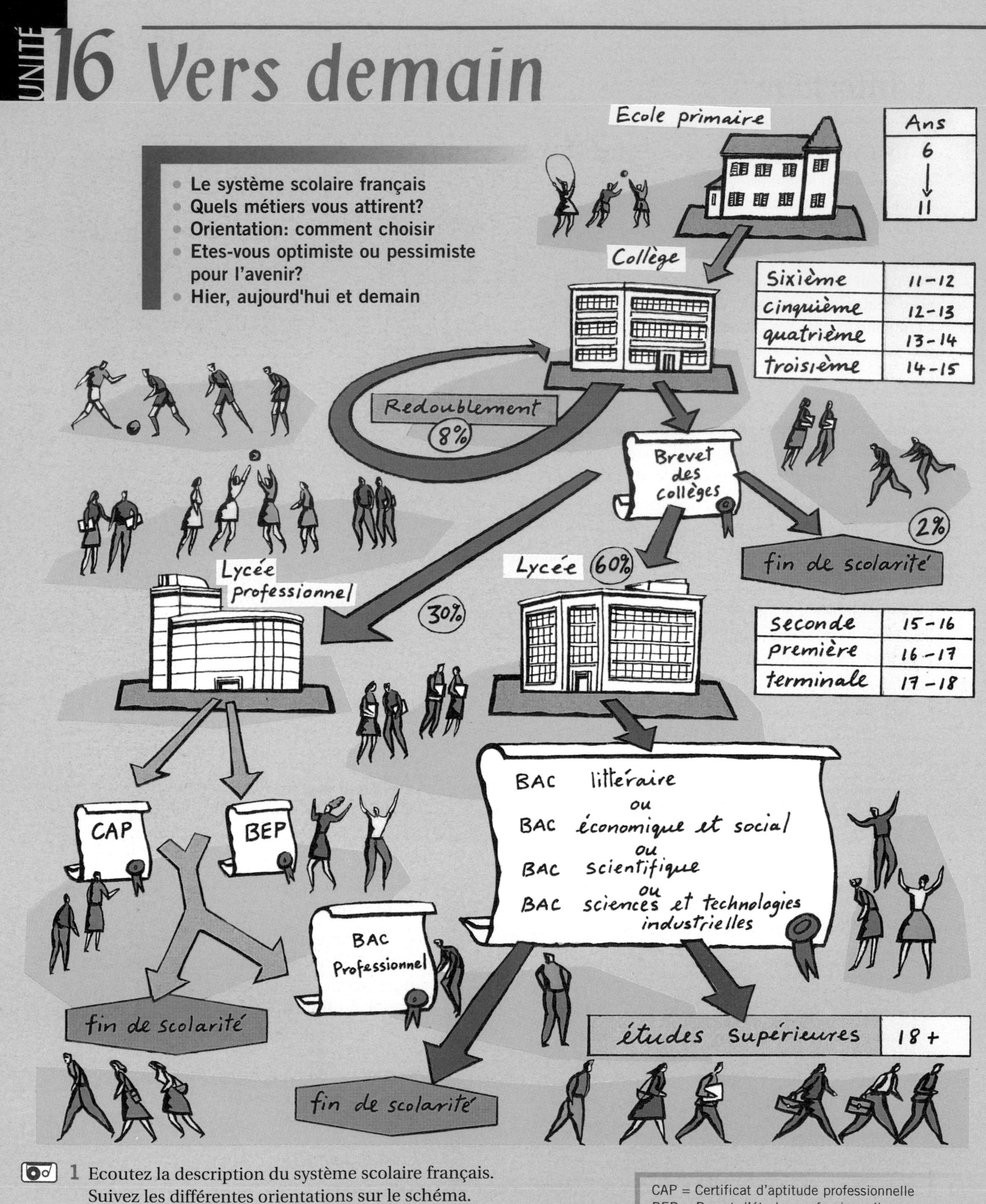

1 Ecoutez la description du système scolaire français. Suivez les différentes orientations sur le schéma.

2 Présentez le système scolaire de votre pays à des élèves français, soit par écrit, soit par un diagramme.

CAP = Certificat d'aptitude professionnelle
BEP = Brevet d'études professionnelles
Bac = Baccalauréat

Quel métier choisir?

Solo

1 Ecoutez les jeunes qui parlent de leurs projets.
  a Qui voudrait faire quel métier? Trouvez une photo pour chaque personne.
  b Réécoutez. Les jeunes ne disent pas toujours *Je voudrais être X* pour exprimer leur choix. Notez les autres expressions utilisées.

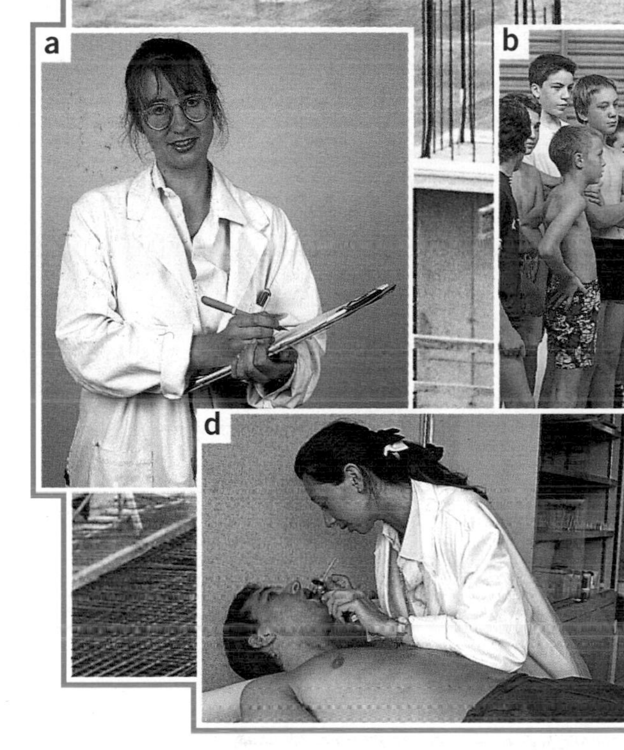

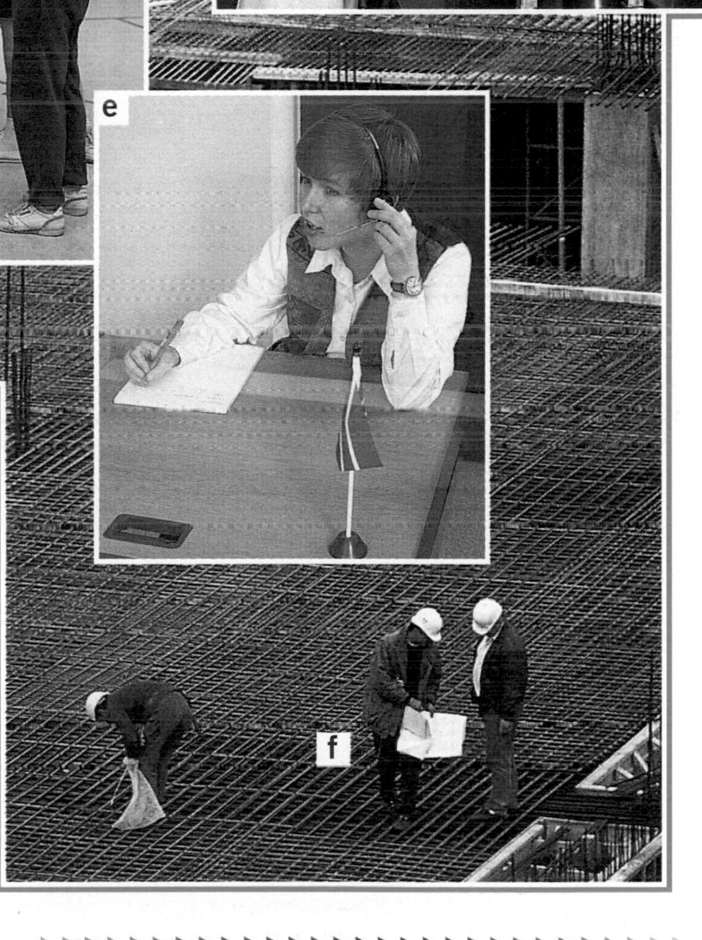

2 Quels métiers (ou quelles études) vous attirent? Ecrivez un paragraphe pour expliquer ce que vous voulez faire plus tard.

3 Discutez des idées ci-dessous avec un(e) partenaire ou par groupes. Combien d'entre vous sont d'accord, pas d'accord, ou sans opinion?

1 Tout le monde devrait rester à l'école jusqu'à 18 ans.

2 Les diplômes ne servent à rien. C'est l'expérience qui compte.

3 Les gens bien qualifiés gagnent plus.

4 Plus on a de qualifications, plus c'est facile de trouver un emploi intéressant.

5 Après 16 ans, tous les étudiants devraient recevoir un "salaire" de l'Etat.

6 Vos qualités personnelles sont plus importantes que vos diplômes.

Expressions utiles

- C'est vrai/une bonne idée. C'est faux.
- Il a raison. Il a tort. Il se trompe.
- Au contraire, ... Par contre, ...
- Ça dépend de ...
- Je (ne) suis (pas) d'accord, parce que ...
- *Voir aussi pages 20, 32, 45, et 65.*

UNITÉ

16 Orientation

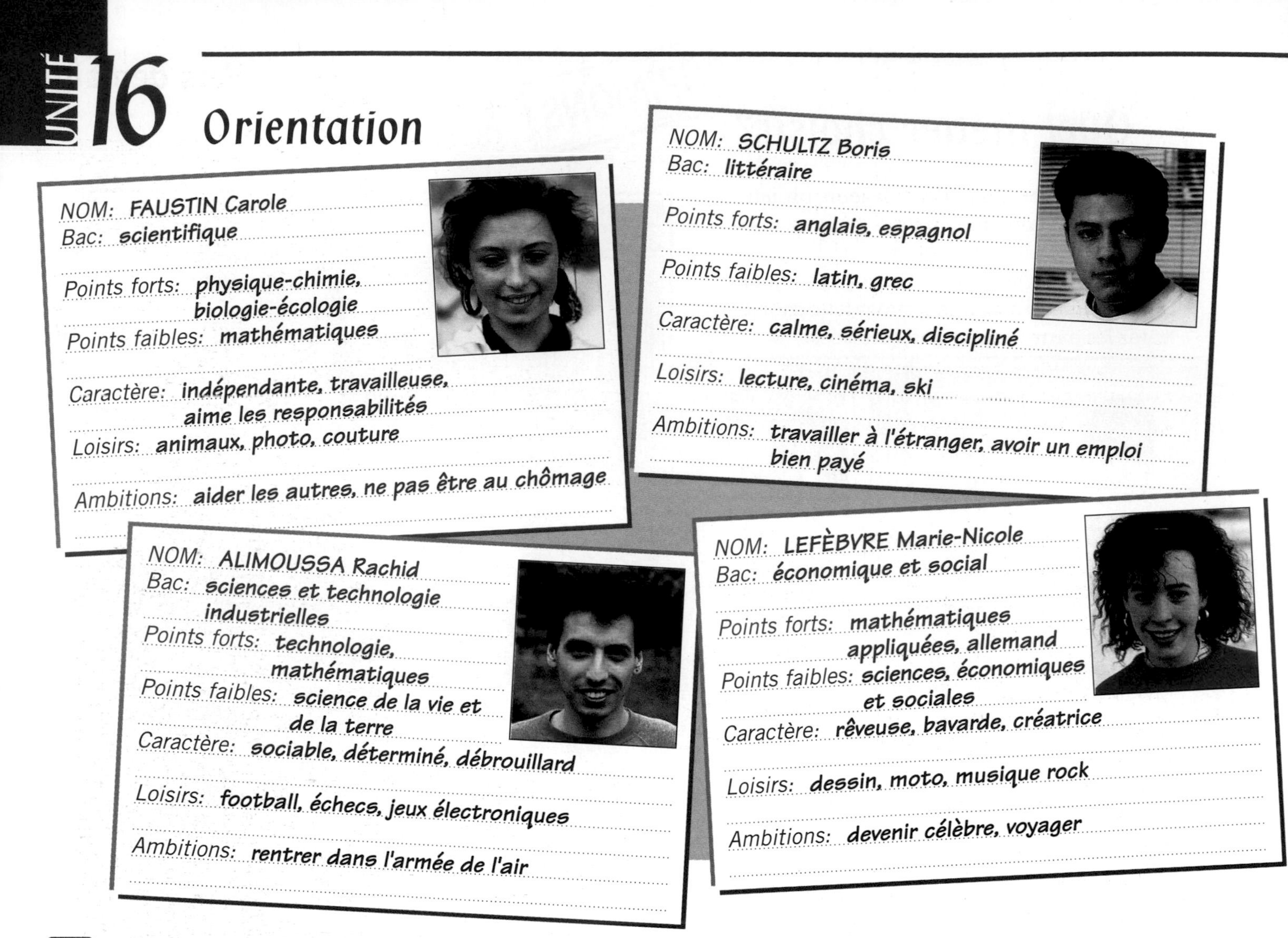

NOM: FAUSTIN Carole
Bac: scientifique
Points forts: physique-chimie, biologie-écologie
Points faibles: mathématiques
Caractère: indépendante, travailleuse, aime les responsabilités
Loisirs: animaux, photo, couture
Ambitions: aider les autres, ne pas être au chômage

NOM: SCHULTZ Boris
Bac: littéraire
Points forts: anglais, espagnol
Points faibles: latin, grec
Caractère: calme, sérieux, discipliné
Loisirs: lecture, cinéma, ski
Ambitions: travailler à l'étranger, avoir un emploi bien payé

NOM: ALIMOUSSA Rachid
Bac: sciences et technologie industrielles
Points forts: technologie, mathématiques
Points faibles: science de la vie et de la terre
Caractère: sociable, déterminé, débrouillard
Loisirs: football, échecs, jeux électroniques
Ambitions: rentrer dans l'armée de l'air

NOM: LEFÈBVRE Marie-Nicole
Bac: économique et social
Points forts: mathématiques appliquées, allemand
Points faibles: sciences, économiques et sociales
Caractère: rêveuse, bavarde, créatrice
Loisirs: dessin, moto, musique rock
Ambitions: devenir célèbre, voyager

1 a Lisez les fiches. Ensuite écoutez deux jeunes: qui parle?
b Décrivez les deux autres jeunes.

2 Proposez deux métiers à chacun des jeunes. Expliquez vos choix.
Exemple: *Je pense que Boris devrait devenir traducteur, parce qu'il est fort en langues et veut travailler à l'étranger. Ou bien, comme il est calme et discipliné, il pourrait travailler comme ...*

agent de police avocat caméraman
chirurgien comptable cosmonaute dentiste
hôtesse de l'air ingénieur en agriculture
inspecteur des impôts journaliste
météorologue pilote professeur
technicien photo traducteur vétérinaire

3 Quelles qualités sont nécessaires pour faire les métiers ci-dessus? *A* donne les qualités, *B* devine le métier.
Exemple:
A: Il faut être curieux et aimer le contact avec les gens. On doit avoir de bonnes notes en français.
B: Journaliste?

4 Expliquez dans une lettre à un(e) correspondant(e):
- les matières scolaires où vous avez les meilleurs résultats
- les examens que vous préparez
- vos qualités personnelles
- vos loisirs
- vos ambitions professionnelles.

Expressions-clés

- Je suis (très/assez) fort(e) en physique.
- Je suis moyen/moyenne en anglais.
- J'ai toujours des notes moyennes en géographie.
- Je suis (très/assez) faible en espagnol.
- Je vais passer neuf examens de GCSE en ...
- Je suis membre du club informatique du collège.
- Je passe mon temps libre à faire de la cuisine.
- Mon ambition, c'est d'être présentateur/trice à la télé.
- Je suis déterminé(e), bien organisé(e), bavard(e), calme, créateur/trice, curieux/euse, débrouillard(e), discipliné(e), indépendant(e), responsable, rêveur/euse, sérieux/euse, soigneux/euse, travailleur/euse.

5 Lisez les articles.

- **a** Dans votre pays y a-t-il l'équivalent:
  d'un conseiller d'orientation
  d'un CIO
  de l'ONISEP?
- **b** Expliquez en anglais les trois missions d'un conseiller d'orientation.
- **c** Préféreriez-vous un entretien individuel avec un conseiller d'orientation, une brochure ou une cassette vidéo pour vous aider à choisir votre futur métier? Pourquoi?

L'ONISEP (sous la direction de l'Education nationale) publie des brochures pour aider les jeunes à prendre des décisions d'orientation. Cet organisme édite aussi des cassettes vidéo, des mini-guides et des dossiers expliquant ce que l'on peut faire après la 6e, la 3e, la seconde, le bac, un CAP-BEP, un bac professionnel. Il propose des dossiers thématiques (Etudier en Europe, par exemple).

Il existe aussi un serveur Minitel: 36 15 **ONISEP** qui fournit beaucoup de renseignements, donne les dates de concours, propose des tests et des jeux et répond même à vos questions sous 48 heures.

ONISEP = Office National d'Information sur les Enseignements et les Professions

Le conseiller d'orientation m'a remis les pieds sur terre ...

... avant, je voulais être cosmonaute!

Le bon choix au bon moment

Dès le collège, un élève va rencontrer des conseillers d'orientation. Ils sont plus de 4 000 en France. Il pourra faire appel à eux pendant toute sa scolarité.

Ces conseillers d'orientation sont basés dans des CIO (Centre d'information et d'orientation). Ils sont chargés de trois missions:

- Ils vont dans les collèges et les lycées apporter aux élèves une information adaptée à leur niveau, en collaboration avec les professeurs.
- Les élèves peuvent venir dans les CIO (il y en a 575 en France), pour se renseigner sur les formations, les diplômes, les métiers. Les conseillers d'orientation sont alors à leur disposition pour les aider dans leurs recherches.
- Les conseillers reçoivent des élèves en entretien individuel, et leur permettent d'affirmer leurs choix grâce à la discussion, ou encore à des tests psychologiques.

Interview avec un informaticien

1 Pour devenir informaticien, Philippe a étudié:

- **a** un an après le bac
- **b** deux ans après le bac
- **c** trois ans après le bac.

2 Vrai ou faux?

- **a** Philippe travaille pour une société de service en informatique.
- **b** Il travaille toujours à Nantes.
- **c** En ce moment il travaille pour un architecte.
- **d** Il a l'impression de fabriquer quelque chose de concret.
- **e** Il adore les déplacements dans d'autres villes.
- **f** Quand il travaillait à Brest, il rentrait chez lui uniquement le vendredi.

3 Dans l'avenir, Philippe pense que les ménagères utiliseront les micro-ordinateurs. Pour quoi faire?

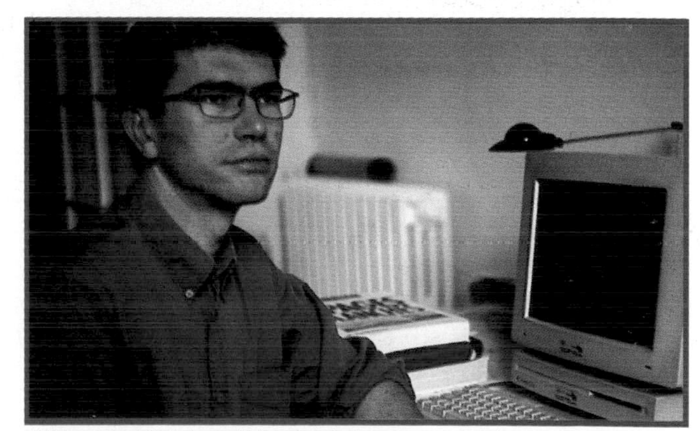

Philippe Goubil, informaticien (analyste-programmeur)

UNITÉ 16

Les promesses du futur

1 Ecoutez quatre parents d'élèves. Notez leurs préoccupations et les espoirs qu'ils ont pour leurs enfants.
Exemple: *Préoccupation: le chômage.*
Elle espère que sa fille réussira.

2 Lisez les résultats d'un sondage. Que remarquez-vous d'intéressant? Faites des phrases pour expliquer les chiffres.
Exemple: *La plupart des jeunes – 65% – pensent que leurs chances de trouver un emploi à la fin de leurs études sont faibles.*

Sondage: Résultats

Pensez-vous que vos chances de trouver un emploi à la fin de vos études sont ... ?

	Très grandes	Plutôt grandes	Plutôt faibles	Très faibles	Ne se prononcent pas
Moyenne	3%	31%	52%	13%	1%
Total	**34%**		**65%**		**1%**
Garçons	4%	33%	50%	13%	-
Filles	2%	29%	55%	13%	1%

Lorsque vous pensez à votre avenir, croyez-vous que vous vivrez mieux ou plutôt moins bien que vos parents?

	Plutôt mieux	Plutôt moins bien	Ni mieux ni moins bien	Ne se prononcent pas
Total	44%	48%	4%	4%

Réussir sa vie, c'est avant tout exercer un métier passionnant.

	Tout à fait d'accord	Plutôt d'accord	Plutôt pas d'accord	Pas d'accord du tout
	70%	27%	2%	1%
Total	**97%**		**3%**	

Réussir sa vie, c'est avant tout gagner beaucoup d'argent.

	Tout à fait d'accord	Plutôt d'accord	Plutôt pas d'accord	Pas d'accord du tout
	14%	39%	32%	15%
Total	**53%**		**47%**	

Enquête IFOP, juin 1994

3 Faites le sondage dans votre classe. Comparez les résultats. Est-ce que les élèves en France sont plus optimistes que vous?
Dessinez un graphique ou écrivez un article pour présenter vos conclusions.

Ça se dit comme ça!

On utilise le mot **plus**:

- pour faire des additions:
  120 francs **plus** deux suppléments de 10 francs, ça fait 140 francs.
- pour la quantité:
  Il y aura **plus** d'ordinateurs dans dix ans.
- dans la négation:
  On ne peut **plus** compter sur un seul métier pour la vie.
- dans les comparaisons:
  Les garçons sont **plus** travailleurs que les filles?

1 Quand est-ce qu'on prononce le "s" à la fin du mot *plus*? Ecoutez les quatre phrases ci-dessus pour trouver la réponse.

2 Lisez les phrases suivantes à voix haute. Ecoutez la cassette pour vérifier votre prononciation.
a C'est le métier le plus passionnant.
b Je voudrais gagner plus d'argent.
c Elle a de l'expérience, plus de bonnes qualifications.
d On ne travaillera plus du tout.

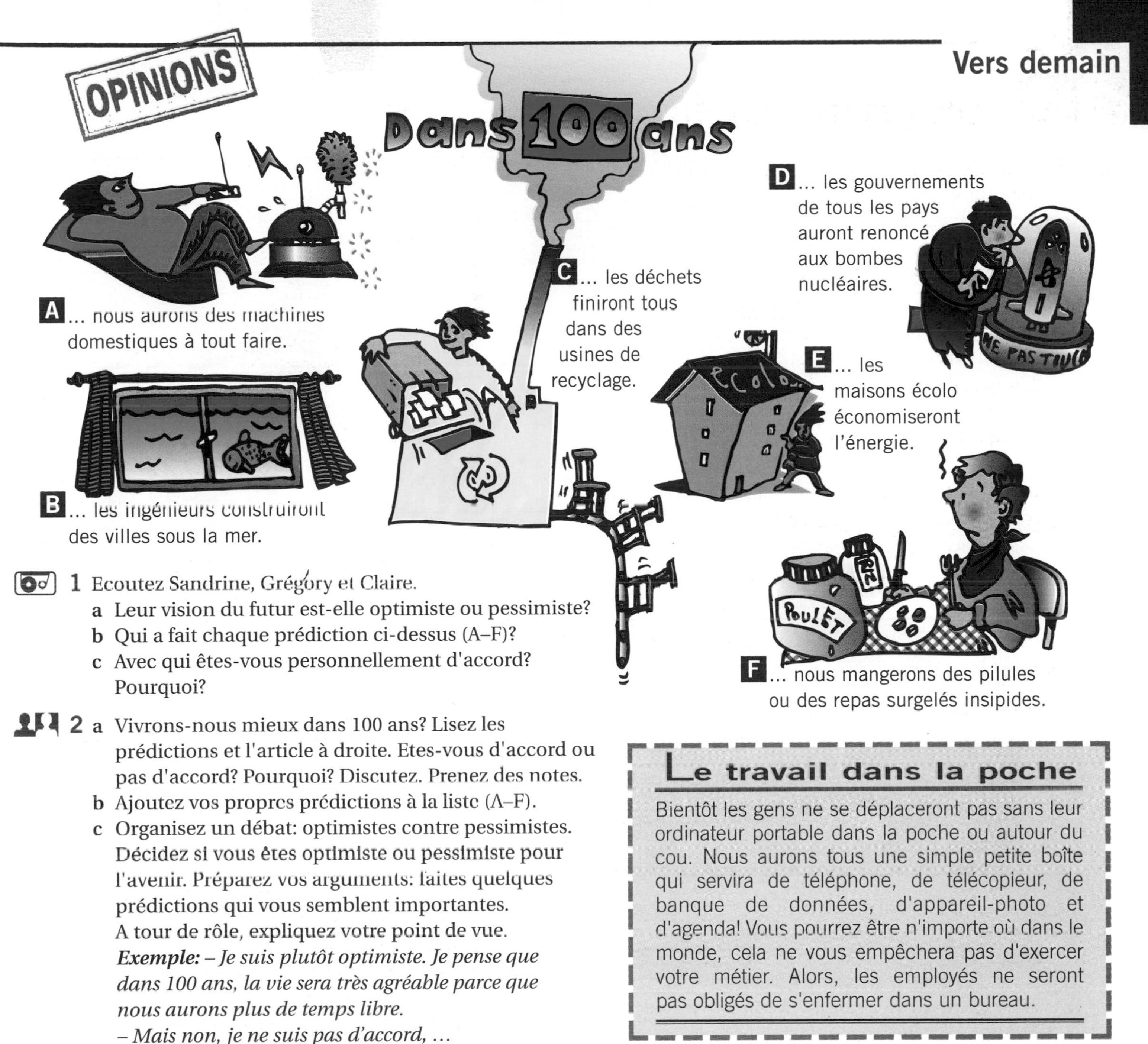

A ... nous aurons des machines domestiques à tout faire.

B ... les ingénieurs construiront des villes sous la mer.

C ... les déchets finiront tous dans des usines de recyclage.

D ... les gouvernements de tous les pays auront renoncé aux bombes nucléaires.

E ... les maisons écolo économiseront l'énergie.

F ... nous mangerons des pilules ou des repas surgelés insipides.

1 Ecoutez Sandrine, Grégory et Claire.

- **a** Leur vision du futur est-elle optimiste ou pessimiste?
- **b** Qui a fait chaque prédiction ci-dessus (A–F)?
- **c** Avec qui êtes-vous personnellement d'accord? Pourquoi?

2
- **a** Vivrons-nous mieux dans 100 ans? Lisez les prédictions et l'article à droite. Etes-vous d'accord ou pas d'accord? Pourquoi? Discutez. Prenez des notes.
- **b** Ajoutez vos propres prédictions à la liste (A–F).
- **c** Organisez un débat: optimistes contre pessimistes. Décidez si vous êtes optimiste ou pessimiste pour l'avenir. Préparez vos arguments: faites quelques prédictions qui vous semblent importantes.
  A tour de rôle, expliquez votre point de vue.
  Exemple: *– Je suis plutôt optimiste. Je pense que dans 100 ans, la vie sera très agréable parce que nous aurons plus de temps libre.*
  – Mais non, je ne suis pas d'accord, ...

Le travail dans la poche

Bientôt les gens ne se déplaceront pas sans leur ordinateur portable dans la poche ou autour du cou. Nous aurons tous une simple petite boîte qui servira de téléphone, de télécopieur, de banque de données, d'appareil-photo et d'agenda! Vous pourrez être n'importe où dans le monde, cela ne vous empêchera pas d'exercer votre métier. Alors, les employés ne seront pas obligés de s'enfermer dans un bureau.

Zoom sur le futur (2)

Le futur des verbes au pluriel = **radical + terminaison**
Souvent, le radical = l'infinitif du verbe, mais il y a de nombreuses exceptions.

	manger	*avoir*	*être*
		Deux exceptions:	
nous	manger**ons**	**aur**ons	**ser**ons
vous	manger**ez**	**aur**ez	**ser**ez
ils/elles	manger**ont**	**aur**ont	**ser**ont

15a

1 Trouvez des exemples de verbes au futur dans cette page. Qui a la liste la plus longue?

2 Recopiez ce paragraphe, en transformant les infinitifs en futurs.
Nous [*être*] beaucoup plus nombreux dans le futur, mais nous [*devoir*] pourtant partager le même espace. D'après les biologistes, nous [*pouvoir*] un jour vivre 150 ans. Bientôt les pays riches [*avoir*] une population inactive plus importante que la population active. Les comportements [*devoir*] donc changer. Où [*habiter*]-vous? 75% des humains [*vivre*] en ville en 2100, contre à peine 25% aujourd'hui.

UNITÉ 16

Interlude

Visitez aujourd'hui le cinéma de demain!

- A côté de Poitiers se trouve un parc unique au monde. C'est le parc européen de l'image: le Futuroscope. Au programme, les images les plus extraordinaires d'aujourd'hui et de demain.

- La première vision du parc surprend: le Futuroscope a un look vraiment futuriste. L'architecture très originale des bâtiments utilise des formes inattendues et des matériaux nouveaux. Le spectacle est partout. Voici les 'coups de cœur' de notre reporter.

Les Cinémas Dynamiques

Une fois installé (et attaché), il est trop tard pour reculer! Votre siège se met à bouger et vous partez. Dans la "Mine du diable" vous avez l'impression de slalomer à bord d'un wagonnet dans les galeries d'une mine abandonnée. A chaque virage, bonjour les secousses du fauteuil! "Cosmic Pinball" vous propulse dans les méandres d'un flipper géant sur une galaxie lointaine.

Le Solido

Imaginez un film où vous pouvez toucher les personnes, voyager à l'intérieur d'une plante ou avoir la sensation de recevoir une goutte d'eau. C'est l'effet 'magique' du Solido. Ce résultat est obtenu par la combinaison d'un énorme écran hémisphérique, d'images stéréoscopiques et de lunettes à cristaux liquides.

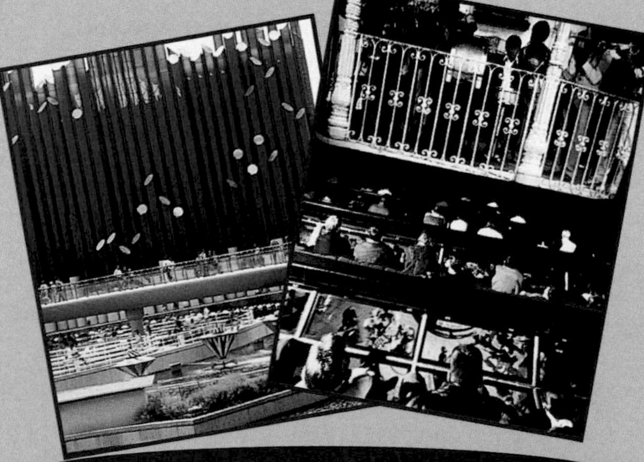

Le Tapis Magique

Un spectacle unique au monde: "Le tapis magique". Confortablement installé dans son fauteuil, le visiteur découvre que le spectacle n'est pas seulement devant ses yeux mais aussi sous ses pieds, grâce à un immense plancher de verre. Le plus fou: on croit 'flotter'!

ASTUCES

Savez-vous organiser votre pensée?

Pour un récit d'événements

1 a Mettez les images dans le bon ordre.
b Décrivez chaque image à votre partenaire.
c Ecrivez un paragraphe pour raconter l'histoire. Ajoutez une scène finale.
Exemple: *Au début, elle ... Puis, ... Ensuite, ... Finalement, ...*

Pour un exposé ou une composition

2 Imaginez que vous devez faire une composition, à présenter à la classe ou à enregistrer. Vous avez comme titre: *Un monde meilleur pour tous dans 100 ans?* Suivez les conseils ci-dessous.

1 Lisez le titre et réfléchissez. Notez des idées générales en rapport avec le sujet, soit sous forme de questions, soit sous forme d'une liste de grands titres. Pour le moment, l'ordre n'a pas d'importance.

On sera combien?
Comment seront les maisons?
On ne se battra plus?
On saura guérir plus de maladies?

nourriture
médecine
technologie
pollution

2 Décidez quel sera votre point de vue. Ici, allez-vous répondre oui ou non à la question posée?

3 Trouvez des idées pour approfondir chaque point. Mettez l'accent sur les arguments les plus importants.

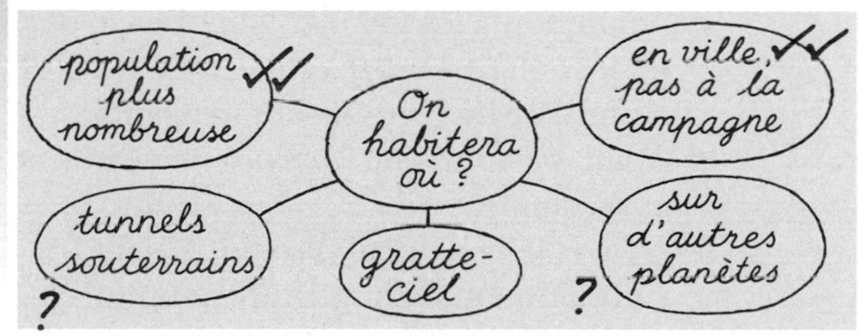

4 Pensez aux contre-arguments possibles et préparez votre contre-attaque.

explosion de population → mais meilleure production/distribution de nourriture, donc meilleur niveau de vie pour tous

5 Faites un plan. Mettez vos idées dans l'ordre le plus logique ou le plus convaincant.

6 Prenez une nouvelle feuille de papier et commencez à écrire votre exposé! (Faites un brouillon d'abord, pour recopier plus tard.) Commencez par l'introduction. Elle doit expliquer le titre et introduire les points que vous allez développer. Elle doit aussi attirer l'attention du lecteur.

Comment sera le monde dans 100 ans? Il est impossible de savoir définitivement s'il sera meilleur ou pire qu'à présent, mais d'après les développements récents, on peut être optimiste. Je vais examiner certains aspects importants: la population, la nourriture, la guerre, la médecine, ...

7 Suivez votre plan. Présentez chaque idée dans l'ordre.

8 Tirez votre conclusion.

En utilisant les leçons du passé, nous pourrons créer un monde plus tolérant, plus respectueux de l'environnement, et donc ...

9 Relisez votre introduction: convient-elle toujours à ce qui suit? Révisez-la, si nécessaire.

10 Relisez le tout, pour corriger les fautes d'orthographe et pour améliorer les phrases mal exprimées. Recopiez au propre, si vous ne travaillez pas sur ordinateur.

UNITÉ 16

Zoom sur les temps: du passé au futur

Apprenez bien les différents temps des verbes
– pour comprendre plus facilement ce que vous entendez ou lisez
– pour vous exprimer plus clairement et plus correctement.

Pour parler du passé

16d
• L'imparfait

Une description:	Elle **était** douée en maths.
Une habitude:	J'**allais** souvent à la bibliothèque.
Un souhait/regret:	Il **voulait** devenir psychologue.

16a,b
• Le passé composé

Action complètement achevée:	Hier, j'**ai fait** mes devoirs. Nous **avons reçu** les résultats. Nous **sommes partis**.

16e
• Venir de + infinitif

Pour le passé récent:	Je **viens de** lui téléphoner.

16i
• Le passé simple (à reconnaître)

Dans les récits surtout historiques, à l'écrit, et à la 3e personne:	Le professeur **entra**, **prit** une encyclopédie et **tourna** lentement les pages.

16g
• Le plus-que-parfait (à reconnaître)

Une action dans le passé avant un autre moment du passé:	Je suis arrivé à l'arrêt, mais le bus **était** déjà **parti**.
Une hypothèse non réalisée:	Si je n'**avais** pas **raté** mon bac, je ne serais pas ici.

Pour parler du présent

14
• Le présent

Une action qui se passe en ce moment:	Ils **font** leurs devoirs. (Ils **sont en train de faire** leurs devoirs.)
Une habitude:	Les cours **commencent** à huit heures.
Une vérité générale:	Paris **est** la capitale de la France.

Pour parler du futur

15c
• Le présent

Pour une action future proche:	Tu **passes** l'oral demain?

15a,b
• Le futur

Une action future:	L'année prochaine, je **passerai** mon bac. (Je **vais passer** mon bac.)
Une prédiction:	Nous **pourrons** vivre 100 ans.

1 Classez les expressions suivantes: passé, présent ou futur?

avant-hier **prochainement** *tout à l'heure* en ce moment *bientôt* ***trois jours plus tôt*** **cette semaine** dans une semaine autrefois à l'heure actuelle **désormais** *à l'avenir*

2 Recopiez et complétez ces phrases avec le verbe au bon temps.

a En 2050, la population du monde [*être*] entre 7 et 16 milliards.
b En Chine, il y a 20 ans, on [*compter*] en moyenne cinq enfants par famille.
c Aujourd'hui, les familles chinoises n' [*avoir*] qu'un enfant à cause d'une politique très autoritaire de contrôle des naissances.
d Avant, personne ne [*prévoir*] un changement aussi rapide.
e A l'avenir, la planète [*produire*]-t-elle suffisamment de nourriture pour tous?
f La peur de manquer de nourriture [*être*], en ce moment, injustifiée.
g En Afrique tropicale, on [*pouvoir*] bientôt produire dix fois plus de céréales qu'aujourd'hui.
h Avant-hier, nous [*parler*] des réformes scolaires quand le prof [*entrer*].
i La semaine dernière, je [*voir*] le conseiller d'orientation et il [*expliquer*] les différentes qualifications nécessaires.
j Petit, je [*rêver*] d'être explorateur, mais maintenant, je [*penser*] que je [*être*] comptable.

C'est ça, le progrès!

Autrefois, la mode était simple. On chassait les animaux pour leur peau. On fabriquait soi-même des vêtements qui protégeaient du froid.

Aujourd'hui, si vous aimez la mode, vous avez le choix! Il y a une variété énorme de styles, de textiles, de couleurs.

Un jour, la mode n'aura plus d'importance. Tout le monde portera un costume en plastique inusable. Ce costume protégera des microbes et des maladies.

Au Moyen Age, on se déplaçait à pied. Pour aller plus vite, si l'on était assez riche, on allait à cheval.

Les moyens de transport d'aujourd'hui vont plus vite que les chevaux d'autrefois, sauf dans les embouteillages des grandes villes.

A l'avenir, nous nous déplacerons plus souvent et plus loin. Chaque individu possédera un véhicule capable de voler. On pourra faire le tour du monde en moins d'un jour.

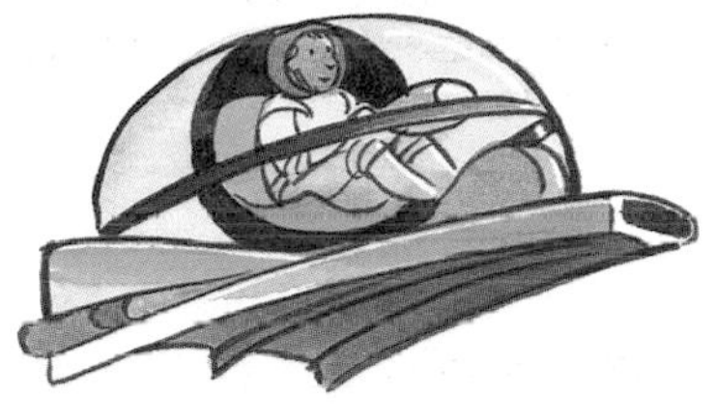

Au 19e siècle, l'école n'était pas pour tout le monde. Les professeurs étaient sévères. Les élèves écrivaient avec une craie sur une ardoise.

Aujourd'hui en France, l'école est obligatoire pour tous jusqu'à l'âge de 16 ans. Il y a un emploi du temps varié et des ressources technologiques modernes.

Au 21ème siècle, les élèves n'auront plus besoin d'aller à l'école: ils suivront leurs cours chez eux, et se mettront en contact avec leurs professeurs par ordinateur.

1 Choisissez trois des domaines suivants et écrivez un paragraphe pour chacun avec la séquence:
Autrefois..., Aujourd'hui ..., Un jour....
(Attention aux temps des verbes!)

les vacances, les maisons, les loisirs, les communications, la pollution, la nourriture, la médecine, l'énergie, le travail, la musique

Savez-vous ... ?

- parler de vos études et des examens que vous allez passer
- parler des métiers qui vous attirent et expliquer pourquoi
- expliquer vos rêves et vos préoccupations pour l'avenir
- organiser votre pensée
- bien prononcer le mot *plus*

Et en grammaire ... ?

- le futur simple (*nous mangerons, ils auront*, etc.)
- utiliser correctement les différents temps des verbes

Révisez! Unités 15 et 16

Révisez pages 184, 185, 188, 190

1 Lisez l'annonce et la dissertation de Jacques.

a Dessinez un plan de la ville avec les propositions de Jacques.

b Inventez des slogans de campagne pour Jacques.
Exemple: *Réduisez la circulation, en améliorant le transport public! Plantez plus d'arbres au centre-ville!*

c Notez comment Jacques a organisé sa dissertation. Ecrivez une dissertation pour décrire comment vous voyez l'avenir de votre environnement local. Faites un concours en classe. Qui a écrit la meilleure dissertation?

Gagnez un appareil-photo!

CONCOURS

Ecrivez une dissertation avec le titre:

Projet pour l'environnement local.

Illustrez si vous voulez.

Envoyez votre dissertation à la Mairie avant le 15 septembre.

Projet pour l'environnement local
Jacques Didou (16 ans)

Je trouve ma ville assez laide et pas du tout intéressante. L'air est très pollué, il y a trop de circulation et de bruit. Il n'y a presque pas d'espaces verts, ni de distractions pour les jeunes. L'hôtel de ville est le bâtiment le plus beau de la ville, mais on ne le voit presque pas à cause des grands immeubles qui sont juste devant. Il n'y a pas beaucoup de magasins en ville et presque tout le monde va à l'hypermarché à 10 kilomètres au nord de la ville. Si on ne fait rien pour l'environnement dans notre ville, elle sera invivable dans dix ans!

Alors, je rêve ....

D'abord, il faut construire des maisons modernes en banlieue pour les familles qui, comme la mienne, habitent dans des immeubles. A côté de ces maisons, on pourrait avoir un parc avec des jeux pour les enfants.

Pour avoir une jolie vue sur l'hôtel de ville, on devrait démolir les grands immeubles qui le cachent. Comme ça, on pourrait créer un espace vert avec des bancs, un terrain de boules et un café sympa. Ensuite, je propose de rendre gratuit les parkings du centre-ville. Sinon, les gens continueront à faire leurs courses à l'hypermarché où le parking est gratuit. A côté de l'hôtel de ville, on pourrait faire une rue piétonne avec de nombreux magasins. On la décorerait avec des plantes et des fleurs. On encouragerait les artistes à y venir pour distraire les gens. Pour réduire la circulation en ville, il faut améliorer les transports publics avec plus de bus, à des prix moins élevés.

Enfin, il faut créer des distractions pour les jeunes. Je propose la construction d'un centre de jeunesse en banlieue, mais avec un service de bus gratuits, avec des activités sportives et culturelles, y compris un café et une boîte de nuit. Ça coûtera cher, mais à mon avis cela vaut la peine d'y réfléchir. Il y aura sûrement moins de violence et de vandalisme en ville, parce que les jeunes ne s'ennuyeront plus et commenceront à utiliser leur temps libre intelligemment.

En conclusion, je pose une seule question: Voulez-vous une ville invivable? Non, alors, considérez bien mes propositions!

Révisez pages 187, 188, 190

2 a Faites une liste de dix règles pour encourager les jeunes à protéger la planète.

Exemples:

1 Economisez de l'eau – prenez une douche plutôt qu'un bain.

2 Jetez les emballages en verre dans des conteneurs spéciaux.

Révisez page 187

b Qu'est-ce qui va ensemble? Ecrivez des phrases, en utilisant la construction *après avoir* ou *après être.*

Exemple: *Après avoir rencontré le conseiller d'orientation, il a décidé de continuer ses études.*

rencontrer le conseiller d'orientation	faire un tour du monde
regarder beaucoup de films policiers	décider de continuer ses études
gagner beaucoup d'argent	partir pour un entretien dans une banque
aller en Angleterre	devenir inspecteur de police
mettre un costume chic	travailler comme secrétaire bilingue

Révisez page 188

c Hier, c'était une journée chargée pour Sandrine. Décrivez ce qu'elle a fait.

Exemple: *Sandrine a mangé le petit déjeuner en s'habillant.*

3 Exposé

a Préparez votre exposé, en révisant les expressions-clés et le vocabulaire utile.

Révisez pages 184, 185, 186, 190

Autour de moi

ou

Révisez pages 193, 194, 200

Mes projets d'avenir

b Après avoir révisé, écrivez des mots-clés pour votre exposé comme aide-mémoire. Ecoutez l'exemple de la cassette si vous voulez.

Exemple:

intérêts au collège (langues étrangères)
examens et études (et tour du monde!)
loisirs (correspondre, voyager)
mes qualités personnelles (travailleur, contact avec les gens, pas de patience!)
mes ambitions professionnelles (à l'étranger, prof)

c Parlez, en utilisant vos notes comme aide-mémoire. Si possible, enregistrez-vous. Puis écoutez (ou demandez l'opinion de quelqu'un) et essayez d'améliorer votre exposé!

Le Plat Pays, de Jacques Brel

Jacques Brel (1929–1978), auteur-compositeur et chanteur, a occupé une place privilégiée dans la chanson française, surtout par la poésie de ses textes.
Le Plat Pays est un poème sur son pays d'origine, la Belgique. Il décrit, dans des vers pleins de belles images, la côte, le paysage, les canaux en hiver et la plaine en été.

Avec la mer du nord pour dernier terrain vague
Et des vagues de dunes pour arrêter les vagues
Et de vagues rochers que les marées dépassent
Et qui ont à jamais le cœur à marée basse
Avec infiniment de brumes à venir
Avec le vent d'ouest, écoutez-le tenir
Le plat pays qui est le mien.

Avec des cathédrales pour uniques montagnes
Et de noirs clochers comme mâts de cocagne
Où des diables en pierre décrochent les nuages
Avec le fil des jours pour unique voyage
Et des chemins de pluie pour unique bonsoir
Avec le vent de l'est, écoutez-le vouloir
Le plat pays qui est le mien.

Avec un ciel si bas qu'un canal s'est perdu
Avec un ciel si bas qu'il fait l'humilité
Avec un ciel si gris qu'un canal s'est pendu
Avec un ciel si gris qu'il faut lui pardonner
Avec le vent du nord qui vient s'écarteler
Avec le vent du nord, écoutez-le craquer
Le plat pays qui est le mien.

Avec de l'Italie qui descendrait l'Escaut
Avec Frida la blonde quand elle devient Margot
Quand les fils de novembre nous reviennent en mai
Quand la plaine est fumante et tremble sous juillet
Quand le vent est au rire, quand le vent est au blé
Quand le vent est au sud, écoutez-le chanter
Le plat pays qui est le mien.

terrain vague = *waste ground*
des vagues de dunes = *waves of sand dunes*
que les marées dépassent = *that the tides go past*
à marée basse = *at low ebb*
infiniment de brumes = *mists going on to infinity*
de noirs clochers = *black church steeples*
mâts de cocagne = *greasy pole (for climbing, at a fair)*
des diables en pierre = *stone devils*
décrochent = *unhook/catch at*
s'est pendu = *hung itself*
qui vient s'écarteler = *which comes and tears itself apart*
l'Escaut = *the Scheldt (a river)*
fumante = *steaming*

Roberto Zucco, de Bernard-Marie Koltès

Bernard-Marie Koltès (1948–1989) a été comédien, puis a réalisé une dizaine de mises en scène avant sa mort. Il a beaucoup voyagé en Afrique et en Amérique. Ses histoires de vie et de mort se sont inspirées de problèmes et de tragédies actuels. C'est un fait divers (dans le journal) qui a inspiré sa dernière pièce, *Roberto Zucco*.

Zucco s'est évadé de prison où il avait été enfermé pour le meurtre de son père. Il vient d'entrer par la fenêtre dans la chambre d'une petite fille.

LA GAMINE. Enlève tes chaussures. Comment t'appelles-tu ?
ZUCCO. Appelle-moi comme tu veux. Et toi ?
LA GAMINE. Moi je n'ai plus de nom. On m'appelle tout le temps de noms de petites bêtes, poussin, pinson, moineau, alouette, étourneau, colombe, rossignol. Je préférerais que l'on m'appelle rat, serpent à sonnettes ou porcelet. Qu'est-ce que tu fais, dans la vie ?
ZUCCO. Dans la vie ?
LA GAMINE. Oui, dans la vie : ton métier, ton occupation, comment tu gagnes de l'argent, et toutes ces choses que tout le monde fait ?
ZUCCO. Je ne fais pas ce que fait tout le monde.
LA GAMINE. Alors justement, dis-moi ce que tu fais.
ZUCCO. Je suis agent secret. Tu sais ce que c'est, un agent secret ?
LA GAMINE. Je sais ce que c'est qu'un secret.
ZUCCO. Un agent, en plus d'être secret, il voyage, [...] il va en Afrique. Tu connais l'Afrique ?
LA GAMINE. Très bien.
ZUCCO. Je connais des coins, en Afrique, des montagnes tellement hautes qu'il y neige tout le temps. Personne ne sait qu'il neige en Afrique. Moi c'est ce que je préfère au monde : la neige en Afrique qui tombe sur des lacs gelés.
LA GAMINE. Je voudrais aller voir la neige en Afrique. Je voudrais faire du patin à glace sur les lacs gelés.
ZUCCO. Il y a aussi des rhinocéros blancs qui traversent le lac, sous la neige.
LA GAMINE. Comment tu t'appelles ? Dis-moi ton nom.
ZUCCO. Jamais je ne dirai mon nom.
LA GAMINE. Pourquoi ? Je veux savoir ton nom.
ZUCCO. C'est un secret.

poussin = *chick*
pinson = *chaffinch*
moineau = *sparrow*
alouette = *lark*
étourneau = *starling*
colombe = *dove*
rossignol = *nightingale*
serpent à sonnettes = *rattlesnake*
porcelet = *piglet*
des coins = *places*

Révisez tout! Ecoutez

Révisez pages 64, 71, 93, 111, 117, 159

1 Recopiez la fiche de Correspondance Mondiale, une agence qui met en contact des jeunes qui cherchent un(e) correspondant(e). Ecoutez Lucien, Christelle et Marcel et complétez trois fiches.

Conseils:

- Pensez au vocabulaire que vous allez entendre. Par exemple, faites une liste de traits de caractère.
- Vous allez entendre beaucoup d'informations. Alors, à la première écoute, cherchez seulement le nom, l'âge, l'adresse et la nationalité. Puis, à la deuxième écoute, ajoutez les autres renseignements.
- N'essayez pas d'écrire en écoutant. Prenez des notes, au brouillon, et écrivez vos réponses après avoir tout écouté.

CORRESPONDANCE MONDIALE

Nom: ....

Age: ....

Adresse: ....

....

Nationalité: ....

Langue(s): ....

Caractère: ....

....

Passe-temps: ....

....

....

Préférences en cinéma: ....

musique: ....

mode: ....

Révisez pages 90, 91, 159, 186

2 Trois jeunes parlent de leurs vacances. Répondez aux questions.

a Ecoutez Luc.
  1 Quelle carte postale a-t-il envoyé à son père?
  2 Qu'est-ce qu'il a fait pendant les vacances? (3 activités.)

b Ecoutez Charlotte et répondez aux questions.
  1 Où a-t-elle passé ses vacances?
  2 Quand est-elle partie?
  3 Où a-t-elle logé?
  4 Qu'est-ce qu'elle a fait? (7 activités.)
  5 Est-ce qu'elle s'est bien amusée?

c Ecoutez Alex, en prenant des notes. Puis, faites un résumé de ses vacances.

Conseils:

- Lisez les questions à l'avance pour savoir exactement les détails qu'il vous faut.
- Avant d'écouter Luc, faites des prédictions, en regardant les cartes postales.

Révisez pages 20, 32, 45, 63, 193

 **3** « Les petits jobs pour les jeunes, qu'en pensez-vous? » Ecoutez l'interview et notez l'opinion de chaque personne.
Exemple: *1 Pas d'accord. Les jeunes devraient faire leurs devoirs.*

Conseils:

- Faites des prédictions. Quelles expressions allez-vous entendre?
- Faites attention à la voix de chaque personne. La façon de parler peut vous aider à comprendre le sens général.
- N'essayez pas d'écrire les phrases entières que vous entendez. Notez les mots-clés, au brouillon, puis réécrivez-les.

Révisez pages 14, 17, 26, 29, 32, 105

4 Ecoutez Céline parler de ses rapports avec sa famille.
a Qui sont les personnes sur la photo?
b Recopiez la grille. Utilisez-la pour prendre des notes sur ses rapports avec chaque membre de la famille.

qui	rapports positifs	rapports négatifs	pourquoi
mère		✓	*sévère, ne me comprend pas, n'a jamais le temps de parler*

Conseils:

- Ecoutez attentivement. Par exemple, il y a une grande différence entre *je m'entends bien avec lui* et *je ne m'entends pas bien avec lui*.
- Faites attention aux petits détails. Donnez le plus d'informations possibles.
- Si vous écoutez la cassette seul(e), vous pouvez faire une pause de temps en temps.

Révisez tout! Parlez

Révisez pages 64, 71, 93, 111, 117, 159

1 Avec un(e) partenaire, discutez des vacances (les dernières ou les prochaines – choisissez).

Conseils:

- Préparez-vous avant de parler. Notez des questions possibles et préparez vos réponses.
- Préparez des réponses intéressantes et pas trop courtes.
  Par exemple, à la question: *Où as-tu logé?*, répondez: *On a loué un gîte très confortable près de la plage. Il y avait une piscine dans le jardin et j'ai trouvé ça super!*
- Ecoutez attentivement les questions. Sinon vous risquez de ne pas bien les comprendre!
- Essayez d'utiliser des expressions variées pour donner votre opinion.

Révisez pages 64, 117, 187

2 Utilisez l'illustration et vos propres idées pour décrire ce que vous avez fait pendant une journée intéressante au bord de la mer.

Conseils:

- Notez des mots-clés comme aide-mémoire.
- Utilisez des mots intéressants et des phrases complexes.
  Par exemple: *Après avoir mangé un pique-nique, j'ai fait une promenade le long de la plage.*
- Enregistrez-vous. Puis réécoutez et essayez d'améliorer votre description.
- Ne paniquez pas si vous oubliez un mot. Dites quelque chose d'autre!
  Par exemple: *J'ai visité un monument/bâtiment intéressant*, si vous avez oublié le mot *phare!)*

Révisez pages 110, 113, 120, 128, 148

3 Choisissez une identité (a, b ou c). Puis, parlez du week-end prochain avec votre partenaire et mettez-vous d'accord sur cinq activités.

Juillet
Samedi 25
matin
après-midi
Dimanche 26
matin
après-midi

a Vous détestez le sport et vous n'avez que trente francs.

b Vous détestez rester à la maison. Le cinéma ne vous intéresse pas.

c Vous aimez être en plein air. Vous devez garder votre petit cousin le samedi.

Conseils:

- Préparez des expressions utiles pour organiser une sortie.
- Tout n'est pas toujours simple. Soyez prêt(e) en cas de problème! Par exemple, si votre partenaire refuse votre invitation, proposez autre chose ou trouver un moyen de le/la persuader.
- Pensez à donner des raisons si vous n'aimez pas les suggestions de votre partenaire.

Révisez pages 161, 189

4 Faites ce jeu de rôle avec votre partenaire.

A

Vous arrivez à l'hôtel où vous avez réservé (par téléphone, il y a une semaine) une chambre avec douche pour une personne. Il est onze heures du soir et vous êtes fatigué(e) après un long voyage. Vous avez faim aussi.

B

Vous travaillez à l'hôtel. Il est onze heures du soir. Un(e) client(e) arrive, mais vous ne trouvez pas sa réservation. Il n'y a plus de chambres individuelles. Le restaurant de l'hôtel ferme à dix heures, mais il y a un fast-food en face de l'hôtel.

Conseils:

- Préparez-vous en cas de problème! Pensez à ce que vous pouvez dire dans chaque situation.
- Entraînez-vous devant le miroir. Comme ça, vous jouerez avec plus d'expression et plus d'assurance.
- N'oubliez pas d'être poli(e)! Dites *monsieur*, *madame* ou *mademoiselle* dans une situation formelle.

Révisez tout! Lisez

Révisez pages 51, 55, 97, 115

1 Quatre élèves décrivent leur lycée. Lisez les textes.
- **a** Qu'en pensent-ils? Ont-ils des opinions positives, négatives ou mixtes?
- **b** Faites une liste des équipements qui existent déjà au lycée et une liste des améliorations proposées par les élèves.
- **c** Faites une liste des activités extra-scolaires qu'il y a déjà, et celles que les élèves voudraient y ajouter.

Isabelle

Notre lycée n'a pas bonne réputation, mais je ne comprends pas pourquoi! Il y a un club de devoirs que je trouve très utile, parce qu'il est difficile de travailler chez moi. Les bâtiments sont modernes et l'ambiance est sympa, à mon avis. Ma matière préférée, c'est la physique, mais malheureusement nos laboratoires sont un peu vieux. On a besoin de nouveaux équipements pour toutes les matières scientifiques. Il faut dire qu'il y a un labo-photo bien équipé pour notre club-photo.

Alex

Je n'aime pas aller au lycée. Je ne suis pas très intelligent et je pense que le travail est trop difficile. Les profs sont désagréables et ils nous donnent trop de devoirs. Les bâtiments sont modernes, mais laids. Nous aimerions faire des peintures murales dans la cour. Nous ne faisons jamais d'excursions et je voudrais bien en faire! Nous avons envie d'organiser une fête pour la rentrée, mais le proviseur ne sera sans doute pas d'accord – il est trop sévère.

Félix

Mon lycée est assez moderne et bien équipé. Les profs sont sympa et j'ai beaucoup de bons copains. Je trouve le travail assez facile et j'ai de bonnes notes, sauf pour les maths. Je suis nul en maths! Il y a un bon choix de sports et nous avons deux terrains de foot, un grand gymnase et une piscine en plein air. Il manque une piscine couverte pour l'hiver. Il y a un orchestre, mais je ne m'intéresse pas à la musique.

Marilyne

J'habite assez près du lycée, alors j'y vais à pied. Je mange à la cantine, mais je trouve que les repas n'ont aucun goût. Je préférerais un plus grand choix de plats. Les profs sont gentils et je les aime bien, mais les cours, je ne les trouve pas très intéressants. Sauf dans ma matière préférée, qui est le dessin. Je fais partie du club de dessin le vendredi. J'espère qu'on va créer bientôt un club de poterie, parce qu'on n'a pas le temps de faire ça pendant les cours.

Conseils:
- ◆ Il n'est pas toujours nécessaire de comprendre chaque mot. D'abord, lisez chaque texte assez rapidement pour trouver le sens général.
- ◆ Pour la question b, cherchez les mots-clés (*les équipements*) et les expressions-clés (*il y a*, *on a besoin de*).
- ◆ Lisez attentivement. Par exemple, Isabelle dit que le lycée n'a pas bonne réputation – une opinion négative – mais si vous lisez attentivement vous verrez qu'elle n'est pas d'accord.
- ◆ Chaque fois que vous lisez un texte, notez des expressions que vous pouvez utiliser vous-même.

Révisez pages 14, 97, 111, 113, 146, 169, 200

2 Lisez la lettre et répondez aux questions.

- **a** Quel âge a Sylvie?
- **b** Est-ce que Sylvie a été contente de tous ses cadeaux?
- **c** Qu'est-ce que Muzaffer a envoyé à Sylvie?
- **d** Quels vêtements a-t-elle choisis pour la boum, et pourquoi?
- **e** Qu'est-ce que les jeunes ont mangé et bu?
- **f** C'était comment, la boum?
- **g** Comment est le cousin d'Amélie?
- **h** Où ira Sylvie samedi prochain?

Nantes, le 6 juin

Cher Muzaffer,

Merci beaucoup pour ton cadeau d'anniversaire. Je l'ai trouvé super!

Comme je viens d'avoir seize ans, mes parents m'ont offert une motocyclette. Super! Les amis m'ont offert des livres, ils savent bien que j'adore lire. J'ai eu aussi des jeux pour mon ordinateur. Génial, hein? Ma tante m'a envoyé des chaussettes orange que je ne mettrai jamais!

La boum était réussie. J'ai mis une jupe blanche avec la chemise à fleurs que tu m'as envoyée. C'était idéal pour une boum - chic et confortable à la fois.

On a regardé une cassette vidéo, c'était un film d'aventure un peu idiot, mais assez drôle. Ensuite, on a mangé des pizzas, de la salade niçoise et un gâteau aux abricots. Maman nous a fait des cocktails sans alcool. Il y avait une bonne ambiance et on a beaucoup dansé.

Amélie a amené son cousin avec elle. Il a deux ans de plus que moi. Il est très beau, amusant, énergique et intelligent... Je l'aime beaucoup! Il m'a invitée au Cendrillon, une nouvelle boîte en ville, samedi prochain et j'ai accepté! Alors, je te raconterai ça après!

Grosses bises,

Sylvie

BOUM

chez Sylvie

samedi 4 juin, 19 h 30

vidéo et disco

RSVP

Tél: 63 44 65 29

Conseils:

- La structure d'un texte vous aide à le comprendre. Chaque paragraphe correspond à une nouvelle partie. Alors, lisez et relisez chaque paragraphe.
- Regardez bien les illustrations, s'il y en a. Elles peuvent vous aider à comprendre le texte et à vérifier vos réponses.
- En général, les questions suivent l'ordre des réponses dans le texte. (Mais attention, ce n'est pas vrai dans tous les cas!)
- Pour chaque question, donnez le plus d'informations possibles (sans ajouter des choses qui ne sont pas demandées). Par exemple, pour la question f, un seul adjectif ne suffit pas: trouvez toutes les expressions de Sylvie.
- Faites attention aux temps des verbes: quand vous lisez, pour bien comprendre, et quand vous écrivez, pour mieux vous exprimer.

Révisez tout! Ecrivez

Révisez pages 64, 71, 93, 117, 159, 186

1 Vous avez reçu cette carte postale de votre correspondant. Ecrivez-lui une carte postale de vos vacances. Donnez des détails sur votre logement, le climat et vos activités.

Conseils:

- Lisez bien la carte postale et servez-vous des mots et des expressions utilisés.
- Essayez d'écrire un texte intéressant avec des adjectifs et des verbes différents. Donnez votre opinion.
- Si vous ne savez pas comment dire quelque chose en français, essayez de le dire plus simplement. Par exemple, pour dire "The weather was diabolical", mettez simplement *Il pleuvait beaucoup!*

Salut!
Je passe une semaine à Paris avec mon père et ma soeur. Nous avons trouvé un hôtel très bien, près de la tour Montparnasse. Il fait beau presque tous les jours. Hier, nous avons visité le musée d'Orsay. Je l'ai beaucoup aimé parce que j'adore les peintures impressionnistes et l'ancienne gare est superbe. Demain, on va faire une promenade le long de la Seine et peut-être aller au théâtre le soir.
Toi aussi, tu pars en vacances?
Ecris-moi bientôt!
Marc

Révisez pages 63, 64, 68, 90, 91, 194

2 Vous avez fait un stage pratique dans ce restaurant pendant une semaine. Décrivez-le dans une composition.
Notez:
- comment vous avez fait pour trouver ce stage
- une description du restaurant
- ce que vous avez fait pendant le stage
- ce que vous avez aimé et pas aimé
- ce que vous avez fait pendant votre temps libre
- si vous aimeriez travailler dans un restaurant plus tard.

Conseils:

- Organisez votre composition. Notez vos idées d'abord, au brouillon. Pensez à écrire un paragraphe pour chaque partie de la question.
- Donnez beaucoup de détails. Donnez votre opinion, pour rendre la composition plus intéressante.
- Ecrivez quelque chose sur chaque point, même si vous n'avez pas beaucoup à dire. Utilisez votre imagination!
- Quand vous aurez fini votre composition, demandez l'opinion de quelqu'un d'autre. Pouvez-vous l'améliorer?

Révisez pages 20, 134, 135, 142, 149, 199

3 Vous allez à Paris le mois prochain. Présentez les différents moyens de transport possibles pour y aller. Donnez votre opinion sur chacun.
Exemple: *J'habite à Birmingham. Je pourrais prendre un car de Birmingham à Paris. Ce n'est pas idéal pour moi, parce que j'ai toujours mal au cœur pendant les voyages en car. Ça ne serait pas tellement rapide non plus. Par contre, un voyage en car n'est pas cher et ...*

Conseils:

- Quand vous aurez fini, relisez votre texte. Avez-vous décrit tous les moyens de transport possibles? Avez-vous dit ce que vous en pensez? Corrigez les erreurs, s'il y en a!
- N'oubliez pas de réviser la grammaire avant de faire une activité. Ici, vous aurez besoin du conditionnel, alors regardez la page 149.

Révisez pages 72, 87, 100, 120, 141, 167, 170, 183, 185

4 Lisez cette lettre et écrivez une réponse à Christian.

Pont l'Abbé, le 2 juin

Salut!

Encore six semaines et je serai chez toi. J'attends ce voyage en Angleterre avec impatience.

J'arriverai en train, mais je ne peux pas te dire l'heure exacte. Je pense que c'est mieux si tu m'expliques comment aller de la gare à chez toi. D'accord?

Merci pour la photo de ta maison. Elle me paraît grande! Comment est ta chambre? Est-ce qu'on va la partager pendant mon séjour?

Ma tante m'a parlé d'un dessert anglais qui s'appelle 'apple crumble'. Peux-tu m'expliquer ce que c'est? Qu'est-ce qu'on mange, en général, chez toi?

Ma petite amie, Anne, insiste (déjà!) pour que je lui téléphone tous les jours pendant mon séjour. Est-ce qu'on peut acheter des cartes téléphoniques dans ta ville? Est-ce que c'est facile d'appeler la France d'une cabine téléphonique?

Je fais des économies, donc j'aurai pas mal d'argent de poche pour mon séjour en Angleterre. On va sortir beaucoup, j'espère! Qu'est-ce qu'on va faire? Moi, j'aime bien faire du sport: quels sports peut-on faire dans ta ville? Je voudrais aussi acheter des vêtements. Il y a un bon choix de magasins dans ta ville? Je dois acheter un cadeau pour Anne, bien sûr! Est-ce que tu pourrais me conseiller quelque chose de typiquement anglais?

Je pose trop de questions: j'espère que tu pourras me répondre! Ecris-moi vite.

Christian

Conseils:

- Répondez à toutes les questions. Utilisez votre imagination!
- Posez des questions, vous aussi – ça rendra votre lettre plus naturelle.
- Quand vous aurez fini, relisez et essayez d'améliorer votre lettre. C'est plus facile si vous l'avez écrite sur ordinateur, bien sûr!

Grammaire

Liste de termes grammaticaux

un accord agreement
This is when a word changes according to the number and gender of another word it relates to. In French, adjectives, articles, pronouns and past participles change to agree with their noun or pronoun.

un adjectif adjective
A word which adds information about a noun or pronoun, e.g. *Le **nouvel** étudiant est **français**.*

un adverbe adverb
A word which adds information about a verb, an adjective or another adverb, e.g. *Elle est partie **très vite**.*

un article article
A little word which appears before a noun. It can be definite: *le, la, les*, indefinite: *un, une, des*, or partitive: *du, de la, des*.

un auxiliaire auxiliary verb
Avoir and *être* are auxiliary verbs and are used with past participles to make compound tenses, e.g.: *Il **est** parti.*

une conjonction conjunction
A word which links two sentences or parts of sentences, to provide more information, e.g.: *mais, ou, et.*

un démonstratif demonstrative
An adjective or pronoun which serves to point out a particular thing or person, e.g. ***cette** robe est trop chère.*

le genre gender
In French, every noun has a gender, i.e. is either masculine or feminine.

un infinitif infinitive
The basic, unconjugated form of a verb, as found in a dictionary, e.g.: *manger, courir, vendre.*

un interrogatif interrogative
An adjective or pronoun used to ask questions, e.g.: *quel, où.*

un nom noun
A noun can be a person, a thing, a place, or something abstract, e.g.: *mère, enfants, collège, stylo, France, bonheur, problème.*

un objet direct direct object
The person or thing which is acted upon by the verb, e.g.: *Je vois **mon ami**.*

un objet indirect indirect object
The person or thing acted on by the verb, in an indirect manner, usually with 'to' in English or *à* in French either present or implied, e.g.: *Je parle **à mon ami**. Je **lui** dis tout.*

un participe passé past participle
The form of a verb which is used with an auxiliary to form a compound tense, e.g.: *joué, parti, partie.*

un participe présent present participle
The form of the verb ending in *-ant*, often used for an action that happens at the same time as the main verb, e.g.: *Il travaille en chantant.*

le partitif partitive
Partitive articles are used to indicate an indefinite quantity of something: ***du** lait, **de la** viande, **de l'**huile, **des** oignons.*

une préposition preposition
A word showing the relationship between a noun or pronoun and another word; *à, après, de, en, sous, sur* are prepositions.

un pronom pronoun
A word which stands for a noun or phrase, usually to avoid repetition: *je, me, moi* are pronouns.

un pronom relatif relative pronoun
A word which introduces a relative clause, i.e. another phrase bringing more information, e.g.: *Voici le livre **que** je viens de lire.*

un radical stem, root
The main part of a verb, to which endings are added.

un sujet subject
The subject of a verb is the person or thing performing the action, e.g.: ***Je** mange. **Le repas** est délicieux.*

le temps tense
The tense of a verb shows whether an action is past, present, or future.

une terminaison ending
The last few letters of a word that change to follow set patterns.

un verbe verb
A verb describes an action or a state, e.g.: *Elle **mange**, il **est** midi.*

un verbe irrégulier irregular verb
Irregular verbs don't follow the basic regular patterns; some very common verbs are irregular.

un verbe transitif/intransitif transitive/intransitive verb
A transitive verb can be used with a direct object, e.g.: *aimer, prendre*; while an intransitive one doesn't usually have a direct object, e.g.: *aller, s'habiller.*

1 Les noms *nouns*

1a le genre gender

All French nouns have a gender: either masculine or feminine.

Many nouns for people have two forms, and you need to learn the main patterns.

1 Add an *-e* for the feminine (changing *-er* to *-ère*):
un employé/une employée un ouvrier/une ouvrière
2 Double the final consonant and add *-e*:
un Alsacien/une Alsacienne un cadet/une cadette
3 Change *-eur* to *-euse* and *-teur* to *-trice (with exceptions)*:
un vendeur/une vendeuse un acteur/une actrice
4 Change *-f* to *-ve* and *-x* to *-se*:
un sportif/une sportive un époux/une épouse
5 Some changes are irregular and a different word is used:
un copain/une copine un homme/une femme

Some nouns can be of either gender, depending on the person they refer to: *un élève/une élève un artiste/une artiste*
Other nouns are masculine, whether they refer to a man or a woman: *un professeur un docteur un ingénieur*

For other nouns, gender is more difficult to work out. To help you get it right, always note the gender when you learn a new noun; learn *un arbre* not just *arbre*.

The word endings can sometimes help you – learn these (there are exceptions, so be careful):

masculine endings	feminine endings
-acle -age -é *-eau -ege -eme* *-isme -asme*	*-ace -ade -ance/anse* *-ee -ence/ense, -ere* *-eur -ie -oire -té -tié* *-tion/sion/ation/aison/ison*
nouns ending in a consonant	nouns ending in silent *e* following two consonants

A few words have two different meanings, one masculine and one feminine:
un livre book *une livre* pound
un tour tour *une tour* tower

1b le pluriel plural

Use the plural form to refer to more than one thing, place or person.

1 Most nouns add a silent *-s* to the singular form:
un ami/des amis la maison/les maisons
2 Nouns ending in *-s*, *-x*, *-z* remain unchanged:
la fois/les fois le prix/les prix un nez/des nez
3 Nouns ending in *-al* and *-ail* change to *-aux*:
un animal/des animaux le travail/les travaux
4 Nouns ending in *-eau* or *-eu* add a silent *-x*:
un bateau/des bateaux le jeu/les jeux
5 Most nouns in *-ou* add an *-s*, but some exceptions are:
un chou/des choux un genou/des genoux un bijou/des bijoux

Common irregular plurals:
le festival/les festivals le pneu/les pneus le détail/les détails
un œil/des yeux Monsieur/Messieurs Madame/Mesdames

Compound nouns (made up of more than one element): you will have to learn these individually by checking in the dictionary:
grand-père/grands-pères grand-mère/grand-mères
pomme de terre/pommes de terre chou-fleur/choux-fleurs

2 Les articles *articles*

2a les articles indéfinis indefinite articles

	singular	plural
masculine	*un*	*des*
feminine	*une*	*des*

These are used before a noun to say 'a/an' or 'some/any'.
J'ai un frère. I've got a brother.
Tu as des sœurs? Have you got any sisters?

Don't use the indefinite article when giving someone's job:
Elle est professeur. She's a teacher.

In negative sentences, use *de/d'* instead of *un/une/des*:
Il n'a pas de chien. He hasn't got a dog.
Je n'ai pas d'amis. I haven't got any friends.

2b les articles définis definite articles

	singular	plural
masculine	*le/l'*	*les*
feminine	*la/l'*	*les*

(*l'* before a noun starting with a vowel or an *h* unless the *h* is aspirated – see page 163)

The definite article is used to say 'the' before a noun. It is used more often in French than in English, for example:

1 when making generalisations:
Le sport est bon pour la santé. Sport is good for your health.
2 when stating likes and dislikes:
J'aime le poisson mais je déteste la viande.
I like fish but I hate meat.
3 with names of countries, regions and languages:
la France le Japon la Normandie l'anglais
4 with parts of the body:
J'ai les cheveux courts. I've got short hair.
J'ai mal à la main. My hand hurts.
5 with names of school subjects or leisure activities:
Je préfère les maths et l'histoire. I prefer maths and history.
Mes loisirs préférés sont la natation et la lecture.
My favourite hobbies are swimming and reading.

2c les articles partitifs partitive articles

	singular	plural
masculine	*du/de l'*	*des*
feminine	*de la/de l'*	*des*

These are used before a noun to say 'some' or 'any':
Du pain et de la confiture. (Some) bread and (some) jam.
Achète des pommes. Buy (some) apples.
Vous avez de l'argent? Do you have (any) money?
Note that in English, you may sometimes leave out 'some/any', but in French you can never leave out *du/de la/de l'/des.*

Use *de/d'* instead of *du/de la/de l'/des* in the following cases:

1 in negative expressions (except *ne ... que*):
Il n'y a pas de thé. There isn't any tea.
Elle n'a jamais d'argent. She never has any money.
2 with expressions of quantity:
100 grammes de crevettes 100 grams of shrimps
un morceau de gâteau a piece of cake
un peu de patience! a little patience!
beaucoup de chocolat a lot of chocolate
combien de beurre? how much butter?
3 before an adjective and a noun (in that order):
Il a de beaux vêtements. He's got nice clothes.
4 with certain expressions:
avoir besoin de *J'ai besoin de timbres.*
quelque chose de *Il a quelque chose d'intéressant à dire.*
rien de *Il n'y a rien de bien à la télé.*

● How do you know when to use *le/la/les* or *du/de la/des?*
If you can put 'some' or 'any' before the English noun, use *du/de la/des*:
Did you buy bread (any bread)? *Tu as acheté du pain?*
If the noun is used in a general sense, and if 'some/any' doesn't sound right, use *le/la/les*:
I love French bread. *J'adore le pain français.*

3 Les adjectifs qualificatifs *adjectives*

Adjectives are words that are used to describe or 'qualify' something or someone.

3a l'accord masculin/féminin m/f agreement

Adjectives change their ending according to the gender (masculine or feminine) of the noun they qualify, and its number (singular or plural).

1 Most adjectives add an *-e* in the feminine:
grand/grande *têtu/têtue**
petit/petite *joli/jolie**
anglais/anglaise *bronzé/bronzée**
(* = no change in pronunciation)

2 Adjectives ending in *-e* don't need to add an extra *-e*:
*jeune/jeune** *mince/mince**

3 Some adjectives double the final consonant before adding *-e*:
*(-el) naturel/naturelle** *(-eil) pareil/pareille**
(-on) bon/bonne *(-il) gentil/gentille**
(-as) gras/grasse *(-et) muet/muette*
(-os) gros/grosse *(-en) ancien/ancienne*
Exceptions: some adjectives in *-et* change to *-ète* instead:
complet/complète *inquiet/inquiète*
(* = no change in pronunciation)

4 Adjectives ending in *-er* change to *-ère:*
premier/première *dernier/dernière* *fier/fière* *cher/chère*

5 Adjectives ending in *-x* change to *-se*:
heureux/heureuse *jaloux/jalouse*
Exceptions: *doux/douce* *faux/fausse* *roux/rousse*

6 Adjectives ending in *-eur* change to *-euse*:
menteur/menteuse
Exceptions: *meilleur(e)* *extérieur(e)* *intérieur(e)* *supérieur(e)*

7 Adjectives ending in *-f* change to *-ve*:
neuf/neuve *naïf/naïve* *sportif/sportive*

8 Adjectives ending in *-c* change to *-che* or *-que*:
blanc/blanche *public/publique*

9 Some common irregular adjectives:
long/longue *nouveau (nouvel*)/nouvelle*
fou/folle *beau (bel*)/belle*
frais/fraîche *vieux (vieil*)/vieille*
favori/favorite
(* = before a masculine noun starting with a vowel or an *h*)

10 Some adjectives, including all compound colour adjectives, are invariable, i.e. stay the same in both genders:
sympa *marron* *chic* *bleu marine* *bleu clair*

3b l'accord singulier/pluriel sing./pl. agreement

1 Most adjectives add an *-s* in the plural, with no change in the pronunciation:
grand/grands *grande/grandes*

2 A few masculine plurals end in *-aux*:
-al/-aux *normal/norm**aux*** *loyal/loy**aux***
-eau/-eaux *beau/be**aux*** *nouveau/nouve**aux***

3 Masculine adjectives ending in *-s* or *-x* don't change:
anglais/anglais *heureux/heureux*

4 Invariable adjectives stay the same for singular and plural:
sympa *marron* *bleu foncé*

3c la position   position of adjectives

Unlike English, French adjectives generally follow the noun.
une école agréable   *un métier intéressant*
un manteau rouge   *le drapeau français*

A few common adjectives come before the noun, including:
*bon   beau   joli   gentil   cher**
grand   petit   gros   haut   court*
*jeune   vieux   nouveau   ancien**
excellent   mauvais   vrai   même   propre   brave**

* = if placed after the noun, the meaning differs:
*mon **cher** ami/un repas **cher***   my dear friend/an expensive meal
*un homme **grand**/un **grand** homme*   a tall man/a great man
*son **ancien** mari/un mur **ancien***   her ex-husband/an old wall
*une chambre **propre**/ma **propre** chambre*   a clean room/my own room
*un **brave** homme/un homme **brave***   a kind man/a brave man

- What happens when there are two adjectives with one noun?
  If one adjective normally goes before the noun and the other after, they still do so:
  *un **petit** garçon **têtu***   a stubborn little boy
  If both adjectives go before the noun, they still do so:
  *une **jolie petite** maison*   a lovely little house
  If both adjectives go after the noun, they still do so but are linked with *et*:
  *un chien **noir et bruyant***   a noisy, black dog
- What happens when there is an adjective with two nouns, one feminine and one masculine?
  It is in the masculine plural form:
  *une robe et un manteau **noirs***   a black dress and coat

4 Les adjectifs démonstratifs
demonstrative adjectives

A demonstrative adjective is used to point something or someone out. Being an adjective, it changes according to the gender and number of the noun.

	singular	plural
masculine	*ce/cet**	*ces*
feminine	*cette*	*ces*

(* before a vowel or an *h*)
***Ce** bureau est fermé.*   This/That office is shut.
***Cet** arbre/hôtel est grand.*   This/That tree/hotel is big.
*Je connais **cette** fille.*   I know that girl.
*Qui sont **ces** gens?*   Who are these/those people?

To distinguish more clearly between 'this' and 'that', or 'these' and 'those', add *-ci* or *-là* after the noun:
*Je préfère ces chaussures-**ci**.*   I prefer these shoes.
*Je déteste ce chanteur-**là**.*   I hate that singer.

5 La possession   possession

5a les adjectifs possessifs   possessive adjectives

Possessive adjectives ('my', 'your', etc.) agree with the object owned and not the owner.

	singular masculine noun, or feminine starting with *h* or vowel	singular feminine noun	plural
my	*mon*	*ma*	*mes*
your	*ton*	*ta*	*tes*
his/her/its	*son*	*sa*	*ses*
our	*notre*	*notre*	*nos*
your	*votre*	*votre*	*vos*
their	*leur*	*leur*	*leurs*

***mon** père, **ma** mère, **mes** parents*   my father/mother/parents
***son** ami*   his/her friend   ***sa** chambre*   his/her bedroom

Possessive adjectives are usually not used in sentences referring to parts of the body:
*Je me brosse **les** dents.*   I'm brushing my teeth.
*Je me suis cassé **le** bras.*   I've broken my arm.

5b les pronoms possessifs   possessive pronouns

Possessive pronouns ('mine', 'yours', etc.) agree with the noun they replace – the object owned, not the owner.

	singular		plural	
	masculine	feminine	masculine	feminine
mine	*le mien*	*la mienne*	*les miens*	*les miennes*
yours	*le tien*	*la tienne*	*les tiens*	*les tiennes*
his/hers	*le sien*	*la sienne*	*les siens*	*les siennes*
ours	*le nôtre*	*la nôtre*	*les nôtres*	*les nôtres*
yours	*le vôtre*	*la vôtre*	*les vôtres*	*les vôtres*
theirs	*le leur*	*la leur*	*les leurs*	*les leurs*

*J'aime bien ta robe mais je préfère **la mienne**.*
I like your dress but I prefer mine.
*Tu as ton ticket mais elle n'a pas **le sien**.*
You've got your ticket but she hasn't got hers.
*Nous n'avons pas **les nôtres**.*   We haven't got ours.

5c à moi, à toi, etc.   mine, yours etc.

C'est à qui? C'est à moi.   Whose is this? It's mine.
A qui sont ces pommes? Elles sont à lui.
Whose are these apples? They're his.

5d de + nom   *de* + noun

Where you can use 'apostrophe + s' in English to show possession, in French you have to use *de*, and reverse the order of the nouns:
*la voiture **de** Paul*   Paul's car
*le frère **de** ma mère*   my mother's brother

6 Les adverbes *adverbs*

6a la formation forming adverbs

Adverbs can be divided into four groups that describe:
how something happens – adverbs of manner
where it happens – adverbs of place
when it happens – adverbs of time
and **to what extent** – adverbs of intensity.

In English, adverbs are often formed by adding *-ly* to adjectives (soft → softly, normal → normally, etc.). In French, most adverbs of manner are formed by adding *-ment* to the feminine form of an adjective:
douce → *doucement* *active* → *activement*
normale → *normalement* *franche* → *franchement*

If the adjective ends in a vowel, add *-ment* to the masculine form:
timide → *timidement* *absolu* → *absolument*
vrai → *vraiment* *joli* → *joliment*
Exceptions: *nouveau* → *nouvellement* *fou* → *follement*

A few adjectives change the final *-e* to *-é* before adding *-ment*:
précise → *précisément* *énorme* → *énormément*

Adjectives ending in *-ent* or *-ant* change to *-emment* and *-amment* (both pronounced '*amant*'):
prudent → *prudemment* *brillant* → *brillamment*
Exception: *lent* → *lentement*

Some adverbs are completely irregular, including common ones which you should learn:
bon → ***bien*** *mauvais* → ***mal*** *gentil* → ***gentiment***

In some common expressions, an adjective is used as an adverb:
travailler ***dur*** *parler* ***bas/fort***
coûter ***cher*** *sentir* ***bon/mauvais***

Adverbs of place, time and intensity are not usually formed from adjectives. Here are a few common ones:
place: *ici, là, ailleurs, loin, dessus, dessous, dedans, dehors, devant, derrière, partout*
time: *après, avant, toujours, hier, aujourd'hui, demain, d'abord, enfin, parfois, souvent, tôt, tard*
intensity: *un peu, trop, très, tellement, si, seulement, peu, presque, plus, moins, combien, beaucoup, assez*

6b la position position of adverbs

Adverbs usually follow verbs:
Je vais ***souvent*** *au cinéma.* I often go to the cinema.
Il aime ***beaucoup*** *le chocolat!* He likes chocolate a lot!

In a compound tense, they come between the auxiliary and the past participle:
J'ai ***poliment*** *demandé la permission.*
I asked permission politely.
Il est ***brusquement*** *parti!* He left suddenly.

But many adverbs of time and place follow the past participle:
Je l'ai vu ***hier.*** I saw him yesterday.
Tu es parti ***loin****?* Did you go far?

Adverbs usually come before adjectives and other adverbs:
vraiment *beau* ***trop*** *vite* ***très*** *souvent*

7 La comparaison *comparison*

7a comparison des adjectifs adjectives

To compare one person or thing with another, you use the comparative ('smaller', 'better', 'more important', etc.). To say that it has the highest or lowest degree of a quality, you use the superlative ('the smallest', 'the best', 'the most important', etc.). In French it works like this:

plus + *adjectif* + ***que*** more ... than
moins + *adjectif* + ***que*** less ... than
aussi + *adjectif* + ***que*** as ... as

Le foot est plus populaire que le rugby.
Football is more popular than rugby.
Ces gants sont moins beaux que les autres.
These gloves are not as nice as the others.
Les garçons sont aussi grands que leur père.
The boys are as tall as their father.

le/la/les plus + *adjectif* the most ..., the ...-est
le/la/les moins + *adjectif* the least ...

Paris est la plus grande ville de France.
Paris is the largest city in France.
Les trains français sont les plus rapides.
French trains are the fastest.
C'est l'ordinateur le moins cher.
This is the least expensive computer.

Remember these irregular forms for *bon* and *mauvais*:
moins bon → *bon* → ***meilleur*** less good, good, better/best
moins mauvais → *mauvais* → ***pire*** less bad, bad, worse/worst

7b comparaison des adverbes adverbs

You can make comparisons with adverbs in the same way as with adjectives.

plus + *adverbe* + ***que*** more ... than
moins + *adverbe* + ***que*** less ... than
aussi + *adverbe* + ***que*** as ... as

J'y vais plus souvent qu'avant. I go more often than before.
Il parle anglais moins couramment que toi.
He speaks English less fluently than you do.
Je chante aussi bien que Luc. I can sing just as well as Luc.

le plus + *adverbe* the most ...
le moins + *adverbe* the least ...

De mes frères, c'est Marc que je vois le moins souvent.
Of my brothers, I see Marc the least often.

Remember this irregular form for *bien:*
moins bien → *bien* → *mieux* not as well, well, better/best

7c plus de, moins de, autant de + nom

You can use *plus de/moins de/autant de* and a noun to talk about 'more of/less of/fewer of/as much of' something. Add *le/la/les* to talk about 'the most/the least/the fewest of' something.

J'ai ***plus de*** *CD que toi.* I've got more CDs than you.
Il fait ***moins de*** *tennis que son frère.*
He plays less tennis than his brother.
Il y a ***autant de*** *filles que de garçons à l'école.*
There are as many girls as boys at the school.
C'est lui qui a mangé ***le plus de*** *croissants.*
He ate the most croissants.

8 Les conjonctions *conjunctions*

Conjunctions are linking words. Some common ones are:

alors	then/so	*mais*	but
car	for/because	*ou (bien)*	or
cependant	however	*parce que*	because
comme	as	*pendant que*	while
dès que	as soon as	*pourtant*	yet
depuis que	since	*puis*	then/next
donc	then	*puisque*	since
et	and	*quand*	when

Il est fatigué ***mais*** *il refuse d'aller au lit.*
He's tired but he refuses to go to bed.
Comme *il fait beau, ils vont se promener.*
As the weather's nice, they're going for a walk.

9 Les prépositions *prepositions*

Prepositions have many uses and can have various translations in English; the most common meanings are listed here.

9a à, de

Remember that when *à* or *de* come before definite articles *le* or *les*, they combine:
à + le = ***au*** *à + les =* ***aux*** *de + le =* ***du*** *de + les =* ***des***
But *à la, à l', de la, de l'* stay as they are.

à	*à Paris*	in/to Paris
	à la campagne	in/to the country
	au premier étage	on/to the first floor
	aux *Etats-Unis*	in/to the United States
	à 10 km	10 kms away
	à droite/à gauche	on the right/left
	à Pâques	at Easter
	à pied/à vélo	on foot/by bike
	c'est à Etienne	it's Etienne's
de	*Je viens de Perth*	I come from Perth.
	J'appelle du café	I'm calling from the café.
	de 8 à 10 h	from 8 to 10 o'clock
	du 5 mai	from the 5th of May
	le livre de ma mère	my mother's book
	les vacances de Noël	the Christmas holidays

9b autres prépositions other prepositions

après	*après votre départ*	after you left
	après vous	after you
avant	*avant ce soir*	before tonight
avec	*avec des ciseaux*	with some scissors
chez	*chez le docteur*	at/to the doctor's
	chez moi	at/to my home
dans	*dans la maison*	in the house
	mets-le dans la boîte	put it into the box
	dans une semaine	in a week's time
depuis	*depuis trois ans*	for three years
	depuis dimanche	since Sunday
derrière	*derrière moi*	behind me
devant	*devant l'école*	in front of the school
en	*en France*	in France
	en mai/hiver/1985	In May/winter/1985
	en dix minutes	in ten minutes
	en anglais	in English
	en bleu/soie	in blue/silk
	en bateau	by boat
entre	*entre ici et Paris*	between here and Paris
	entre 8 et 10 h	between 8 and 10 o'clock
par	*une fois par jour*	once a day
	par le train	by train
	par ici/par là	this way/that way
	fait par des enfants	made by children
pendant	*pendant l'été*	during the summer
	pendant deux ans	for two years
pour	*pour toi*	for you
	pour un an	for a year
près de	*près du marché*	near the market
	près de 8 heures	nearly 8 o'clock
sans	*sans espoir*	without hope
	sans toi	without you
	sans compter	without counting
sous	*sous la chaise*	under the chair
sur	*sur la table*	on the table
	un élève sur dix	one pupil out of ten
vers	*vers 8 heures*	at about 8 o'clock
	vers Paris	towards Paris

10 Les pronoms *pronouns*

A pronoun is a word used in place of a noun, phrase or idea.

10a le pronom personnel sujet subject pronouns

The subject pronouns are:

I	*je/j'*	we	*nous*
you	*tu*	you	*vous*
he	*il*	they (male)	*ils*
she	*elle*	they (female)	*elles*
one/we	*on*		

A subject pronoun replaces a noun which is the subject of a verb.
Simon est à Paris. ***Il*** *revient demain. (Il = Simon)*
Les chiens sont heureux ici, ***ils*** *ont un jardin. (ils = les chiens)*

tu ou vous? Use *vous* when talking to more than one person, or to a person you don't know, or an adult you know but are not on familiar terms with.
Use *tu* when talking to a younger child, a person your own age, or an adult you know very well, such as a member of your family.

on *On* is used when talking about people in general (1), an indefinite person (2) and, more and more often, instead of *nous* (3):
1 *En France, on roule à droite.* In France, they drive on the right.
2 *On a frappé.* Somebody knocked.
3 *On y va?* Shall we go?
Note that even when meaning *nous*, *on* uses the *il/elle* form of verbs: *On a mangé au restaurant.* We ate at a restaurant.

ils When referring to several nouns of different gender, remember to use the masculine plural *ils*:
Où sont le sac et la veste de Jeanne? Ils sont dans la voiture.
Where are Jeanne's bag and jacket? They're in the car.

10b le pronom personnel complément
object pronouns

This replaces a noun that is not the subject of the sentence. There are 'direct' and 'indirect' object pronouns.

	direct object		indirect object
me	*me/m'*	(to) me	*me/m'*
you	*te/t'*	(to) you	*te/t'*
him/it	*le/l'*	(to) him/it	*lui*
her/it	*la/l'*	(to) her/it	*lui*
us/one	*se/s'*	(to) us/one	*se/s'*
us	*nous*	(to) us	*nous*
you	*vous*	(to) you	*vous*
them	*les*	(to) them	*leur*

A direct object pronoun replaces a noun which follows the verb directly.
Je connais bien ***Marie****. Je* ***la*** *vois tous les jours.*
I know Marie very well. I see her everyday.
– *Tu aimes bien* ***les croissants****?* – *Je* ***les*** *adore!*
– Do you like croissants? – I love them!

An indirect object pronoun replaces a noun that is linked to the verb by a preposition, usually *à* – 'to'.
Elle parle ***à Luc.*** *Elle* ***lui*** *parle souvent.*
She's talking to Luc. She often talks to him.
Tu ***me*** *demandes, je* ***te*** *réponds.*
You ask me a question, I answer you.

- Be careful! With some verbs in French, you need an indirect object pronoun, while English uses a direct object pronoun; and vice versa.
  *Dis-****lui*** *tout!* (indirect) Tell him/her everything! (direct)
  Je ***les*** *attends.* (direct) I'm waiting for them. (indirect)

10c le pronom *y*

Y replaces *à/en* and the name of a place, and means 'there'.
Il va ***à Londres****. Il* ***y*** *reste une semaine.*
He's going to London. He'll stay there a week.
Je suis déjà allé ***en France****: j'****y*** *suis allé deux fois.*
I've already been to France: I've been there twice.

Y also replaces *à* and a noun, especially with verbs such as *jouer à* + noun, *penser à* + noun:
On joue souvent ***au tennis****. On* ***y*** *joue tous les jours.*
We often play tennis. We play (it) every day.
– *Tu penses* ***à ton examen****?* – *Oui, j'****y*** *pense souvent.*
– Do you often think about your exam? – Yes, I often think about it.

Y is used in set phrases:
Il y a … There is/There are … *Vas-y!* Go on! *Allons-y!* Let's go!

10d le pronom *en*

En replaces *du/de la/des* and a noun, and means 'some' or 'any':
– *Tu veux* ***du thé****?* – *Oui, j'****en*** *veux bien.*
– Do you want some tea? – Yes, I'd like some.
– *Je voudrais* ***des pommes****.* – *Désolé, je n'****en*** *ai plus.*
– I'd like some apples. – Sorry, I don't have any left.

En is used with expressions of quantity:
– *Tu as combien de chiens?* – *J'en ai deux.*
– How many dogs have you got? – I've got two (of them)
– *On a besoin de lait?* – *Oui, je vais en acheter un litre.*
– Do we need milk? – Yes, I'm going to buy a litre (of it).

En is used instead of *de* and a noun, especially with verbs such as *être sûr de* + noun, *penser de* + noun:
– *Tu es sûr* ***de ce que tu dis?*** – *J'****en*** *suis certain.*
– Are you sure about what you're saying? – I'm certain (of it).
Qu'est-ce qu'il ***en*** *pense?* What does he think of it?

En is used in set phrases:
J'en ai assez/marre. Je m'en vais. I've had enough. I'm going.

10e la position des pronoms position of pronouns

Object pronouns generally come immediately before the verb:
Je ***les*** *aime bien.* I like them.
Je ne ***les*** *aime pas.* I don't like them.
Est-ce qu'Antoine ***la*** *connaît?* Does Antoine know her?

With a compound tense, they come before the auxiliary verb (*avoir/être*):
Je ***lui*** *ai raconté l'histoire.* I told him the story.

When there are two verbs together, e.g. *aller/devoir/pouvoir/vouloir* + infinitive, the pronoun comes before the infinitive:
Je vais ***en*** *prendre un kilo.* I'll have a kilo of them.
Je ne peux pas ***y*** *aller.* I can't go there.
Je voudrais ***lui*** *parler.* I'd like to speak to him/her.

With negative imperatives, the pronoun comes before the verb. With positive imperatives, it comes after the verb and a hyphen is added:
*Ne **le** mange pas. Mange-**le**.* Don't eat it. Eat it.
*Ne **leur** donnez pas de bonbons. Donnez-**leur** des bonbons.*
Don't give them any sweets. Give them some sweets.
*N'**y** pense pas. Penses-**y**.* Don't think about it. Think about it.

With positive imperatives, *me* and *te* become *moi* and *toi*:
*Donne-**moi** la main.* Give me your hand.

When there are several object pronouns in the same sentence, they follow a specific order:

1	2	3	4	5
me *te* *se* *nous* *vous*	*le* *la* *les*	*lui* *leur*	*y*	*en*

1 + 2 = *Je **te le** donne.* I give it to you.
2 + 3 = *Je **le leur** ai donné.* I gave it to them.
1 + 5 = *Ils **vous en** ont acheté.* They bought some for you.
2 + 4 = *Ne **les-y** amène pas.* Don't bring them there.

With positive imperatives, when *me/te* change to *moi/toi*, columns 1 and 2 are reversed:
*Donne-**le-moi**.* Give it to me.

10f les pronoms emphatiques stressed pronouns

The stressed pronouns (also called emphatic or disjunctive pronouns) are:
moi toi lui elle soi nous vous eux elles

They are used:

1 when the pronoun stands on its own or follows *ce/c'est/c'était*:
Moi. C'est moi. – Me. It's me.

2 when the pronoun follows a preposition:
C'est pour lui. Il est chez moi. Il est parti après toi.
It's for him. He's at my place. He left after you.

3 for emphasis:
Toi, tu m'énerves! You do get on my nerves.
Lui, il joue bien, pas moi. He plays well, I don't.
Je ne sais pas, moi! How do I know?

4 when there is more than one subject:
Ma famille et moi partons ce week-end.
My family and I are leaving this weekend.

5 in a comparison:
Il est plus grand que moi. He's bigger than me.

6 before a relative pronoun (see **10g**):
C'est toujours lui qui gagne. It's always him who wins.

7 to express possession (see **5c**):
C'est à moi. It's mine.

10g les pronoms relatifs relative pronouns

The relative pronouns are:

qui	who, which, that	*où*	where, when
que	who, whom, which, that	*dont*	of which, whose
ce qui	what	*quoi*	what
ce que	what	*lequel*	which

qui, que

When the pronoun relates to someone/something that is the subject of the verb that follows, use *qui*:
*La femme **qui** travaille au café est une voisine.*
The woman who works at the café is a neighbour.
*Victor raconte des histoires **qui** font rêver les enfants.*
Victor tells stories which make children dream.

When the pronoun relates to someone/something that is the object of the the verb that follows, use *que*:
*La femme **que** tu vois au café est une voisine.*
The woman (whom/that) you see at the café is a neighbour.
*Les histoires **que** Victor raconte font rêver les enfants.*
The stories (which/that) Victor tells make children dream.

ce qui, ce que

***Ce qui** se passe en ce moment m'inquiète.*
What's happening at the moment worries me.
*Merci pour **ce que** tu as fait pour moi.*
Thanks for what you did for me.

où

*L'hôtel **où** nous sommes est très confortable.*
The hotel where we're staying is very comfortable.
*C'était le jour **où** il est parti.* It was the day (when) he left.

dont

*C'est le prof **dont** je t'ai parlé.* He's the teacher I talked to you about/about whom I talked to you.

quoi

*Dis-moi à **quoi** tu penses.* Tell me what you're thinking about.

lequel, laquelle, lesquels, lesquelles

These are used to say 'which', after a preposition (*à, avec, de,* etc). They are used for things, not people.
There are four forms, masculine/feminine, singular/plural.
La maison dans laquelle elle habite ...
The house she lives in ... (in which she lives ...)
Le fauteuil sur lequel tu as posé ton sac ...
The chair you put your bag on ... (on which you put your bag ...)

When they follow *à* or *de*, the *le-* and *les-* forms combine with them:
à: auquel, auxquels, auxquelles (but *à laquelle*)
de: duquel, desquels, desquelles (but *de laquelle*)
Le livre auquel tu penses ...
The book you're thinking about (about which you're thinking) ...
Le film duquel tu parles ...
The film you're talking about (about which you're talking) ...

10h les pronoms démonstratifs demonstrative pronouns

Demonstrative pronouns are *celui, ce, ceci, cela, ça.*

Celui agrees with the noun it stands for:

	singular	plural
masculine	*celui*	*ceux*
feminine	*celle*	*celles*

Regarde cette robe, ***celle*** *qui est en vitrine.*
Look at that dress, the one which is in the window.
J'aime bien mon vélo, mais je préfère ***celui*** *de Paul.*
I like my bike, but I prefer Paul's.

You can add *-ci* and *-là* for emphasis and contrast:
J'aime les pulls, surtout ***celui-ci****. Mais* ***celui-là*** *est moins cher.*
I like the jumpers, especially this one. But that one is cheaper.
– *Je voudrais des fleurs.* – ***Celles-ci*** *ou* ***celles-là****?*
– I'd like some flowers. – These ones or those ones?

Ce is mostly found with the verb *être*:
C'est bon. It's nice. *Ce serait super.* That would be great.
C'était hier. It was yesterday.
Ce sont mes amis. They're my friends.

Ceci is not very commonly used.
Cela is shortened to *ça* in spoken French.
Cela m'étonne. It surprises me.
Ça m'est égal. I don't mind. *Je déteste ça.* I hate that.

11 L'interrogation asking questions

11a l'ordre des mots word order

There are three ways of asking 'yes or no' questions in French.

1 Form the sentence in the normal way and raise your voice in a questioning manner:
Vous venez avec moi?↗ Are you coming with me?
Il habite en France?↗ Does he live in France?
Manon est partie à Paris?↗ Has Manon left for Paris?

2 Add *Est-ce que/qu'* at the beginning of the sentence:
Est-ce qu'il habite en France? Does he live in France?
Est-ce qu'il y a un café ici? Is there a café around here?
Est-ce qu'elles ont tout mangé? Have they eaten everything?

3 Invert (reverse the order of) the subject and the verb, adding a hyphen. This is more formal than options 1 and 2.
Venez-vous avec moi? Are you coming with me?
*Habite-t-il * en France?* Does he live in France?
*Manon est-elle * partie à Paris?* Has Manon left for Paris?
*Y a-t-il * un café ici?* Is there a café around here?
Ont-elles tout mangé? Have they eaten everything?

* Add a *t* between two vowels to help the pronunciation. If the subject is a noun (*Manon, la fille,* etc.), add an extra pronoun (*elle*, etc.).

11b les interrogatifs question words

which?

	singular	plural
masculine	*quel*	*quels*
feminine	*quelle*	*quelles*

Quel manteau a-t-il mis? Which coat did he put on?
Tu as quelle carte? Which card have you got?
Quels pays est-ce que tu aimes? Which countries do you like?
Quelles sont tes matières? What are your subjects?

who?

Qui is used for people. It is subject or object and can be used after a preposition.
Qui t'a dit ça? Who told you that?
Qui as-tu appelé? Who did you phone?
Il y va avec qui? Who is he going with?

You can also use *Qui est-ce qui* (subject) or *Qui est-ce que/qu'* (object):
Qui est-ce qui t'a dit ça? Who told you that?
Qui est-ce que tu as appelé? Who did you phone?

what?

Que is used for things. It is always a direct object and can't be used after a preposition – use *quoi* instead.
Que désirez-vous? What will you have?
Qu'ont-ils dit? What did they say?
Tu l'as mis dans quoi? What did you put it in?

You can use *Qu'est-ce que/qu'* instead of *Que*:
Qu'est-ce que vous désirez? What will you have?
Qu'est-ce qu'ils ont dit? What did they say?

To say 'what' as the subject of a verb, use *Qu'est-ce qui* instead:
Qu'est-ce qui ne va pas? What's the matter?

Use *Quoi* for 'what' on its own: *C'est quoi?* What is it?

which ones?

Use *lequel, laquelle, lesquels, lesquelles*, depending on the gender and number of the thing you're talking about.
Je cherche un restaurant. Lequel recommandez-vous?
I'm looking for a restaurant. Which one do you recommend?
Laquelle de ces chemises aimes-tu?
Which of these shirts do you like?

where, when, how, how much/many, why?

You can use these in three ways: at the end of a sentence, at the beginning and inverting the subject and verb, or at the beginning and adding *est-ce que.*
Ils vont où? Où vont-ils? Où est-ce qu'ils vont?
Where are they going?
Tu pars quand? Quand pars-tu? Quand est-ce que tu pars?
When are you leaving?
Il fait ça comment? Comment fait-il ça?
Comment est-ce qu'il fait ça? How does he do that?
Ça coûte combien? Combien cela coûte-t-il?
Combien est-ce que ça coûte? How much does that cost?
Pourquoi il est là? Pourquoi est-il là?
Pourquoi est-ce qu'il est là? Why is he there?

12 La négation *negatives*

12a les négatifs negative expressions

To make a negative sentence, you use a negative expression made of two parts. There are two groups of expressions.

A	*ne ... pas*	not
	ne ... plus	no more/no longer
	ne ... jamais	never
	ne ... rien	nothing/not anything
B	*ne ... personne*	nobody/not anyone
	ne ... que	only
	ne ... ni ... ni	neither nor
	ne ... aucun	no/not any/none
	ne ... nulle part	nowhere

ne becomes *n'* before a vowel or an *h*.
In spoken French, the *ne* tends to get dropped:
Je sais pas. C'est pas vrai!

12b la position des négatifs position of negatives

1 With simple tenses and imperatives, negative expressions from both list **A** and list **B** go around the verb:
*Il **ne** parle **pas**.* He isn't speaking.
*Elle **ne** fume **plus**.* She doesn't smoke any more.
***Ne** cours **jamais** dans la rue.* Never run on the street.
*Il **ne** dit **rien**.* He doesn't say anything.
*Je **ne** vois **personne**.* I can't see anybody.
*Il **ne** mange **que** des légumes.* He only eats vegetables.
*Ce **n'**est **ni** noir **ni** blanc.* It's neither black nor white.
*Elle **n'**a **aucun** principe.* She's got no principles.
*On **ne** va **nulle part**.* We're going nowhere.

2 With compound tenses or a verb followed by an infinitive, expressions in list **A** go around the auxiliary or the first verb:
*Je **ne** suis **pas** arrivé en retard.* I didn't arrive late.
*Il **n'**est **jamais** allé à Paris.* He's never been to Paris.
*Elle **ne** doit **rien** manger.* She mustn't eat anything.

The expressions in list **B** go around both parts of the compound tense, or the verb and infinitive:
*Elle **n'**a mangé **que** le chocolat.* She only ate the chocolate.
*Il **ne** veut voir **personne**.* He doesn't want to see anybody.

3 With an infinitive:
The expressions in list **A** go before the infinitive:
***Ne pas** utiliser après le 22/1.* Do not use after 22/1.
*Il préfère **ne rien** acheter.* He prefers not to buy anything.

The expressions in list **B** go around the infinitive:
*J'ai décidé de **n'**inviter **personne**.*
I've decided not to invite anybody.
*Il est surpris de **ne** voir **que** moi.* He's surprised to see only me.

4 When there are other pronouns before the verb, *ne* goes before them:
*Je **n'**en ai **plus**.* I don't have any left.
*Je **ne** le leur ai **pas** donné.* I didn't give it to them.
*Ils **ne** se lèvent **jamais** tôt.* They never get up early.

13 Les verbes *verbs*

13a l'infinitif the infinitive

The infinitive of a verb is the basic form found in a dictionary, e.g. *parler* (to speak). In French, most infinitives end in *-er, -ir* or *-re*, e.g. *demander, partir, entendre.*
To use a verb in a sentence, you usually change the infinitive to another form, following patterns that you need to learn. Many verbs follow the same patterns and are called regular verbs; others have their own pattern and are called irregular. *Avoir* (to have), *être* (to be), and other common verbs are irregular.

13b les temps tenses

The tense of a verb lets you know when the action takes place – in the past, present or future:
*Il **est parti** hier.* He **left** yesterday.
*Nous **attendons** le train.* We **are waiting** for the train.
*Je te **téléphonerai**.* I **shall phone** you.

13c la personne person

Verbs and pronouns change according to the 'person' they relate to. Verb patterns are usually shown in this order:

	singular	plural
1st person	*je*	*nous*
2nd person	*tu*	*vous*
3rd person	*il/elle/on*	*ils/elles*

14 Parler du présent *talking about the present*

The present tense describes what is happening now, or what happens on a regular basis. There is only one form of the present tense in French, while there are three in English:

I drink coffee.
I am drinking coffee.
I do drink coffee.
} would all be translated as: *Je bois du café.*

14a le présent – verbes réguliers present tense – regular verbs

For the three groups of regular verbs, take the *-er/-ir/-re* from the infinitive to get the 'stem':
regarder → *regard* *finir* → *fin* *attendre* → *attend*

Add these endings:

	-er verbs	*-ir* verbs	*-re* verbs
je	*-e*	*-is*	*-s*
tu	*-es*	*-is*	*-s*
il/elle/on	*-e*	*-it*	-
nous	*-ons*	*-issons*	*-ons*
vous	*-ez*	*-issez*	*-ez*
ils/elles	*-ent*	*-issent*	*-ent*

je regarde, nous regardons
tu finis, vous finissez
il attend, elles attendent

14b le présent – verbes irréguliers present tense – irregular verbs

The following verbs have irregular patterns that you need to learn, especially since they are used very often. Patterns are given in the table in **25**.

avoir to have *être* to be *aller* to go *venir* to come
dormir to sleep *ouvrir* to open *tenir* to hold

dire to say *écrire* to write *lire* to read
rire to laugh *connaître* to know *croire* to believe
faire to make/do *mettre* to put *vivre* to live
prendre to take *comprendre* to understand

devoir to have to/must *pouvoir* to be able to/can
savoir to know (how to) *vouloir* to want
falloir to be necessary *recevoir* to receive *voir* to see

Some verbs are almost regular, but have small spelling changes.

1 Verbs ending in *-cer* (like *commencer*) add a cedilla to the *c* when it comes before an *a* or an *o* (to keep the sound soft): *nous commençons.*

2 Verbs ending in *-ger* (like *manger*) add an *e* after the *g* before an *a* or an *o* (to keep the sound soft): *nous mangeons.*

3 Verbs ending in *-eler* (like *s'appeler*) double the *l*, except for the *nous* and *vous* forms: *je m'appelle, nous nous appelons.*

4 Verbs ending in *-e* + consonant + *er* (like *acheter*) change the final *e* of the stem to *è*, except for the *nous* and *vous* forms: *j'achète, vous achetez.*

5 Verbs ending in *-é* + consonant + *er* (like *espérer*) change the final *e* of the stem to *è*, except for the *nous* and *vous* forms: *j'espère, nous espérons.*

6 Verbs ending in *-ayer, -oyer, -uyer* (like *payer, envoyer, s'ennuyer*) change the *y* to *i*, except for the *nous* and *vous* forms: *je paie, tu envoies, nous payons, vous envoyez.*

14c en train de + infinitif

To say that someone is doing something at the time of talking or writing, you can use *en train de* ... with an infinitive.
Je suis en train de lire la brochure.
I am reading the brochure (right now).
L'avion est en train de décoller.
The plane is (in the middle of/in the act of) taking off.

15 Parler du futur *talking about the future*

There is a future tense in French, but it is not the only way to say what will (or will not) happen in the future.

15a le futur simple the future tense

To form the future tense, start with the stem, which is the same as the infinitive (if the infinitive ends in *-e*, drop the final *e*):
parler → *parler* *prendre* → *prendr*

The endings are the same as for the present tense of *avoir*:

je	*-ai*	*nous*	*-ons*
tu	*-as*	*vous*	*-ez*
il/elle/on	*-a*	*ils/elles*	*-ont*

Alain partira demain. Alan will leave tomorrow.
Je prendrai l'avion. I'll take the plane.

Common irregular verbs:
aller → *j'irai*
avoir → *j'aurai*
devoir → *je devrai*
envoyer → *j'enverrai*
être → *je serai*
faire → *je ferai*
pouvoir → *je pourrai*
savoir → *je saurai*
venir → *je viendrai*
voir → *je verrai*
vouloir → *je voudrai*

Some verbs are almost regular, but with small spelling changes.

1 Verbs ending in *-eler* (like *appeler*) double the *l* throughout: *j'appellerai, nous appellerons.*

2 Verbs ending in *-e* + consonant + *er* (like *acheter*) change the *e* of the root to *è* throughout: *j'achèterai, nous achèterons.*

3 Verbs ending in *-ayer, -oyer, -uyer* (like *payer*) change the *y* to *i* throughout: *je paierai, nous paierons.*

15b aller + infinitif

A simple way to talk about what is going to happen is to use part of the verb *aller* (to go) followed by an infinitive. This is sometimes called *le futur proche.*
*Nous **allons jouer** au tennis.* We're going to play tennis.
*Tu **vas écouter** la cassette?* Are you going to listen to the tape?

15c le présent the present tense

The present tense can be used for an event in the near future:
*On **sort** samedi soir?* Shall we go out on Saturday evening?
*J'**arrive** dans cinq minutes.* I'll be there in five minutes.

15d quand + futur simple future tense after *quand*

In English, we use the present tense after the word 'when', to talk about events in the future, e.g. 'When he arrives, we'll watch the video'. In French, you must use a future tense:
*Quand il **arrivera**, nous **regarderons** la vidéo.*

15e le futur antérieur the future perfect

Use this tense to say something will have happened. It is made up of *avoir* or *être* in the future tense, and a past participle.
*Ils **auront mangé** avant de sortir.*
They will have eaten before going out.
*Je **serai parti(e)** quand il arrivera.*
I shall have gone when he arrives.

16 Parler du passé *talking about the past*

16a le passé composé avec avoir
the perfect tense with *avoir*

The perfect tense is the most common of the tenses used to refer to the past. It is used in conversations, letters and informal narratives, to describe a completed action in the past. There is more than one equivalent in English: *J'ai vendu mon vélo* = I sold my bike, I have sold my bike, or I did sell my bike.

The perfect tense is compound, i.e. made up of two parts: an auxiliary verb, usually *avoir*, but for some verbs *être* (see **16b**), and a past participle (see **16c**).

For most verbs, put the present tense of *avoir* together with the past participle:

j'ai mangé	*nous avons mangé*
tu as mangé	*vous avez mangé*
il/elle/on a mangé	*ils/elles ont mangé*

*J'**ai fait** mes devoirs et puis on **a joué** aux cartes.*
I did my homework and then we played cards.

16b le passé composé avec être
the perfect tense with *être*

Some verbs have *être* as their auxiliary instead of *avoir*, giving, for example: *Paul est arrivé* = Paul arrived, Paul has arrived, or Paul did arrive. They are:
– all reflexive verbs – see **17b**,
– a group of common verbs, mostly connected with movement and change. Some of them fall into pairs of opposites, which can help you to learn them.

aller to go	*venir* to come
arriver to arrive	*partir* to leave
entrer to go in	*sortir* to go out
monter to go up	*descendre* to go down
naître to be born	*mourir* to die

devenir to become	*rentrer* to go home	*rester* to stay
retourner to return	*revenir* to come back	*tomber* to fall

The past participle must agree with the subject of the verb. Add the *e* shown in brackets when the subject is feminine, add the *s* when the subject is plural:

je suis arrivé(e)	*nous sommes arrivé(e)s*
tu es arrivé(e)	*vous êtes arrivé(e)(s)*
il est arrivé	*ils sont arrivés*
elle est arrivée	*elles sont arrivées*
on est arrivé(e)(s)	

Marie est sortie avec Annie. Elles sont allées en ville.
Marie went out with Annie. They went into town.

- A few verbs which normally use *être* change to *avoir* when there is a direct object. This changes the meaning slightly.
  *Marie **est sortie**.* Marie went outside.
  *Marie **a sorti** le dossier.* Marie took out the file.
  *Ils **sont rentrés**.* They came back.
  *Ils **ont rentré** la voiture.* They put the car away.

16c le participe passé the past participle

The past participle is used in the perfect tense and in some other compound tenses. The regular pattern is to take *-er/-ir/-re* off the infinitive and add one of the following endings:

-er verbs → *-é*	*parler* → *parlé*	*demander* → *demandé*
-ir verbs → *-i*	*finir* → *fini*	*partir* → *parti*
-re verbs → *-u*	*vendre* → *vendu*	*battre* → *battu*

You need to learn the most common irregular past participles:

infinitive →	past participle	infinitive →	past participle
avoir	*eu*	*mourir*	*mort*
boire	*bu*	*naître*	*né*
comprendre	*compris*	*ouvrir*	*ouvert*
conduire	*conduit*	*pleuvoir*	*plu*
connaître	*connu*	*pouvoir*	*pu*
courir	*couru*	*prendre*	*pris*
croire	*cru*	*recevoir*	*reçu*
devenir	*devenu*	*rire*	*ri*
devoir	*dû*	*savoir*	*su*
dire	*dit*	*suivre*	*suivi*
écrire	*écrit*	*tenir*	*tenu*
être	*été*	*venir*	*venu*
faire	*fait*	*vivre*	*vécu*
lire	*lu*	*voir*	*vu*
mettre	*mis*	*vouloir*	*voulu*

The past participle usually stays the same, but in two cases it changes, adding *e* for a feminine, *s* for a plural:
– when the auxiliary is *être* – see **16b** and **17**,
– when a direct object comes before the verb – read on.

In sentence 1, the direct object comes after the verb, so the past participle has no agreement – *acheté*:
1 *Marc a acheté **une veste**.*
In sentence 2, the direct object comes before the verb, so the past participle must agree with that (feminine) object – *achetée*:
2 *Voici **la veste** que Marc a achetée hier.*
In example 3, the direct object is a pronoun, *les*, and it comes before the verb. It stands for *les cassettes* which are feminine plural, so the past participle agrees with that – *données*:
3 *Où sont les cassettes? Je **les** ai données à Anne.*

16d l'imparfait the imperfect tense

The imperfect tense is sometimes called the continuous past tense. It is not made up of two parts like the perfect tense, it is just one word, made of a stem and an ending.

The stem is the *nous* form of the present tense of the verb, minus the *-ons*:
regarder → *nous regardons* → *regard*
voir → *nous voyons* → *voy*
prendre → *nous prenons* → *pren*
There is just one exception: *être* → *ét*

(Verbs like *manger* that add an extra *e* in the *nous* form of the present tense, and verbs like *prononcer* that change the *c* to *ç*, keep that change in the imperfect before an *a*.)

The endings are the same for all verbs.

je	*-ais*	*nous*	*-ions*
tu	*-ais*	*vous*	*-iez*
il/elle/on	*-ait*	*ils/elles*	*-aient*

je regardais, tu voyais, il prenait, nous mangions, ils mangeaient

The imperfect is used:

1 to describe what something was like:
*Il **faisait** nuit.* It was night time.
*Quand elle **était** petite, elle **avait** les cheveux blonds.*
When she was little, she had blond hair.

2 to describe continuous or interrupted actions in the past:
*Il **écoutait** la radio.* He was listening to the radio.
*Elle **traversait** la rue quand une moto l'a renversée.*
She was crossing the road when a motorbike ran her down.

3 to describe something that happened frequently in the past:
*On **regardait** la télé.* We used to watch television.
*Il **venait** me voir avant de partir.*
He used to come and see me before he left.

4 in reported speech (to report the present tense):
Pierre: "Je n'aime pas le camping."
*Pierre a dit qu'il n'**aimait** pas le camping.*
Pierre said he didn't like camping.

5 after *si* in conditional sentences:
*Si tu **travaillais,** tu réussirais.* If you worked, you'd succeed

6 in suggestions:
*Si on **allait** au bowling?* What about going bowling?
*Si tu m'**accompagnais**?* How about coming with me?

16e venir de + infinitif

To say that something has just happened or has only just finished, use the present tense of *venir* + *de* + infinitive:
Mon père vient de sortir. My father has just gone out.
Je viens de me réveiller. I've just woken up.

To say something had just happened, use *venir* in the imperfect tense, followed by *de* + infinitive:
Il venait de sortir quand vous avez téléphoné.
He had just gone out when you phoned.

16f depuis

Depuis means 'since' or 'for (a certain time)' in the past. If the action is still going on, *depuis* is used with the present tense, although in English we use a past tense, 'have/has been ...'.
J'apprends le japonais depuis un an.
I've been learning Japanese for a year.
Mon grand-père joue au tennis depuis des années.
My grandfather has been playing tennis for years.

If the action lasted for some time but is now over, *depuis* is used with the imperfect tense, to say 'had been ...'.
Nous habitions à Paris depuis un mois.
We had been living in Paris for a month.

16g le plus-que-parfait the pluperfect tense

The pluperfect tense is used to say that something had (already) happened. It is a compound tense, rather like the perfect tense. It is made up of *avoir* or *être* in the imperfect tense, and a past participle.

with *avoir*	with *être*
j'avais chanté	*j'étais venu(e)*
tu avais chanté	*tu étais venu(e)*
il/elle/on avait chanté	*il/elle/on était venu(e)(s)*
nous avions chanté	*nous étions venu(e)s*
vous aviez chanté	*vous étiez venu(e)(s)*
ils/elles avaient chanté	*ils/elles étaient venu(e)s*

*Quand je suis arrivé au café, les autres **étaient partis**.*
When I arrived at the café, the others had gone.
*Le prof a dit qu'il **avait écrit** une lettre à mes parents.*
The teacher said that he had written a letter to my parents.

16h l'infinitif passé the past infinitive

A past infinitive is used after *après* to say 'after doing' or 'having done something'. It is *avoir* or *être* in the infinitive, and a past participle:
*Après **avoir lu** le journal, j'ai fait mes devoirs.*
Having read the newspaper, I did my homework.
*Après **être allé** au supermarché, Paul est rentré chez lui.*
After going to the supermarket, Paul went home.
*Après **s'être couchées**, elles ont entendu un drôle de bruit.*
After going to bed, they heard a strange noise.

16i le passé simple the past historic

This is an alternative to the perfect tense. It is used in formal written French. You will come across it in stories and novels, history books, newspapers and magazines, and need to be able to recognize it.

*Elle **acheta** du tissu.* She bought some cloth.
*La femme ne **répondit** pas.* The woman didn't answer.

It is formed from a stem (the infinitive minus *-er/-ir/-re*) and the following endings:

	-er verbs	*-ir* and *-re* verbs
je	*-ai*	*-is*
tu	*-as*	*-is*
il/elle/on	*-a*	*-it*
nous	*-âmes*	*-îmes*
vous	*-âtes*	*-îtes*
ils/elles	*-èrent*	*-irent*

Many common verbs are irregular – see **25** for some of them.

17 Les verbes pronominaux *reflexive verbs*

The sign of a reflexive verb is the *se* or *s'* in front of the infinitive: *s'appeler, se lever, s'amuser, se tromper.*

A reflexive pronoun is added between the subject and the verb. The reflexive pronouns are:
me/m' te/t' se/s' nous vous se/s'

The reflexive pronoun is not usually translated in English.
*Je **me** repose.* I am resting.
*Tu **t'**ennuies?* Are you bored?
*Il **se** couche.* He's going to bed.
*Nous **nous** sommes assis.* We sat down.
*Vous **vous** appelez comment?* What's your name?
*Elles **se** sont trompées.* They made a mistake.

Questions In questions, the reflexive pronoun stays before the verb:
Tu te couches? Est-ce que tu te couches? Te couches-tu?
Are you going to bed?

Negatives In negative sentences, the negative expression goes around the pronoun as well as the verb:
On ne se couche pas. We're not going to bed.

Infinitives When the reflexive verb is in the infinitive, you need to replace the *se* with the right pronoun for the subject of the verb:
*Je dois **me coucher**.* I must go to bed.
*Nous voulons **nous amuser.*** We want to enjoy ourselves.
*Tu ne veux pas **te reposer**?* Don't you want to have a rest?

Perfect tense All reflexive verbs have *être* as the auxiliary verb, and the past participle must agree with the subject of the verb.

je me suis levé(e)	*nous nous sommes levé(e)s*
tu t'es levé(e)	*vous vous êtes levé(e)(s)*
il s'est levé	*ils se sont levés*
elle s'est levée	*elles se sont levées*
on s'est levé(e)s	

Les voitures se sont arrêtées. The cars stopped.
On s'est bien entendu(e)s. We got on well.
Je ne me suis jamais ennuyé(e). I never got bored.

Most reflexive verbs have regular past participles.
There are three exceptions:
s'asseoir → *je me suis assis(e)*
se mettre à → *je me suis mis(e) à*
se souvenir de → *je me suis souvenu(e) de*

18 L'impératif *the imperative*

Use the imperative form to give orders or instructions, and to make suggestions. It is simply the *tu, vous* or *nous* form of the present tense of the verb, but leaving out the pronoun. The *s* is dropped from the *tu* form of *-er* verbs.

Viens! Passe-moi le sel. Come on! Pass me the salt.
Regardez! Roulez lentement. Look! Drive slowly.
Allons-y! Voyons qui est là. Let's go! Let's see who's there.

Most verbs have regular imperatives, but you will meet the following irregular forms:
avoir: aie ayez ayons
être: sois soyez soyons
savoir: sache sachez sachons

With reflexive verbs, you need to take care with the reflexive pronoun:
– in a positive imperative, *te* changes to *toi*, and the pronoun goes after the verb:
Couche-toi. Go to bed. *Asseyez-vous.* Sit down.
– in a negative imperative, the pronoun does not change and remains immediately before the verb:
Ne te couche pas. Don't go to bed.
Ne vous asseyez pas. Don't sit down.

19 Le conditionnel *the conditional*

The conditional is used:

1. to express a wish or make a suggestion:
   *Je **voudrais** aller au Canada.* I'd/I would like to go to Canada.
   *Elle **devrait** acheter un chien.* She should buy a dog.
2. to make a polite request:
   ***Pourriez**-vous m'aider?* Could you help me?
3. in a sentence which depends on another event or situation:
   *Si je savais conduire, je **louerais** une voiture.*
   If I knew how to drive, I would hire a car.

19a au présent the present conditional

To the stem (= the infinitive, but drop the *-e* from *-re* verbs) add endings which are the same as for the imperfect (see **16d**):

je regarderais	*nous regarderions*
tu regarderais	*vous regarderiez*
il/elle/on regarderait	*ils/elles regarderaient*

19b au passé the past conditional

This is used to say something would have happened. Use *avoir* or *être* in the conditional, and add the past participle:
*Nous **aurions gagné** le match.* We would have won the match.
*Vous **seriez devenu** célèbre.* You would have been famous.
*Il **se serait coupé** le doigt.* He would have cut his finger.

20 En + participe présent
en + present participle

This structure is used to say 'while doing something' or 'by ...'.

Il s'est fait mal ***en jouant*** *au rugby.*
He hurt himself (while) playing rugby.
En mangeant *chez eux, ils font des économies.*
By eating at home, they're saving money.

To form the present participle, take the *nous* form of the present tense, remove the *-ons*, and add the ending *-ant*:
nous regardons → *regard* → *regardant*

21 Le subjonctif the subjunctive

The subjunctive is used to express opinions, wishes, possibilities, doubts; it is more noticeable in French than in English. You need to be able to recognize it when reading. For many verbs, it looks the same as the present tense, but for common irregular ones, the forms are quite different.

Je ne veux pas qu'il ***tombe***. I don't want him to fall.
*Il faut que j'****aille*** *voir le proviseur.*
I have to go and see the headteacher.
Je ne crois pas qu'il ***soit*** *prêt.* I don't think he's ready.
Il est possible qu'elle ***ait*** *déjà ses résultats.*
It's possible that she's already got her results.
Je voudrais que tu ***fasses*** *ça.* I'd like you to do that.

22 Le passif the passive

When the subject of the sentence has the action of the verb done to it instead of doing it, this is called the 'passive' voice. Use *être* and a past participle, which agrees with the subject.

Après un accident, les blessés ***sont transportés*** *à l'hôpital.*
After an accident, the injured are taken to hospital.
L'église ***a été construite*** *au quinzième siècle.*
The church was built in the fifteenth century.

In French, it's often neater to avoid the passive by using *on*:
On transporte les blessés à l'hôpital.

Another alternative is to use a reflexive verb:
Ce plat se mange froid. This dish is eaten cold.

23 Expressions avec avoir

Many expressions contain the verb *avoir*, including some for which English uses the verb 'to be' rather than 'to have'.

avoir X ans	*J'ai seize ans.* I am sixteen.
avoir quel âge	*Quel âge as-tu?* How old are you?
avoir faim	*Il a faim.* He is hungry.
avoir soif	*Elle a soif.* She is thirsty.
avoir de la chance	*On a de la chance.* We are lucky.
avoir peur	*On a peur.* We are frightened.
avoir froid	*Nous avons froid.* We are cold.
avoir chaud	*Vous avez chaud?* Are you hot?
avoir tort	*Ils ont tort.* They are wrong.
avoir raison	*Elles ont raison.* They are right.
avoir quelque chose	*Qu'est-ce que tu as?* What's the matter?
avoir besoin de	*On a besoin d'argent.* We need money.
avoir mal à	*Elle a mal au dos.* She's got backache.
avoir mal au cœur	*J'ai mal au cœur.* I feel sick.
avoir de la fièvre	*Elle a de la fièvre.* She's got a temperature.
avoir sommeil	*J'ai sommeil.* I'm sleepy.
avoir envie de	*Il a envie de partir.* He wants to leave.
avoir honte	*J'avais honte.* I was ashamed.

24 Quand utiliser l'infinitif the infinitive

Infinitives are used:

1 immediately after these verbs:
adorer aimer aller détester devoir entendre faire laisser oser pouvoir préférer savoir sembler voir vouloir il faut/fallait/faudra
Je voudrais voir ce film. I'd like to see this film.
Il faut partir tout de suite? Do we/you have to leave at once?

2 after these verbs, with the preposition *à*:
aider apprendre arriver s'attendre commencer continuer se décider s'entraîner faire attention inviter se mettre penser réussir
Il commence à pleuvoir. It's starting to rain.

3 after these verbs, with the preposition *de*:
s'arrêter cesser conseiller décider demander dire empêcher essayer éviter finir ordonner oublier permettre persuader prier promettre proposer recommander refuser regretter suggérer venir
N'oublie pas de téléphoner. Don't forget to phone.

4 after the prepositions *pour, sans, avant de*:
C'est quelle direction pour aller au camping?
Which way is it for the campsite?
Elle a répondu sans hésiter. She answered without hesitating.
Avant de se coucher, ils lisent. Before going to bed, they read.

5 in notices or instructions:
Ne pas servir chaud. Not to be served hot.

6 as nouns:
Sortir, ça fait du bien. Going out does you good.

25 *Verbes – tableaux* *verb tables*

infinitif		présent	passé composé	imparfait	passé simple	futur simple	conditionnel
-er verbs							
parler	je/j'	parle	ai parlé	parlais	parlai	parlerai	parlerais
to speak	tu	parles	as parlé	parlais	parlas	parleras	parlerais
	il/elle/on	parle	a parlé	parlait	parla	parlera	parlerait
	nous	parlons	avons parlé	parlions	parlâmes	parlerons	parlerions
	vous	parlez	avez parlé	parliez	parlâtes	parlerez	parleriez
	ils/elles	parlent	ont parlé	parlaient	parlèrent	parleront	parleraient
-ir verbs							
finir	je/j'	finis	ai fini	finissais	finis	finirai	finirais
to finish	tu	finis	as fini	finissais	finis	finiras	finirais
	il/elle/on	finit	a fini	finissait	finit	finira	finirait
	nous	finissons	avons fini	finissions	finîmes	finirons	finirions
	vous	finissez	avez fini	finissiez	finîtes	finirez	finiriez
	ils/elles	finissent	ont fini	finissaient	finirent	finiront	finiraient
-re verbs							
répondre	je/j'	réponds	ai répondu	répondais	répondis	répondrai	répondrais
to answer	tu	réponds	as répondu	répondais	répondis	répondras	répondrais
	il/elle/on	répond	a répondu	répondait	répondit	répondra	répondrait
	nous	répondons	avons répondu	répondions	répondîmes	répondrons	répondrions
	vous	répondez	avez répondu	répondiez	répondîtes	répondrez	répondriez
	ils/elles	répondent	ont répondu	répondaient	répondirent	répondront	répondraient
aller	je/j'	vais	suis allé(e)	allais	allai	irai	irais
to go	tu	vas	es allé(e)	allais	allas	iras	irais
	il/elle/on	va	est allé(e)(s)	allait	alla	ira	irait
	nous	allons	sommes allé(e)s	allions	allâmes	irons	irions
	vous	allez	êtes allé(e)(s)	alliez	allâtes	irez	iriez
	ils/elles	vont	sont allé(e)s	allaient	allèrent	iront	iraient
avoir	je/j'	ai	ai eu	avais	eus	aurai	aurais
to have	tu	as	as eu	avais	eus	auras	aurais
	il/elle/on	a	a eu	avait	eut	aura	aurait
	nous	avons	avons eu	avions	eûmes	aurons	aurions
	vous	avez	avez eu	aviez	eûtes	aurez	auriez
	ils/elles	ont	ont eu	avaient	eurent	auront	auraient
comprendre		*see* **prendre**					
to understand	je/j'	comprends	ai compris	comprenais	compris	comprendrai	comprendrais
connaître	je/j'	connais	ai connu	connaissais	connus	connaîtrai	connaîtrais
to know	tu	connais	as connu	connaissais	connus	connaîtras	connaîtrais
	il/elle/on	connaît	a connu	connaissait	connut	connaîtra	connaîtrait
	nous	connaissons	avons connu	connaissions	connûmes	connaîtrons	connaîtrions
	vous	connaissez	avez connu	connaissiez	connûtes	connaîtrez	connaîtriez
	ils/elles	connaissent	ont connu	connaissaient	connurent	connaîtront	connaîtraient
croire		*see* **voir**					
to believe	je/j'	crois	ai cru	croyais	crus	croirai	croirais
devoir	je/j'	dois	ai dû	devais	dus	devrai	devrais
to have to/	tu	dois	as dû	devais	dus	devras	devrais
must	il/elle/on	doit	a dû	devait	dut	devra	devrait
	nous	devons	avons dû	devions	dûmes	devrons	devrions
	vous	devez	avez dû	deviez	dûtes	devrez	devriez
	ils/elles	doivent	ont dû	devaient	durent	devront	devraient

infinitif		présent	passé composé	imparfait	passé simple	futur simple	conditionnel
dire	je/j'	dis	ai dit	disais	dis	dirai	dirais
to say	tu	dis	as dit	disais	dis	diras	dirais
	il/elle/on	dit	a dit	disait	dit	dira	dirait
	nous	disons	avons dit	disions	dîmes	dirons	dirions
	vous	dites	avez dit	disiez	dîtes	direz	diriez
	ils/elles	disent	ont dit	disaient	dirent	diront	diraient
dormir	je/j'	dors	ai dormi	dormais	dormis	dormirai	dormirais
to sleep	tu	dors	as dormi	dormais	dormis	dormiras	dormirais
	il/elle/on	dort	a dormi	dormait	dormit	dormira	dormirait
	nous	dormons	avons dormi	dormions	dormîmes	dormirons	dormirions
	vous	dormez	avez dormi	dormiez	dormîtes	dormirez	dormiriez
	ils/elles	dorment	ont dormi	dormaient	dormirent	dormiront	dormiraient
écrire	je/j'	écris	ai écrit	écrivais	écrivis	écrirai	écrirais
to write	tu	écris	as écrit	écrivais	écrivis	écriras	écrirais
	il/elle/on	écrit	a écrit	écrivait	écrivit	écrira	écrirait
	nous	écrivons	avons écrit	écrivions	écrivîmes	écrirons	écririons
	vous	écrivez	avez écrit	écriviez	écrivîtes	écrirez	écririez
	ils/elles	écrivent	ont écrit	écrivaient	écrivirent	écriront	écriraient
être	je/j'	suis	ai été	étais	fus	serai	serais
to be	tu	es	as été	étais	fus	seras	serais
	il/elle/on	est	a été	était	fut	sera	serait
	nous	sommes	avons été	étions	fûmes	serons	serions
	vous	êtes	avez été	étiez	fûtes	serez	seriez
	ils/elles	sont	ont été	étaient	furent	seront	seraient
faire	je/j'	fais	ai fait	faisais	fis	ferai	ferais
to do/make	tu	fais	as fait	faisais	fis	feras	ferais
	il/elle/on	fait	a fait	faisait	fit	fera	ferait
	nous	faisons	avons fait	faisions	fîmes	ferons	ferions
	vous	faites	avez fait	faisiez	fîtes	ferez	feriez
	ils/elles	font	ont fait	faisaient	firent	feront	feraient
falloir	il	faut	a fallu	fallait	fallut	faudra	faudrait
to be necessary							
se lever	je	me lève	me suis levé(e)	me levais	me levai	me lèverai	me lèverais
to get up	tu	te lèves	t'es levé(e)	te levais	te levas	te lèveras	te lèverais
	il/elle/on	se lève	s'est levé(e)(s)	se levait	se leva	se lèvera	se lèverait
	nous	nous levons	nous sommes levé(e)s	nous levions	nous levâmes	nous lèverons	nous lèverions
	vous	vous levez	vous êtes levé(e)(s)	vous leviez	vous levâtes	vous lèverez	vous lèveriez
	ils/elles	se lèvent	se sont levé(e)s	se levaient	se levèrent	se lèveront	se lèveraient
lire	je/j'	lis	ai lu	lisais	lus	lirai	lirais
to read	tu	lis	as lu	lisais	lus	liras	lirais
	il/elle/on	lit	a lu	lisait	lut	lira	lirait
	nous	lisons	avons lu	lisions	lûmes	lirons	lirions
	vous	lisez	avez lu	lisiez	lûtes	lirez	liriez
	ils/elles	lisent	ont lu	lisaient	lurent	liront	liraient
mettre	je/j'	mets	ai mis	mettais	mis	mettrai	mettrais
to put	tu	mets	as mis	mettais	mis	mettras	mettrais
	il/elle/on	met	a mis	mettait	mit	mettra	mettrait
	nous	mettons	avons mis	mettions	mîmes	mettrons	mettrions
	vous	mettez	avez mis	mettiez	mîtes	mettrez	mettriez
	ils/elles	mettent	ont mis	mettaient	mirent	mettront	mettraient
ouvrir	je/j'	ouvre	ai ouvert	ouvrais	ouvris	ouvrirai	ouvrirais
to open	tu	ouvres	as ouvert	ouvrais	ouvris	ouvriras	ouvrirais
	il/elle/on	ouvre	a ouvert	ouvrait	ouvrit	ouvrira	ouvrirait
	nous	ouvrons	avons ouvert	ouvrions	ouvrîmes	ouvrirons	ouvririons
	vous	ouvrez	avez ouvert	ouvriez	ouvrîtes	ouvrirez	ouvririez
	ils/elles	ouvrent	ont ouvert	ouvraient	ouvrirent	ouvriront	ouvriraient

infinitif		présent	passé composé	imparfait	passé simple	futur simple	conditionnel
pleuvoir *to rain*	il	pleut	a plu	pleuvait	plut	pleuvra	pleuvrait
pouvoir	je/j'	peux	ai pu	pouvais	pus	pourrai	pourrais
to be able/	tu	peux	as pu	pouvais	pus	pourras	pourrais
can	il/elle/on	peut	a pu	pouvait	put	pourra	pourrait
	nous	pouvons	avons pu	pouvions	pûmes	pourrons	pourrions
	vous	pouvez	avez pu	pouviez	pûtes	pourrez	pourriez
	ils/elles	peuvent	ont pu	pouvaient	purent	pourront	pourraient
prendre	je/j'	prends	ai pris	prenais	pris	prendrai	prendrais
to take	tu	prends	as pris	prenais	pris	prendras	prendrais
	il/elle/on	prend	a pris	prenait	prit	prendra	prendrait
	nous	prenons	avons pris	prenions	prîmes	prendrons	prendrions
	vous	prenez	avez pris	preniez	prîtes	prendrez	prendriez
	ils/elles	prennent	ont pris	prenaient	prirent	prendront	prendraient
recevoir	je/j'	reçois	ai reçu	recevais	reçus	recevrai	recevrais
to receive	tu	reçois	as reçu	recevais	reçus	recevras	recevrais
	il/elle/on	reçoit	a reçu	recevait	reçut	recevra	recevrait
	nous	recevons	avons reçu	recevions	reçûmes	recevrons	recevrions
	vous	recevez	avez reçu	receviez	reçûtes	recevrez	recevriez
	ils/elles	reçoivent	ont reçu	recevaient	reçurent	recevront	recevraient
rire	je/j'	ris	ai ri	riais	ris	rirai	rirais
to laugh	tu	ris	as ri	riais	ris	riras	rirais
	il/elle/on	rit	a ri	riait	rit	rira	rirait
	nous	rions	avons ri	riions	rîmes	rirons	ririons
	vous	riez	avez ri	riiez	rîtes	rirez	ririez
	ils/elles	rient	ont ri	riaient	rirent	riront	riraient
savoir	je/j'	sais	ai su	savais	sus	saurai	saurais
to know	tu	sais	as su	savais	sus	sauras	saurais
	il/elle/on	sait	a su	savait	sut	saura	saurait
	nous	savons	avons su	savions	sûmes	saurons	saurions
	vous	savez	avez su	saviez	sûtes	saurez	sauriez
	ils/elles	savent	ont su	savaient	surent	sauront	sauraient
tenir		*see* **venir**, *but with* **avoir** *in compound tenses*					
to hold	je/j'	tiens	ai tenu	tenais	tins	tiendrai	tiendrais
venir	je	viens	suis venu(e)	venais	vins	viendrai	viendrais
to come	tu	viens	es venu(e)	venais	vins	viendras	viendrais
	il/elle/on	vient	est venu(e)(s)	venait	vint	viendra	viendrait
	nous	venons	sommes venu(e)s	venions	vînmes	viendrons	viendrions
	vous	venez	êtes venu(e)(s)	veniez	vîntes	viendrez	viendriez
	ils/elles	viennent	sont venu(e)s	venaient	vinrent	viendront	viendraient
vivre		*see* **écrire**	*past participle:* **vécu**				
to live	je/j'	vis	ai vécu	vivais	vécus	vivrai	vivrais
voir	je/j'	vois	ai vu	voyais	vis	verrai	verrais
to see	tu	vois	as vu	voyais	vis	verras	verrais
	il/elle/on	voit	a vu	voyait	vit	verra	verrait
	nous	voyons	avons vu	voyions	vîmes	verrons	verrions
	vous	voyez	avez vu	voyiez	vîtes	verrez	verriez
	ils/elles	voient	ont vu	voyaient	virent	verront	verraient
vouloir	je/j'	veux	ai voulu	voulais	voulus	voudrai	voudrais
to want	tu	veux	as voulu	voulais	voulus	voudras	voudrais
	il/elle/on	veut	a voulu	voulait	voulut	voudra	voudrait
	nous	voulons	avons voulu	voulions	voulûmes	voudrons	voudrions
	vous	voulez	avez voulu	vouliez	voulûtes	voudrez	voudriez
	ils/elles	veulent	ont voulu	voulaient	voulurent	voudront	voudraient

Vocabulaire

(f) = féminin
(m) = masculin
(fam.) = français familier

A

à *at, to, in*
les abdominaux (m) *press-ups*
une abeille *bee*
abîmer *to damage*
aborder *to approach*
abrité(e) *sheltered*
absolument *absolutely*
une accalmie *lull*
un accord *agreement*
d'– *OK, agreed*
accorder *to grant*
accro de *hooked on* (fam.)
accrocher *to hang, to hook*
l' accueil (m) *reception; welcome*
un achat *purchase*
acheter *to buy*
un(e) acteur/trice *actor/actress*
les actualités (f) *news*
actuel(le) *current*
à l'heure – *at the present time*
additionner *to add up*
une addition *bill*
un(e) adhérent(e) *member*
adjoint(e) *deputy*
adorer *to love, to adore*
un(e) ado(lescent(e)) *teenager*
une adresse *address*
adresser *to send*
adroit(e) *skilful*
un aéroglisseur *hovercraft*
un aéroport *airport*
les affaires (f) *belongings; business*
une affiche *poster*
affreux/euse *horrible*
afin de *in order to*
une agence *agency*
un agenda *diary*
un agent *agent, policeman*
agir *to act*
un agneau *lamb*
agrandir *to enlarge*
agréable *pleasant*
aider *to help*
aïe! *ouch!*
aigu(e) *acute*
une aile *wing*
ailleurs *elsewhere*
d'– *besides*
aimer *to like, to love*
aîné(e) *elder*
ainsi *so*
une aire (de repos) *(rest) area*
à l' aise *comfortable*
ajouter *to add*
algérien(ne) *Algerian*
un aliment *food*
une alimentation *diet*
allemand(e) *German*
aller *to go*
un aller (simple) *single ticket*
un aller-retour *return ticket*
allô *hello (on the phone)*
s' allonger *to lie down*
allumer *to light*
une allumette *match*
alors *then, so, well*
– que *while*
alsacien(ne) *Alsacian*
une ambassade *embassy*
améliorer *to improve*
amener *to bring*
amer/amère *bitter*
américain(e) *American*
amérindien(ne) *American Indian*
un(e) ami(e) *friend*
l' amitié (f) *friendship*
l' amour (m) *love*
amoureux/euse *in love*
amusant(e) *funny*
s' amuser *to enjoy oneself*
un an *year*
un(e) ancêtre *ancestor*
ancien(ne) *old; ex-*
anglais(e) *English*
un(e) animateur/trice *leader*
animé(e) *lively*
une année *year*
un anniversaire *birthday*
une annonce *advert*
un annuaire *phone directory*
annuler *to cancel*
une antenne *aerial*
une – parabolique *satellite dish*
apparaître *to appear*
un appareil-photo *camera*
une apparence *appearance, looks*
un appartement *flat*
appartenir *to belong*
un appel *call*
appeler *to call*
appliquer *to apply*
apporter *to bring*
apprendre *to learn*
après *after*
un(e) après-midi *afternoon*
arabe *Arab; Arabic*
un arc-en-ciel *rainbow*
un(e) architecte-paysagiste *landscape architect*
l' ardoise (f) *slate*
une arête *ridge*
l' argent (m) *money*
l' argot (m) *slang*
l' armée (de l'air) *army (airforce)*
une armoire *wardrobe*
un arrêt (de bus) *(bus) stop*
arrêter *to stop*
l' arrivée (f) *arrival*
arriver *to arrive*
arroser *to water*
d' art et d'essai *art-house, experimental*
un ascenseur *lift*
une ascension *ascent*
asiatique *Asian*
un aspirateur *vacuum cleaner*
s' asseoir *to sit*
assez *enough; quite*
une assiette *plate*
assister à *to attend*
assortir *to match (colours)*
assurer *to provide, to guarantee*
une astuce *tip*
un atelier *workshop*
l' athlétisme (m) *athletics*
attendre *to wait*
atterrir *to land*
l' atterrissage (m) *landing*
attirant(e) *attractive*
attirer *to attract*
au-dessous *underneath*
au-dessus *above*
une auberge (de jeunesse) *(youth) hostel, inn*
aucun *no, not any*
un(e) auditeur/trice *listener*
aujourd'hui *today*
auprès de *next to, with*
aussi *also*
aussitôt *straight away*
australien(ne) *Australian*
autant de *as much/many of*
un autobus *bus*
un autocar *coach*
l' autodestruction (f) *self-destruction*
l' automne (m) *autumn*
un(e) automobiliste *motorist*
autonome *autonomous*
une autorisation *permission*
une autoroute *motorway*
l' auto-stop (m) *hitch-hiking*
autour de *around*
autre *other*
autrefois *in the past*
autrement *differently, otherwise*
une autruche *ostrich*
avaler *to swallow*
avant *before*
un avant-bras *forearm*
avant-hier *the day before yesterday*
avec *with*
l' avenir (m) *future*
un avion *plane*
un aviron *oar*
un avis *opinion*
un avocat *lawyer; avocado*
avoir *to have*
avouer *to admit*

B

le bac(calauréat) *exam equivalent to A-level*
une baguette *bread, French stick*
se baigner *to bathe*
bâiller *to yawn*
un bain *bath*
un baiser *kiss*
baisser *to lower*
un bal *dance*
une balade *walk, outing*
balayer *to sweep*
un balcon *balcony*
un ballon *ball*
un banc *bench*
une bande *group*
une – dessinée *cartoon strip*
une – sonore *sound track*
une banlieue *suburb*
une barbe *beard*
les bas (m) *stockings*
les baskets (f) *trainers*
un bateau *boat*
un bâtiment *building*
un bâton *stick*
battre *to beat*
bavard(e) *talkative*
beau/bel(le) *beautiful*
beaucoup *a lot, many*
belge *Belgian*
bénévole *voluntary, volunteer*
berbère *Berber*
avoir besoin de *to need*
beurk! *yuk!*
le beurre *butter*
une bibliothèque *library*
une bicyclette *bicycle*
un bidule *thingummy* (fam.)
bien *well*
bientôt *soon*
à – ! *see you soon!*
bienvenue! *welcome!*
un bilan *summary, overall judgement*
un billet *bank note; ticket*
une bise *kiss*
un bisou *kiss* (fam.)
une blague *joke*
blanc(he) *white*
un blanc *blank, gap*
le blé *wheat*
(se) blesser *to hurt oneself*
une blessure *injury, wound*
bleu *blue*
– marine *navy blue*
une blouse *overalls*
un blouson *jacket*
bof! *so so!*
boire *to drink*
le bois *wood*
une boisson *drink*
une boîte *box; tin; disco*
un bol *bowl*
bon(ne) *good*
un bonbon *sweet*
le bonheur *happiness*
le bord *edge, side*
à – *on board*
une botte *boot*
une bottine *ankle boot*
une boucherie *butcher's*
un bouchon *traffic jam*
bouclé(e) *curly*
bouder *to sulk*
bouger *to move*
les boules (f) *bowls*
bouleverser *to turn upside-down*
un boulot *job* (fam.)
une boum *party*
un bouquin *book* (fam.)
une boussole *compass*
un bout *piece, bit*
au bout de *at the end of*
une bouteille *bottle*
une boutique *shop*
les bovins (m) *cattle*
branché(e) *trendy, 'in'* (fam.)
un bras *arm*
le bricolage *DIY*
briller *to shine*
une brise *breeze*
britannique *British*
bronzer *to tan*
une brosse *brush*
une – à dents *toothbrush*
brosser *to brush*
se – les dents *to brush one's teeth*
le brouillard *fog*
la brousse *bush*
un bruit *noise*
brûlant(e) *burning*
brûler *to burn*
brun(e) *dark-haired, brown*
bruyant(e) *noisy*
une bulle *bubble*
un bulletin-météo *weather forecast*
un bureau *office; desk*

C

une cabine d'essayage *fitting room*
une cabine téléphonique *phone booth*
un cabinet *practice, doctor's office*
cacher *to hide*
un cachet *tablet*
un caddie *trolley*
un cadeau *present*
cadet(te) *younger*
un cadre *setting; executive*
une cafetière *coffee-maker*
un cahier *exercise book*

une caisse *box; till*
un(e) caissier/ère *cashier*
un calcul *sum, calculation*
un caleçon *leggings*
un camion *lorry*
la campagne *countryside; campaign*
un(e) campeur/euse *camper*
un camping *campsite*
un cancre *dunce*
la candidature *application*
poser sa – *to apply*
un canif *penknife*
un car *coach*
le caractère *character, nature*
un carburateur *carburettor*
un carnet *notebook*
un – de chèques *cheque book*
à carreaux (m) *checked*
un carrefour *crossroads*
le carrelage *tiled floor*
une carrière *career*
une carte *map/card*
une d'adhérent *membership card*
la – des vins *wine list*
un carton *cardboard (box)*
une cascade *waterfall*
une casquette *cap*
une casserole *pan*
casser *to break*
une cavalcade *stampede*
une cave *cellar*
ce/cet/cette/ces *this/these*
une ceinture *belt*
une – -banane *money belt, bum bag*
célèbre *famous*
célibataire *single*
celui/celle/ceux/celles -ci/-là *this/these, that/those*
une centaine *hundred or so*
le centre-ville *town centre*
cependant *however*
un cercle *circle*
les céréales (f) *(breakfast) cereal*
une cerise *cherry*
un cerf-volant *kite*
certain(e) *certain; some*
chacun(e) *each*
une chaîne *chain; channel*
une chaise *chair*
la chaleur *heat*
chaleureux/euse *warm*
une chambre *bedroom*
une – d'hôte *bed and breakfast*
un chameau *camel*
un champ *field*
un champignon *mushroom*
un championnat *championship*
un changement *change*
changer *to change; to exchange (money)*
une chanson *song*
chanter *to sing*
un(e) chanteur/euse *singer*
un chantier *building site*
un chapeau *hat*
chaque *each*
un(e) chat(te) *cat*
châtain *chestnut brown*
un château *castle*
chaud(e) *hot*
le chauffage *heating*
un chauffeur *driver*
le chaume *thatch*
une chaussette *sock*
une chaussure *shoe*
chauve *bald*
un chemin *path, way*
une cheminée *fireplace; chimney*

une chemise *shirt*
un chemisier *blouse*
cher/chère *expensive; dear*
chercher *to look for*
venir – *to come for, to collect*
un cheval *horse*
les cheveux (m) *hair*
une cheville *ankle*
chez *at/to someone's house/place*
un chien *dog*
un chiffre *number*
la chimie *chemistry*
chinois(e) *Chinese*
les chips (f) *crisps*
un(e) chirurgien(ne) *surgeon*
choisir *to choose*
un choix *choice*
le chômage *unemployment*
un(e) chômeur/euse *unemployed*
une chose *thing*
chouchouter *to pamper* (fam.)
chypriote *Cypriot*
ci-dessous *below*
ci-dessus *above*
ci-joint(e) *enclosed*
le cidre *cider*
le ciel *sky*
une cigale *cicada*
une cime *summit*
un ciné *cinema* (fam.)
cinquième *fifth; year 8*
la circulation *traffic*
une cité *city, town; estate*
clairement *clearly*
claquer *to slam (door)*
une classe *class, form; classroom*
un classement *placing*
classer *to classify*
une clé/clef *key*
un cochon *pig*
un cœur *heart*
avoir mal au – *to feel sick*
par – *by heart*
se coiffer *to do one's hair*
un(e) coiffeur/euse *hairdresser, barber*
la coiffure *hairdressing*
un coin *corner*
un col *collar*
la colère *anger*
un colis *parcel*
un collant *tights*
une colle *detention; glue*
collectionner *to collect*
un collège *secondary school*
un(e) collégien(ne) *secondary schoolboy/girl*
coller *to stick*
une colline *hill*
le colombage *half-timbering*
une colombe *dove*
une colonne *column*
combattre *to fight against*
combien *how much, how many*
commander *to order*
comme *as, as a, like*
commencer *to start*
comment *how, what*
un(e) commerçant(e) *shopkeeper*
un commerce *shop*
une compétence *ability*
un comportement *behaviour*
composer *to dial*
composter *to validate*
compréhensif/ve *understanding*
comprendre *to understand*
comprimé(e) *compressed*
un comprimé *tablet*
un(e) comptable *accountant*

un compte rendu *report*
compter *to count*
un comptoir *counter, bar*
un(e) concierge *caretaker*
la conciergerie *caretaker's lodge*
un concombre *cucumber*
un concours *competition*
conduire *to drive*
la conduite *driving*
la confiance *trust, confidence*
faire – à *to trust*
la confiture *jam*
confondre *to confuse, to mix up*
confortable *comfortable*
congelé(e) *frozen*
la connaissance *knowledge*
connaître *to know*
consacrer *to dedicate*
un conseil *piece of advice*
conseiller *to advise, to recommend*
un(e) conseiller/ère *adviser*
– d'orientation *careers adviser*
un(e) consommateur/trice *consumer*
consommer *to consume*
construire *to build*
un conteneur *container*
content(e) *happy*
un(e) conteur/euse *storyteller*
le contraire *opposite*
contre *against*
par – *on the other hand*
contribuer *to contribute*
convaincant(e) *convincing*
convenir *to suit*
un(e) copain/copine *friend*
un coquillage *shellfish*
une cordonnerie *shoe-mender's*
un corps *body*
correctement *correctly*
une correspondance *connection; correspondence*
un(e) correspondant(e) *penfriend*
corriger *to correct*
corse *Corsican*
costaud *strong, sturdy*
un costume *suit, costume*
un côté *side*
à – de *next to*
une côte *coast, slope*
le coton *cotton*
un cou *neck*
se coucher *to go to bed*
coudre *to sew*
un couloir *corridor, aisle*
un coup de cœur *instant liking, favourite*
un coup de téléphone *phone call*
une cour *yard, playground*
courageux/euse *brave, courageous*
couramment *fluently; commonly*
un coureur *competitor, racer*
courir *to run*
le courrier *mail*
un cours *lesson, course*
une course *race*
les courses (f) *shopping*
court(e) *short*
un coussin *cushion*
le coût *cost*
un couteau *knife*
coûter *to cost*
une couture *sewing; seam*
couvert(e) *covered, overcast*
craquer *to creak; to crack; to crack up*
une craie *chalk*
un crayon *pencil*
créer *to create*
une crème *cream*

une crêpe *pancake*
crépu(e) *frizzy*
crevé *flat (tyre)*
une crevette *prawn*
un cri *scream*
un crochet *hook*
un croisement *crossroads*
une cruche *jug, pitcher*
les crudités (f) *raw vegetables*
cueillir *to pick*
une cuiller/cuillère *spoon*
le cuir *leather*
la cuisine *kitchen; cooking*
un(e) cuisinier/ère *cook*
une cuisse *thigh*
cuit(e) *cooked*
curieux/euse *curious, inquisitive*
le cyclisme *cycling*
le cyclotourisme *bicycle touring*

D

une dame *woman, lady*
dans *in*
une danse *dance*
danser *to dance*
davantage *more*
de *of, from, some*
un dé *die, dice*
débarrasser *to clear (the table)*
déborder *to spill over*
debout *standing up*
débrouillard(e) *resourceful*
se débrouiller *to get by, to manage*
un début *beginning*
un(e) débutant(e) *beginner*
décamper *to clear off* (fam.)
une déception *disappointment*
décevant(e) *disappointing*
les déchets (m) *rubbish*
une déchetterie *rubbish tip, refuse centre*
déchiré(e) *torn*
le décollage *take off*
décontracté(e) *relaxed*
le décors *setting, decor*
découvrir *to discover*
décrire *to describe*
dedans *inside*
défendu(e) *forbidden*
un défi *challenge*
un défilé *procession*
définitivement *definitely, for good*
une dégustation *tasting*
dehors *outside*
déjà *already*
le déjeuner *lunch*
le petit – *breakfast*
délavé *pre-faded*
un(e) délégué(e) de classe *class delegate*
les délices (m) *delights, joys*
un deltaplane *hang-glider*
demain *tomorrow*
demander *to ask for*
les démarches (f) *procedures*
démarrer *to start up (car)*
un demi-frère *half/step-brother*
une demi-heure *half an hour*
la demi-pension *half board (school lunches; B & B with dinner)*
une demi-sœur *half/step-sister*
un demi-tour *U-turn*
démodé(e) *old-fashioned*
une dent *tooth*
le dépannage *repair; helping out*
un départ *departure*
dépasser *to pass, to exceed*
dépenser *to spend*
un déplacement *business trip*
un dépliant *leaflet*

Vocabulaire

depuis *since, for*
déranger *to disturb*
dernier/ère *last*
derrière *behind*
le désaccord *disagreement*
désagréable *unpleasant*
descendre *to go down, to get off*
désespéré(e) *desperate*
le désespoir *despair*
désigner *to point out, to show*
le désir *desire*
désolé(e) *sorry*
le désordre *mess*
désormais *from now on*
le dessin *drawing, art*
un – animé *cartoon*
dessiner *to draw*
dessous *under*
dessus *on, over*
le destin *fate, destiny*
se détendre *to relax*
la détente *relaxation*
détester *to hate*
la détresse *distress*
détruire *to destroy*
un deux pièces *one-bedroom flat*
deuxième *second*
devant *in front of*
devenir *to become*
deviner *to guess*
devoir *must, to have to; to owe*
les devoirs (m) *homework*
le diable *devil*
un dictionnaire *dictionary*
diététique *healthy (meal)*
difficile *difficult*
difficilement *with difficulty*
le dîner *dinner*
un diplôme *qualification, diploma*
dire *to say, tell*
un(e) directeur/trice *head (teacher)*
discuter *to discuss*
disparaître *to disappear*
disponible *available*
se disputer *to quarrel*
un disque *record, disk*
une distraction *hobby*
un distributeur automatique *cash dispenser*
un divertissement *distraction*
une dizaine *about ten*
un(e) documentaliste *librarian*
un domicile *residence*
à – *at home*
dommage *pity*
un don *gift; donation*
donc *so*
donner *to give*
dont *whose, of which*
dormir *to sleep*
un dortoir *dormitory*
le dos *back*
doucement *softly; quietly*
la douceur *softness*
une douche *shower*
doué(e) *good at, gifted*
un doute *doubt*
sans – *perhaps*
doux/ce *soft; mild*
une douzaine *dozen, about twelve*
un drap *sheet*
la drogue *drug*
le droit *right*
tout – *straight on*
à droite *on/to the right*
drôle *funny*
dur(e) *hard*
durant *during*
la durée *duration*
durer *to last*

E

l' eau (f) *water*
– potable *drinking water*
un échange *exchange*
une écharpe *scarf*
les échecs (m) *chess*
une éclaircie *sunny spell*
éclaté(e) *broken, split, burst*
une école *school*
écolo *green, ecological*
une économie *saving*
économiser *to save*
écossais(e) *Scottish*
écouter *to listen to*
un écran *screen*
le grand/petit – *cinema/TV*
écrire *to write*
l' écriture (f) *handwriting*
effacer *to wipe off*
effectuer *to carry out*
un effet *effect*
en – *indeed*
égal(e) *equal*
ça m'est – *I don't mind*
également *also, equally*
égarer *to lose*
une église *church*
égoïste *selfish*
élargir *to enlarge; to widen*
un élevage *breeding*
un – bovin *cattle breeding*
un(e) élève *pupil*
élever *to raise; to bring up*
un emballage *packaging*
embrasser *to kiss*
une émission *programme*
emmener *to take (someone) along/with*
émouvant(e) *moving*
empêcher *to prevent*
un emplacement *plot*
un emploi *job*
un(e) employé(e) *employee*
employer *to employ*
un employeur *employer*
emporter *to take away*
emprunter *to borrow*
enchaîné(e) *connected*
aux enchères *at auction*
s' encorder *to rope up*
encore *another, again*
endommager *to damage*
s' endormir *to go to sleep*
un endroit *place*
l' endurance (f) *stamina*
énergique *energetic*
énervé(e) *irritated*
l' enfance (f) *childhood*
un(e) enfant *child*
enfermer *to lock up*
enfin *at last, finally*
un engrais *fertiliser*
enlever *to remove, to take off*
s' ennuyer *to get bored*
ennuyeux/euse *boring, annoying*
énorme *enormous*
énormément *enormously*
une enquête *survey, investigation*
un enregistrement *recording*
enregistrer *to record*
enrichissant(e) *enriching*
l' enseignement (m) *education, teaching*
ensemble *together*
ensoleillé(e) *sunny*
ensuite *then, afterwards*
entendre *to hear*
s'– *to get on with each other*
entier/ère *whole*
une entorse *sprain*
un entracte *interval*
s' entraîner *to train*
un(e) entraîneur/euse *coach*
entre *among; (in) between*
une entrée *hall; admission; starter*
une entreprise *firm*
entrer *to come in*
un entretien *job interview*
une énumération *listing*
avoir envie de *to feel like*
environ *about*
les environs (m) *surroundings*
l' envol (m) *take-off, taking flight*
envoyer *to send*
une épaule *shoulder*
une épice *spice*
les épinards (m) *spinach*
une époque *period*
l' épouvante (f) *horror*
une épreuve *test*
l' EPS *PE, school sports lesson*
équilibré(e) *balanced*
une équipe *team*
l' équitation (f) *horse-riding*
un érable *maple*
une erreur *error*
l' escalade (f) *climbing*
un escalier *stairs*
l' escrime (f) *fencing*
l' espace (m) *space*
espagnol(e) *Spanish*
en espèces *cash*
l' espérance de vie (f) *life expectancy*
espérer *to hope*
un espoir *hope*
l' esprit (m) *mind*
un essai *attempt*
essayer *to try (on)*
l' essence (f) *petrol*
l' essor (m) *flight, soaring*
un essuie-glace *windscreen wiper*
l' est *east*
l' estomac (m) *stomach*
et *and*
un étage *floor*
une étagère *shelf*
une étape *stage*
un état *state*
l' été (m) *summer*
éteint(e) *switched off*
une étoile *star*
étranger/ère *foreign*
un(e) étranger/ère *foreigner, stranger*
être *to be*
étroit(e) *narrow*
les études (f) *studies*
un(e) étudiant(e) *student*
étudier *to study*
européen(ne) *European*
eux *them*
évanouir *to faint*
un événement *event*
éviter *to avoid*
exagérer *to exaggerate*
un examen *examination*
un(e) examinateur/trice *examiner*
excentrique *eccentric*
exceptionnel(le) *exceptional*
excitant(e) *exciting, stimulating*
s' excuser *to apologise*
un exemple *example*
s' exercer *to practise, to train*
exotique *exotic*
une expédition *expedition; dispatch*
une expérience *experience; experiment*
une explication *explanation*
expliquer *to explain*
un(e) explorateur/trice *explorer*
un exposé *(short) talk, report*
une exposition *exhibition*
une expression-clé *key expression*
exprimer *to express*
à l' extérieur (m) *outside*
extra-scolaire *extra-curricular*
un extrait *extract*
extraordinaire *extraordinary*

F

fabriquer *to make, to produce*
une face *side, face*
– à *faced with*
en – de *opposite*
faire – à *to face up to*
fâché(e) *angry*
facile *easy*
facilement *easily*
une facilité *facility*
une façon *way, means*
de cette – *thus, in this way*
d'une – générale *generally speaking*
de toute – *in any case*
la faculté *university*
faible *weak*
avoir faim *to be hungry*
en fait *in fact*
une falaise *cliff*
familial(e) *family*
familier *familiar*
le langage – *colloquial language*
une famille *family*
un(e) fan(atique) *fan*
fasciner *to fascinate*
fatigant(e) *tiring*
fatigué(e) *tired*
se fatiguer *to get tired*
la faune *fauna, animal life*
il faut *you must, it's necessary to*
une faute *mistake*
un fauteuil *armchair*
faux/fausse *false, wrong*
un faux ami *false friend (French word identical to an English word but with a different meaning)*
une faveur *favour*
favori(te) *favourite*
féminin(e) *feminine; women's*
une femme *woman*
une fenêtre *window*
le fer *iron*
le chemin de – *railway*
un jour férié *Bank holiday*
fermer *to close*
la fermeture *closing*
heure de – *closing time*
– éclair *zip*
une fête *party; festival; saint's day*
la – nationale *Bastille Day (July 14th)*
fêter *to celebrate*
un feu *fire*
– de forêt *forest fire*
– rouge *red light, traffic light*
en – *on fire*
prendre – *to catch fire*
une feuille *leaf; sheet (of paper)*
un feuilleton *serial, soap opera*
les feux (m) *traffic lights*
– d'artifice *fireworks*
février *February*
une fiche *form, record card*
fier/fière *proud*
une fièvre *fever*

avoir de la – *to have a high temperature*
un(e) figurant(e) *extra (in a film)*
un fil *thread, strand*
– de fer *wire*
au bout du – *on the line/phone*
un coup de – *a phone call*
au – des jours *as the days go by*
une fille *girl; daughter*
un fils *son*
la fin *end*
– mars *at the end of March*
en – de compte *taking everything into account*
fin(e) *fine*
finalement *in the end*
financer *to finance*
finir *to finish*
fixer *to fix; to stare at*
se fixer *to settle down*
un flash *flash/newsflash*
– publicitaire *advert*
une fleur *flower*
un fleuve *river*
un flipper *pinball machine*
la flore *flora, plant life*
flotter *to float*
flou(e) *blurred; loose-fitting*
une fois *time, occasion, once*
à la – *at the same time*
deux – par jour *twice a day*
encore une – *(once) again*
il était une – *once upon a time*
foncé(e) *dark*
foncer *to charge at, to speed at*
le fond *bottom*
au –/dans le – *basically*
la course de – *cross-country running*
le ski de – *cross-country skiing*
le foot(ball) *football*
une forêt *forest*
un forfait *all-in price, set price*
un format *format, size*
de petit – *small*
la forme *form, shape*
être en – *to be fit, on good form*
former *to form, to turn out*
formidable *great, fantastic*
un formulaire *(printed) form*
une formule *formula; method; form*
fort(e) *strong*
être – en *to be good at*
fou/folle *mad*
un foulard *(head)scarf*
une foule *crowd*
un four *oven*
un – à micro-ondes *microwave oven*
cuire au – *to bake*
fournir *to supply*
un foyer *home*
une femme/un homme au – *housewife/husband*
la fraîcheur *freshness*
frais/fraîche *fresh; cool*
les frais (m) *expenses*
français(e) *French*
franc(he) *frank, open*
franchement *frankly*
francophone *French-speaking*
la francophonie *French-speaking world*
une frange *fringe*
le franglais *franglais (mix of French and English)*
freiner *to brake*
les freins (m) *brakes*
un frère *brother*
frimer *to show off*
la fripe *second-hand clothes*
frisé(e) *curly*
les frites (f) *chips, French fries*
froid(e) *cold*
un fromage *cheese*
un front *front; forehead*
de – *head-on*
une frontière *border*
faire une fugue *to run away from home*
un(e) fugueux/euse *runaway*
une fuite *running away; leak*
fumer *to smoke*
fumeur *smoking*
un fuseau horaire *time zone*
futé(e) *cunning, wily*
futuriste *futurist(ic)*

G

gagner *to earn, to win, to reach*
– du temps *to save time*
une galerie *gallery*
gallois(e) *Welsh*
galoper *to gallop*
un gant *glove*
un garçon *boy*
un garde-robe *wardrobe*
garder *to keep, to look after*
une gare *(railway) station*
– routière *bus station*
garer *to park*
un gars *bloke, lad* (fam.)
gaspiller *to waste*
un gâteau *cake*
gauche *left*
les Gaulois (m) *Gauls*
le gaz *gas*
gazeux/euse *fizzy*
le gazole *diesel (fuel)*
géant(e) *giant*
geler *to freeze*
un gendarme *policeman*
une gendarmerie *police station/force*
un gendre *son-in-law*
un arbre généalogique *family tree*
généreux/euse *generous*
génial(e) *great, fantastic*
un genre *gender; genre, kind*
ce n'est pas mon – *it's not my style*
les gens (m) *people*
gentil(le) *nice*
la géographie *geography*
un(e) gérant(e) *manager*
un geste *gesture*
un gilet *waistcoat, cardigan*
un – de sauvetage *life jacket*
un gîte *holiday house*
glacé(e) *frozen*
glisser *to slide, to slip*
une gomme *rubber, eraser*
la gorge *throat*
un goût *taste, flavour*
le goûter *(tea-time) snack*
goûter *to taste; to enjoy*
une goutte *drop*
un gouvernement *government*
grâce à *thanks to*
la grammaire *grammar*
une grand-mère *grandmother*
un grand-père *grandfather*
la Grande-Bretagne *Great Britain*
gras(se) *fat, fatty*
un gratte-ciel *skyscraper*
gratuit(e) *free*
grave *serious*
gravir *to climb*
grec(que) *Greek*
la Grèce *Greece*
une grève *strike*
grignoter *to nibble*
une grille *grid; fence*
un grille-pain *toaster*
grillé(e) *grilled, toasted*
un(e) grimpeur/euse *climber*
grincer *to creak*
gris(e) *grey*
gros(se) *fat*
une grotte *cave*
un groupement *group*
une guêpe *wasp*
guérir *to heal*
une guerre *war*
un guet *lookout*
guetter *to watch out for*
un guichet *booking office, counter*
un – automatique *cash dispenser*
la Guinée *Guinea*
la gymnastique *gymnastics*

H

l' habillement (m) *clothes, dress*
habiller *to dress*
un(e) habitant(e) *inhabitant*
une habitation *dwelling*
habiter *to live*
les habits (m) *clothes*
une habitude *habit*
comme d'– *as usual*
habitué(e) à *used to*
une haie *hedge; hurdle*
un haricot *bean*
le hasard *chance, luck, accident*
au – *at random*
par – *by chance*
haut(e) *high*
la hauteur *height*
un hébergement *accommodation*
hélas *alas*
un hélicoptère *helicopter*
un héros *hero*
une heure *hour*
il est une – vingt *it's 20 past one*
100 km à l'– *100 km an hour*
30F de l'– *30F an hour*
à l'– *on time*
à l'– actuelle *at the present time*
à tout à l'–! *see you soon!*
de bonne – *early*
les heures de pointe (f) *rush hour*
heureusement *fortunately*
heureux/euse *happy*
heurter *to crash into*
hier *yesterday*
l' histoire (f) *history; story*
les histoires (f) *difficulties, problems*
historique *historic*
l' hiver (m) *winter*
un homme *man*
honnête *honest*
une honte *disgrace, shame*
avoir honte de *to be ashamed of*
un hôpital *hospital*
avoir le hoquet *to have hiccups*
un horaire *timetable*
hospitaliser *to admit to hospital*
l' hospitalité (f) *hospitality*
un(e) hôte/hôtesse *host/hostess*
l' hôtellerie (f) *hotel industry*
les huées (f) *booing*
l' huile (f) *oil*
l' humeur (f) *mood, humour*
de bonne/mauvaise – *in a good/bad mood*
humide *humid, damp*
un hurlement *scream, howl*
un hypermarché *hypermarket*
une hypothèse *hypothesis, assumption*

I

ici *here*
une idée *idea*
une identité *identity*
une carte d'– *identity card*
ignorer *to be unaware of, not to know*
une île *island*
un(e) illustrateur/trice *illustrator*
une image *picture, image*
imaginaire *imaginary*
imaginer *to imagine*
imiter *to imitate, to copy*
immédiatement *immediately*
un immeuble *block of flats/building*
un agent immobilier *estate agent*
l' imparfait *imperfect (tense)*
l' impératif *imperative*
n' importe où/qui *anywhere/body*
n' importe comment/quand *no matter how/when*
les impôts (m) *taxes*
imprimer *to print*
inactif/ve *non working*
inattendu(e) *unexpected*
un incendie *fire*
inciter *to prompt, to incite*
inclure *to include*
inconnu(e) *unknown*
un inconvénient *disadvantage*
incroyable *unbelievable*
indexé(e) *index-linked*
indiquer *to show*
un individu *individual*
industriel(le) *industrial*
inédit(e) *original, unpublished*
inférieur(e) *lower*
l' infériorité (f) *inferiority, drop in level*
infernal(e) *infernal, hellish*
un infinitif *infinitive*
une infirmerie *sick bay*
un(e) infirmier/ère *nurse*
un(e) informaticien(ne) *computer scientist*
une information *information*
les informations (f) *news*
l' informatique (f) *computers, computer studies*
informer *to inform*
s' informer *to make enquiries*
un ingénieur *engineer*
injuste *unfair*
injustifié(e) *unjustified*
inquiet/ète *worried*
s' inquiéter *to worry*
une inscription *registration, enrolment*
s' inscrire *to enrol*
un(e) inspecteur/trice *inspector*
inspirer *to inspire*
installer *to set up*
s' installer *to settle down*
un institut *institute*
instruire *to teach*
insupportable *unbearable*
un(e) intendant(e) *bursar*
une interdiction *banning, prohibition*
interdit(e) *forbidden*
intéresser *to interest*
s' intéresser à *to be interested in*
un intérêt *interest*
intérieur(e) *interior, inside*
à l' intérieur *on the inside, indoors*
intermittent(e) *irregular*
le travail – *casual work*
interpréter *to interpret*
interroger *to question*
introduire *to introduce*
un(e) intrus(e) *intruder, odd-one-out*
inusable *hard-wearing, everlasting*

Vocabulaire

inutile *useless*
invivable *inhabitable*
irlandais(e) *Irish*
irrégulier/ère *irregular*
italien(ne) *Italian*
un itinéraire *itinerary, route*
ivoirien(ne) *from the Ivory Coast*

J

jaloux/se *jealous*
ne jamais *never*
une jambe *leg*
japonais(e) *Japanese*
un jardin *garden*
le jardinage *gardening*
un(e) jardinier/ère *gardener*
jaune *yellow*
jeter *to throw*
un jeton *counter, token*
un jeu *game*
jeune *young*
la jeunesse *youth*
une joie *joy*
joli(e) *pretty*
jongler *to juggle*
jouer *to play*
un jouet *toy*
un(e) joueur/euse *player*
un jour *day*
le plat du – *dish of the day*
tous les jours *every day*
de nos jours *nowadays*
un journal *diary; newspaper*
un(e) journaliste *journalist*
une journée *day*
un jugement *judgement*
juger *to judge*
les jumelles (f) *(female) twins; binoculars*
une jupe *skirt*
un jus *juice*
jusque *as far as, up to*
jusqu'à *until*
juste *fair*
justement *precisely*

K

un K-way *cagoule, waterproof jacket*
kidnapper *to kidnap*
un(e) kinésithérapeute *physiotherapist*
la kiné(sithérapie) *physiotherapy*

L

là-bas *over there*
là-haut *up there*
un labo-photo *photographic laboratory*
un lac *lake*
laid(e) *ugly*
la laine *wool*
laisser *to let, to leave*
le lait *milk*
une lampe de chevet *bedside lamp*
une lampe de poche *torch*
un langage *language, speech*
une langue *language, tongue*
une – maternelle *mother tongue*
un lapin *rabbit*
laquelle *which*
large *wide*
un lavage *wash, washing*
la lavande *lavender*
un lave-linge *washing machine*
un lave-vaisselle *dishwasher*
laver *to wash*
une laverie (automatique) *launderette*
le lèche-vitrines *window-shopping*
une leçon *lesson*
un(e) lecteur/trice *reader*
la lecture *reading*
une légende *caption, legend*
léger/ère *light*
un légume *vegetable*
le lendemain *next day*
lent(e) *slow*
lequel *which*
la lessive *washing (powder)*
une lettre *letter*
se lever *to get up*
une liaison *connection; liaison*
libérer *to free*
la liberté *freedom*
un(e) libraire *bookseller*
libre *free*
une licence *degree; licence*
lier *to bind, to join*
un lien *tie, bond*
un lieu *place*
une ligne *line*
lire *to read*
un lit *bed*
littéraire *literary*
un livre *book*
une livre *pound*
en livres sterling *in pounds Sterling*
livrer *to deliver*
un livret *booklet, handbook*
une location *rental, hire*
un logement *accommodation, housing*
loger *to stay*
logique *logical*
loin *far*
lointain(e) *distant, far off*
les loisirs (m) *spare time (activities)*
longer *to go along, to run alongside*
longtemps *a long time*
la longueur *length*
un look *look, image* (fam.)
lors de *at the time of*
lorsque *(at the time) when*
louer *to hire, rent*
le loyer *rent*
une luge *sledge, toboggan*
une lumière *light*
les lunettes (f) *glasses*
– de soleil *sunglasses*
un luth *lute*
une luxation *dislocation*
un lycée *secondary school*

M

mâcher *to chew*
un machin *thing, thingummy* (fam.)
un magasin *shop*
magique *magic*
magnétique *magnetic*
un magnétophone *tape recorder*
un magnétoscope *video recorder*
magnifique *magnificent*
un maillot *jersey; vest*
un – de bain *swimming costume*
une main *hand*
maintenant *now*
une mairie *town hall*
mais *but*
une maison *house*
à la – *at home*
une – des jeunes *youth club*
pâté – *home-made pâté*
un(e) maître/maîtresse *primary school eacher*
un maître-nageur *lifeguard*
une maîtrise *master's degree*
une majorité *majority*
mal *badly; ill*
avoir – à la tête *to have a headache*
pas – *not bad*
pas – de *quite a lot of*
malade *ill*
une maladie *illness, disease*
un malaise *uneasiness*
malgré *in spite of*
un malheur *misfortune; bad luck*
malheureux/euse *unhappy; unlucky*
un manche *handle*
une manche *sleeve*
la Manche *English Channel*
manger *to eat*
une manière *manner, way*
de toute – *in any case*
un mannequin *model*
un manoir *manor/country house*
manquer *to miss; to be short of*
tu me manques *I miss you*
il manque un couteau *we're one knife short*
un manteau *coat*
un manuel *textbook*
la manutention *handling*
un(e) manutentionnaire *packer, warehouse worker*
un maquillage *make-up*
se maquiller *to make oneself up*
le maquis *landscape of scrub/bush*
le maraîchage *market gardening*
un(e) marchand(e) *shopkeeper, trader*
un marché *market*
marcher *to walk; to work*
un mari *husband*
un mariage *marriage; wedding*
marié(e) *married*
la marine *navy*
le bleu marine *navy blue*
une marque *mark, brand, trademark*
marquer *to mark, to make a note of*
une marraine *godmother*
marrant(e) *funny*
en avoir marre *to be fed up with*
marron *(chestnut) brown*
un mât *mast*
un matelas pneumatique *air bed*
les matériaux (m) *materials*
le matériel (m) *equipment*
les mathématiques (f) *mathematics*
une matière *school subject; material*
un matin *morning*
une matinée *morning; afternoon performance*
faire la grasse – *to have a lie in*
l'Ile Maurice (f) *Mauritius*
mauricien(ne) *Mauritian*
mauvais(e) *bad; wrong*
méchant(e) *naughty; unpleasant*
un médecin *doctor*
les médias (m) *media*
un médicament *medecine, drug*
méditerranéen(ne) *Mediterranean*
se méfier (de) *to be wary of*
par mégarde *inadvertently*
meilleur(e) *better; best*
mélanger *to mix up*
un membre *member*
même *same, even, -self,*
tout de – *all the same, even so*
une mémoire *memory*
mémoriser *to memorise*
une menace *threat*
menacer *to threaten*
le ménage *household; housework*
un jeune – *a young family/couple*
ménager/ère *household*
mener *to lead; to take*
un mensonge *lie*
mensuel(le) *monthly*
une mensuration *measurement*
une mentalité *mentality*
mentionner *to mention*
la mer *sea*
merci *thank you*
une mère *mother*
une merguez *spicy sausage*
merveilleux/euse *marvellous*
une mesure *measurement*
sur – *made-to-measure*
en – de *in a position to*
la météo *weather forecast/report*
un météorologiste *weatherperson*
un métier *profession, trade*
un mètre *meter*
le métro *underground*
mettre *to put; to put on (clothing)*
– en route *to start up*
– la table/le couvert *to lay the table*
– du temps *to take time*
se mettre *to go, to start doing*
– à rire *to start laughing*
– à table *to sit down at the table*
– d'accord *to reach an agreement*
– en route *to set off*
un meuble *piece of furniture*
un micro-ordinateur *computer*
midi *mid-day*
le/la mien(ne) *mine*
une miette *crumb*
mieux *better/best*
tant –! *so much the better!*
mignon(ne) *sweet; pretty*
le milieu *middle; environment*
mille *thousand*
un milliard *thousand million*
un millier *about a thousand*
mince *thin, slim*
le Minitel *system which allows public access to data via a terminal connected to the phone*
minuit *midnight*
un miroir *mirror*
mitoyen(ne) *terraced, semi-detached*
une mobylette *moped*
moche *ugly*
une mode *fashion*
à la – *in fashion*
un mode d'emploi *instructions for use*
modéré(e) *moderate*
moi-même *myself*
moindre *less(er), small(er)*
moins *less, least; minus*
un mois *month*
une moitié *half*
un monde *world*
tout le – *everybody*
peu de – *not many people*
mondial(e) *world*
un(e) moniteur/trice *assistant, instructor*
la monnaie *money; change*
une pièce de – *coin*
un monstre *monster*
un mont *mount(ain)*
montagnard(e) *mountain*
une montagne *mountain*
monter *to go up; to get onto*
une montre *(wrist)watch*
montrer *to show*
se moquer de *to make fun of*
la moquette *fitted carpet*
la mort *death*
mortel(le) *fatal*
un mot *word; note*
un mot-clé *key word*
un moteur *engine*
un motif *motive; pattern*
motivé(e) *motivated*
une moto *motorbike*

un mouvement *movement*
un moyen *means*
moyen(ne) *middle, average*
mûr(e) *ripe; mature*
un mur *wall*
musclé(e) *muscular*
la musculation *body-building*
un musée *museum*
un(e) musicien(ne) *musician*
la musique *music*
la mycologie *study of mushrooms*
myope *short-sighted*
mythique *mythical*

N

nager *to swim*
un(e) nageur/euse *swimmer*
une naissance *birth*
naïf/naïve *naïve*
une nappe *tablecloth*
la natation *swimming*
une nationalité *nationality*
les nattes (f) *plaits, pigtails*
une navette *shuttle*
né(e) *born*
nécessaire *necessary*
négatif/ve *negative*
la négation *negative*
la neige *snow*
un nerf *nerve*
net(te) *clean; clear, sharp*
neuf/ve *new*
neuvième *ninth*
un neveu *nephew*
un nez *nose*
ni *neither, nor*
un niveau *level*
noir(e) *black*
un nom *name; noun*
un(e) nomade *nomad*
un nombre *number*
nombreux/euse *numerous*
nommer *to name*
non-fumeur *no-smoking*
le nord *north*
nord-africain(e) *North African*
normand(e) *Norman, from Normandy*
un(e) notaire *notary*
une note *note, grade; restaurant bill*
noter *to note*
nourrir *to feed*
la nourriture *food*
nouveau/nouvel(le) *new*
un nouveau-né *newborn baby*
la Nouvelle-Calédonie *New Caledonia*
les nouvelles (f) *news*
une noyade *drowning*
noyer *to drown*
nu(e) *naked*
un nuage *cloud*
nuageux/euse *cloudy*
nucléaire *nuclear*
une nuit *night*
nul(le) *no, not one; worthless, rubbish*
un numéro *number*

O

obéir to obey
un objet *object*
obligatoire *compulsory, obligatory*
obligé(e) *obliged, forced*
obtenir *to obtain*
une occasion *opportunity, occasion*
d'– *second-hand*
occupé(e) *occupied, engaged*
un(e) oculiste *opthalmologist*
odorant(e) *fragrant*
un œuf *egg*
un – sur le plat *fried egg*
une offre *offer*
–s d'emploi *vacancies*
offrir *to offer; to give a present*
à l' ombre *in the shade*
un oncle *uncle*
une onde *wave*
un(e) opérateur/trice *operator*
opprimer *to oppress, to suppress*
optionnel(le) *optional*
l' or (m) *gold*
un orage *storm*
orageux/euse *stormy*
un orchestre *orchestra; stalls*
un ordinateur *computer*
une ordonnance *prescription*
à l' ordre *in order*
une oreille *ear*
un(e) organisateur/trice *organiser*
l' orientation professionnelle (f) *careers advice*
un orteil *toe*
l' orthographe (f) *spelling*
un os *bone*
oser *to dare*
l' ostéopathie (f) *osteopathy*
ôter *to take off*
oublier *to forget*
l' ouest *west*
un ourson *bear cub*
un outil *tool*
ouvrir *to open*
l' oxygène (m) *oxygen, fresh air*
s' oxygéner *to get some fresh air*

P

une pagaille *mess*
c'est la – *it's chaos*
quelle –! *what a mess!*
un pain *bread*
une paire *pair*
la paix *peace*
un palais *palace*
un panier *basket*
une panique *panic*
paniquer *to panic*
une panne *breakdown*
tomber en – *to break down*
tomber en – d'essence *to run out of petrol*
un panneau *sign, notice-board*
un pansement *plaster*
un pantalon *(pair of) trousers*
pantouflard(e) *lazy, stay-at-home*
un papier *paper*
– hygiénique/de toilette *toilet paper*
– peint *wallpaper*
Pâques (fpl) *Easter*
un paquet *parcel*
par-dessus *over (the top of)*
– le marché *on top of all that*
le paradis *paradise*
paraître *to appear*
un parapluie *umbrella*
un parc *park, grounds*
parce que *because*
parcourir *to travel, to go through*
pardon *sorry*
un pare-brise *windscreen*
pareil(le) *similar, equal*
un(e) parent(e) *parent; relative*
paresseux/euse *lazy*
parfait(e) *perfect*
parfois *sometimes*
parisien(ne) *Parisian*
parler *to speak*
parmi *among*
une parodie *parody, mockery*
une parole *(spoken) word; speech; promise*
partager *to share*
un(e) partenaire *partner*
participer *to take part*
particulier/ère *particular, unusual*
une partie *part, game*
à temps partiel *part-time*
partir *to leave, depart*
partout *everywhere*
parvenir *to reach*
un(e) passager/ère *passenger*
le passé *past*
un passeport *passport*
passer *to pass; to spend (time); to take (an exam)*
– à la télé *to be on TV*
se passer *to happen*
– de *to do without*
passionnant(e) *exciting, fascinating*
un(e) passionné(e) *enthusiast*
une pastille *pastille, lozenge*
le patin à glace *ice-skating*
le patin à roulettes *roller-skating*
le patinage *skating*
patiner *to skate*
une patinoire *skating rink*
une pause *break*
payer *to pay*
un pays *country*
un paysage *landscape, scenery*
la peau *skin*
la pêche *fishing*
un pêcheur *fisherman*
pédestre *on foot*
peindre *to paint*
une pellicule *film*
pendant *during*
une péniche *barge*
une pensée *thought*
penser *to think*
une pension *boarding school*
– complète *full board (three meals)*
demi- – *half-board (two meals); school dinners*
un pensionnat *boarding school*
une pente *slope*
perdre *to lose*
un père *father*
perfectionnement, cours de *refresher course*
permanence, salle de *study room*
permettre *to allow*
une perruche *parrot; budgerigar*
le persil *parsley*
un personnage *character*
personnaliser *to personalise*
une personnalité *personality*
une personne *person*
ne ... personne *nobody*
le personnel *staff*
le directeur du – *personnel officer*
persuader *to persuade, to convince*
une perte *loss*
peser *to weigh*
petit(e) *small*
pétrifier *to turn to stone*
peu *little, few, not very*
– après *shortly afterwards*
avoir peur *to be afraid*
peut-être *perhaps*
un phare *lighthouse*
une pharmacie *chemist's (shop)*
un(e) pharmacien(ne) *chemist*
la philosophie *philosophy*
un(e) photographe *photographer*
une phrase *sentence*
la physique *physics*
une pièce *room*
un pied *foot*
un piège *trap*
un piéton *pedestrian*
une pile *battery*
un pilote *pilot*
une pilule *pill*
pinçant *pinching*
un pin *pine tree*
un(e) pion(ne) *supervisor (at school)* (fam.)
piquer *to sting; to steal* (fam.)
un pique-nique *picnic*
une piqûre *sting; injection*
pire *worse*
pis *worse*
une piscine *swimming pool*
une piste *slope*
pittoresque *picturesque*
un placard *cupboard*
placer *to place*
une plage *beach*
ça me plaît *I like it (it pleases me)*
une planche *plank*
la – à voile *windsurfing*
un plancher *floor*
une plante *plant*
plat(e) *flat*
plein(e) *full*
pleurer *to cry*
pleuvoir *to rain*
le plomb *lead*
la plonge *washing up* (fam.)
la plongée *diving*
un(e) plongeur/euse *diver; dishwasher*
la pluie *rain*
la plupart *most*
le pluriel *plural*
plus *more*
le plus-que-parfait *pluperfect (tense)*
plusieurs *several*
plutôt *rather*
pluvieux/euse *rainy*
un pneu *tyre*
une poche *pocket*
un poème *poem*
un poète *poet*
le poids *weight*
une poignée *handful, fistful*
la pointure *(shoe) size*
à pois *spotted*
les pois chiches *chick peas*
les petits pois *peas*
un poisson *fish*
un poivron *pepper*
poli(e) *polite*
la politesse *politeness, courtesy*
la politique *politics*
polluant(e) *polluting*
polluer *to pollute*
polyvalent(e) *comprehensive*
une pomme *apple*
les pompiers (m) *fire brigade*
un pont *bridge*
une porte *door; gate*
un portefeuille *wallet*
porter *to wear; to carry*
poser *to put (down)*
– sa candidature *to apply*
positif/ve *positive*
posséder *to own*
une possibilité *possibility*
un poste *job; TV set; phone extension*
la poste *post office*
potable *drinkable (water)*
un pote *mate, pal* (fam.)
la poterie *pottery*
une poubelle *dustbin*
pourquoi *why*

Vocabulaire

pourtant *however*
pousser *to push; to grow*
pouvoir *can, to be able to*
un pré *field*
un préau *covered playground*
une prédiction *prediction*
préferer *to prefer*
un préfixe *prefix*
premier/ère *first*
prendre *to take*
un prénom *first name*
une préoccupation *worry*
préparer *to prepare, to get ready, to make*
un(e) présentateur/trice *presenter*
presque *almost*
un pressing *dry-cleaner's*
prêt(e) *ready*
prêter *to lend*
une preuve *proof*
une prévision *forecast*
prévu(e) *foreseen, expected*
prier *to beg*
je vous en prie *don't mention it*
primaire *primary*
le printemps *spring*
privé(e) *private*
un prix *prize*
un problème *problem*
un procédé *process*
prochain(e) *next*
proche *near, close*
prodige *marvel, wonder*
un enfant – *child prodigy*
un(e) producteur/trice *producer*
produire *to produce*
un(e) prof *teacher* (fam.)
un professeur *teacher*
professionnel(le) *professional*
profiter *to profit, to make the most of*
un programme *programme; (TV) listing*
le progrès *progress*
un projecteur *projector*
un projet *plan*
une promenade *walk*
faire une – *to go for a walk*
se promener *to go for a walk*
une promesse *promise*
promettre *to promise*
en promotion *on special offer*
un pronom *pronoun*
prononcer *to pronounce*
la prononciation *pronunciation*
proposer *to suggest*
une proposition *suggestion*
propre *own; clean*
un(e) propriétaire *owner*
une propriété *property*
un prospectus *leaflet*
protéger *to protect*
provençal(e) *from Provence*
prudemment *prudently*
un(e) psychologue *psychologist*
public/que *public*
une pub(licité) *advert(isement)*
un(e) publiciste *advertising executive*
un publiphone *payphone*
un – à carte *card phone*
une puce *flea*
un marché aux puces *flea-market*
puis *then*
puisque *since*
un puits *well*
un pull-over *sweater, jumper*
pur(e) *pure*

Q

un quai *platform; quay; bank (of river)*
qualifié(e) *qualified*
la qualité *quality*
quand *when*
la quantité *quantity*
un quart *quarter*
un quartier *district, area*
que *than; that; which*
quel(le) *which*
quelque *some*
quelquefois *sometimes*
une queue *tail; queue*
qui *who, whom; which, that*
quitter *to leave*
quoi *what*
quotidien(ne) *daily, everyday*

R

un rabais *discount*
raccrocher *to hang up*
raconter *to tell*
une raison *reason*
avoir – *to be right*
raisonnable *reasonable*
ramasser *to pick (up), to gather*
une rame *oar; train*
une randonnée *walk, hike; ride*
un rangement *storage*
ranger *to tidy*
un rappel *reminder*
se rappeler *to remember*
un rapport *report; connection*
les rapports (m) *relations, relationships*
rapporter *to relate to*
rassembler *to collect*
rater *to fail (an exam); to miss (a train)*
rayé(e) *striped*
un rayon *department, counter (of a shop)*
à rayures *striped*
réagir *to react*
un(e) réalisateur/trice *(film) director*
récemment *recently*
recevoir *to receive*
les recherches (f) *research*
un récit *story*
recommander *to recommend*
recommencer *to start again*
reconnaissant(e) *grateful*
reconnaître *to recognize*
reconstitué(e) *reconstituted*
recopier *to copy*
recouvert(e) *covered*
une récré(ation) *break*
recréer *to re-create*
recruter *to recruit*
reculer *to step back, to reverse*
récupérer *to get back*
le recyclage *recycling*
recycler *to recycle*
le redoublement *repeating a school year*
réduit(e) *reduced*
réécouter *listen again*
réel(le) *real, genuine*
refaire *to do again*
réfléchi(e) *thoughtful*
réfléchir *to think, to consider*
regarder *to look, to watch*
un régime *diet, regime*
un registre *register*
une règle *rule; ruler*
un règlement *regulation*
regretter *to be sorry, to regret*
régulièrement *regularly*
rejoindre *to join*
relatif/ve *relative*
la relaxe *rest* (fam.)
relever *to pick up, to raise*
relier *to link*
religieux/euse *religious*
relire *to read again*
remarquer *to notice*
rembourser *to reimburse, to refund*
un remède *cure, remedy*
remercier *to thank*
remettre *to put back*
remplacer *to replace*
une rémunération *pay*
une rencontre *meeting*
rencontrer *to meet*
un rendez-vous *appointment*
rendre *to give back*
rénové(e) *renovated*
les renseignements (m) *information*
se renseigner *to make enquiries*
la rentrée *start of the school year*
rentrer *to go home; to go back in*
renverser *to knock over; to turn upside-down*
une réouverture *reopening*
une réparation *repair*
réparer *to repair*
un repas *meal*
le repassage *ironing*
repérer *to find, to spot*
répéter *to repeat*
une répétition *repetition; rehearsal*
un répondeur *answerphone*
répondre *to reply, to answer*
une réponse *reply, answer*
un reportage *report*
le repos *rest*
se reposer *to have a rest*
repousser *to put off*
reprendre *to take up again*
une reproche *complaint, criticism*
une requête *request*
un réseau *network, system*
réserver *to reserve, to book*
respectueux/euse *respectful*
respirer *to breathe*
responsable *responsible*
ressembler à *to look like*
les ressources (f) *resources*
un(e) restaurateur/trice *restaurant owner*
la restauration *catering; restoration*
rester *to stay*
un résultat *result*
un résumé *summary, résumé*
en retard *late*
retirer *to take off; to withdraw*
un retour *return*
retourner *to return, to go back*
à la retraite *retired*
rétro *old-fashioned; pre-1940s*
retrouver *to find*
une réunion *meeting*
réussi(e) *successful*
réussir *to succeed*
réutilisable *reusable*
réutiliser *to reuse*
en revanche *on the other hand*
un rêve *dream*
rêver *to dream*
rêveur/euse *dreamy, dreamer*
se réveiller *to wake up*
revenir *to come back*
réviser *to revise*
revivre *to live again*
revoir *to see again, to look at again*
le rez-de-chaussée *ground floor*
un rhume *cold*
un rideau *curtain*
un(e) ride *wrinkle*
ridicule *ridiculous*
ne rien *nothing*
rieur/euse *laughing*
rigolo(te) *funny*
ringard(e) *old-fashioned, corny* (fam.)
rire *to laugh*
un risque *risk*
une rivière *river*
le riz *rice*
une robe *dress*
un robinet *tap*
un roman *novel*
roman(e) *Romanesque*
rond(e) *round*
rose *pink*
rouge *red*
rouler *to drive*
une route *road*
routier/ère *road*
roux/rousse *red, auburn*
une rue *street*
russe *Russian*

S

un sac *bag*
un – à dos *rucksack*
un – de couchage *sleeping bag*
un – en plastique *plastic bag*
saigner *to bleed*
sain(e) *healthy*
une saison *season*
saisonnier/ère *seasonal*
une salade *salad*
un salaire *salary*
sale *dirty*
une salle *room*
un salon *living room, lounge*
le SAMU service d'assistance médicale d'urgence *emergency medical service*
une sandale *sandal*
un sanglier *boar*
sans *without*
– plomb *unleaded*
la santé *health*
un sapeur-pompier *fireman*
satisfait(e) *satisfied*
sauf *except*
sauter *to jump*
sauvage *wild*
sauver *to save*
savoir *to know*
savoyard(e) *from the Savoie*
scandaleux/euse *shocking, outrageous*
une scène *scene*
scolaire *school*
la scolarité *schooling, school years*
sculpter *to carve, to sculpture*
une séance *showing, performance*
sec/sèche *dry*
au secours! *help!*
un(e) secrétaire *secretary*
un secrétariat *secretary's office*
la sécurité *safety, security*
un séjour *stay*
le sel *salt*
selon *according to*
une semaine *week*
sembler *to seem*
une semelle *sole (of a shoe)*
la semoule *semolina*
un sens *meaning; direction*
sentir *to feel; to smell*
séparé(e) *separated*
une série *series*
sérieux/euse *serious*
un(e) serveur/euse *waiter/waitress*
une serviette *towel; table napkin*
servir *to serve*
seul(e) *alone*
seulement *only*
sévère *strict*

si *if; yes*
un siècle *century*
un siège *seat*
une sieste *siesta, rest*
siffler *to whistle*
signaler *to point out, to indicate*
un signe *sign*
une signification *meaning*
signifier *to mean*
simultané(e) *simultaneous*
un singe *monkey*
sinon *if not, otherwise*
un sirop *syrup, mixture*
situé(e) *situated*
le SMIC salaire minimum interprofessionel de croissance *index-linked minimum wage*
soi *one, oneself*
la soie *silk*
avoir soif *to be thirsty*
soigner *to treat, to take care of*
un soin *care*
un soir *evening*
une soirée *evening*
solaire *solar*
un soldat *soldier*
les soldes (f) *sales*
le soleil *sun*
la solitude *loneliness; being alone*
sombre *dark*
en somme *all in all*
avoir sommeil *to be sleepy*
un sommet *top, summit*
un sondage *survey*
une sonnerie *bell, ringing*
sonore *sound*
la bande – *sound track*
sortir *to go out*
soudain *suddenly*
souffrir *to suffer, to hurt*
un souhait *wish*
souligner *to underline*
souriant(e) *smiling*
sourire *to smile*
sous *under*
le sous-bois *undergrowth*
sous-marin(e) *underwater*
sous-titré(e) *subtitled*
soutenir *to support*
souterrain(e) *underground*
un souvenir *memory; souvenir*
souvent *often*
spécial(e) *special*
un spectacle *show*
les spectateurs (m) *audience*
sportif/ve *sporty*
un stade *stadium*
un stage *training course, work experience*
une station-service *petrol station*
un strapontin *foldaway seat*
subir *to put up with, to endure*
un succès *success*
sucer *to suck*
les sucreries (f) *sweet things*
sucré(e) *sweet, sugary*
le sud *south*
la sueur *sweat*
suffisamment *sufficiently*
suffisant(e) *sufficient, enough*
suffire *to be enough*
suggérer *to suggest*
suisse *Swiss*
la suite *continuation, next episode*
à la – de *following*
3 jours de – *3 days running*
suivant(e) *next*
suivre *to follow*
un sujet *subject*
être en superforme *to feel great*
supérieur(e) *higher*
superlatif/ve *superlative*
un supermarché *supermarket*
un supplément *supplement, extra charge*
sur *on*
sûr(e) *sure*
surgelé(e) frozen
surnommé(e) *nicknamed*
surprenant(e) *surprising*
surprendre *to surprise*
surtout *above all*
un(e) surveillant(e) *supervisor*
un survêtement *tracksuit*
une syllabe *syllable*
un symbole *symbol*
sympa(thique) *nice, friendly*
un syndicat d'initiative *tourist information office*

T

le tabac *tobacco; tobacconist's*
un tableau *picture; table*
une tache *mark, spot*
une tâche *job, task*
une taille *(clothes) size; waist*
un talon *heel*
tandis que *while*
tant de *so much*
une tante *aunt, auntie*
un tapis *carpet, rug*
tard *late*
un tarif *price, price list*
– réduit *reduced fare/price*
une tartine *(slice of) bread and butter*
un tas *pile, heap*
un – de *lots of, loads of* (fam.)
une tasse *cup*
le taux de change *exchange rate*
une télécommande *remote control*
une télécarte *phonecard*
un télécopieur *fax machine*
un téléphérique *cable-car*
téléphoner *to phone*
les téléspectateurs (m) *TV viewers*
tellement *so, so much*
un témoignage *evidence, account*
un témoin *witness*
une tempête *storm*
le temps *weather; (verb) tense; time*
une tendance *tendency; trend*
une tendinite *tendinitis*
tenir *to hold*
une tente *tent*
tenter *to try*
une terminaison *ending*
la terminale *last year of school*
terminer *to end, to finish*
le terrain *land, ground*
une terrasse *terrace*
la terre *earth*
une tête *head*
un thé *tea*
un théâtre *theatre*
un thème *topic*
le thon *tuna*
un tiers *third*
un timbre *stamp*
timide *shy*
tirer *to pull*
un tiroir *drawer*
un titre *title*
titulaire *entitled to; holder of*
le tohu-bohu *chaos, commotion*
la toile *linen*
faire sa toilette *to have a wash*
un toit *roof*
la tôle *sheet metal, steel*
tolérant(e) *tolerant*
tomber *to fall*
un tome *volume, book*
une tonne *ton*
le tonnerre *thunder*
avoir tort *to be wrong*
tôt *early*
totalement *totally*
les Touareg *Tuareg*
toucher *to touch; to cash (a cheque)*
toujours *always*
un tour *turn*
une tour *tower*
un tournage *shooting, filming*
tourner un film *to make a film*
tout(e) *all, every; the whole; completely*
traditionnel(le) *traditional*
un(e) traducteur/trice *translator*
traduire *to translate*
tragique *tragic*
un train *train*
en train de *in the middle of*
traiter *to treat; to deal with*
un traitement *treatment*
un trajet *journey*
tranquille *quiet, peaceful*
transmettre *to transmit, to pass on*
un trapèze *trapeze*
le travail *work*
travailler *to work*
travailleur/euse *hardworking*
traverser *to cross*
un tréma *dieresis* (¨)
très *very*
le tricot *knitting*
triste *sad*
un troc *exchange, swap*
se tromper *to make a mistake*
trop (de) *too, too much*
un trottoir *pavement*
un trou *hole*
une trousse *(pencil) case*
trouver *to find*
un truc *thing, whatsit; trick* (fam.)
une tuile *tile*
un type *type; classic example; bloke*
typique *typical*

U

un(e) *a; one*
uni(e) *plain (coloured)*
un uniforme *uniform*
unique *only, unique*
l' univers (m) *universe*
une université *university*
une urgence *emergency*
l' usage (m) *use*
une usine *factory*
utile *useful*
utiliser *to use*

V

les vacances (f) *holiday(s)*
vacant(e) *vacant*
la vaisselle *washing up*
une valeur *value*
valider *to validate*
la vapeur *steam*
varié(e) *varied*
une vedette *star*
un véhicule *vehicle*
la veille *day before*
un vélo *bicycle*
le velours *corduroy; velvet*
les vendanges (f) *grape-picking, harvest*
vendeur/euse *sales assistant*
vendre *to sell*
venir *to come*
un vent *wind*
une vente *sale*
un ventre *stomach*
un verbe *verb*
vérifier *to check*
véritable *real*
la vérité *truth*
le verlan *(reverse) slang*
un verre *glass*
vers *towards*
vert(e) *green*
une veste *jacket*
les vêtements (m) *clothes*
un(e) veuf/veuve *widow(er)*
vibrer *vibrate*
vicieux/euse *vicious*
une victoire *victory*
vide *empty*
vider *to empty*
vieux/vieil(le) *old*
vif/vive *quick, lively, sharp*
un(e) vigneron(ne) *wine grower*
une ville *town*
un vin *wine*
un virage *bend*
un visage *face*
vite *fast*
une vitesse *speed; gear*
une vitre *window (pane)*
une vitrine *shop window*
vivant(e) *living*
vivre *to live*
le vocabulaire *vocabulary*
voici *here is*
voilà *there is*
une voile *sail*
faire de la – *to go sailing*
un voilier *sailing boat*
voir *to see*
un(e) voisin(e) *neighbour*
le voisinage *neighbourhood*
une voiture *car*
une voix *voice*
un vol *flight*
un volcan *volcano*
voler *to fly; to steal*
faire – *to fly (a kite)*
un volet *shutter*
volontaire *volontary*
vomir *to be sick*
vouloir *to want*
un voyage *journey*
un(e) voyageur/euse *traveller*
un(e) voyagiste *travel agent*
une voyelle *vowel*
vrai(e) *true, real*
vraiment *really*
un VTT (vélo tout terrain) *mountain bike*

W

un week-end *weekend*

Y

un yaourt *yoghurt*
les yeux (m) *eyes*

Z

zapper *to zap*
zinzin *mad, barmy* (fam.)

Vocabulaire

A Les nombres

les nombres cardinaux   cardinal numbers

From 17 to 100, a hyphen links all composite numbers except those containing the word *et*.

0 zéro
1 un/une
2 deux
3 trois
4 quatre
5 cinq
6 six
7 sept
8 huit
9 neuf
10 dix
11 onze
12 douze
13 treize
14 quatorze
15 quinze
16 seize
17 dix-sept
18 dix-huit
19 dix-neuf
20 vingt

21 vingt et un
22 vingt-deux
23 vingt-trois
24 vingt-quatre
25 vingt-cinq
26 vingt-six
27 vingt-sept
28 vingt-huit
29 vingt-neuf
30 trente
31 trente et un
32 trente-deux
40 quarante
50 cinquante
60 soixante
70 soixante-dix
71 soixante et onze
72 soixante-douze
80 quatre-vingts
81 quatre-vingt-un
90 quatre-vingt-dix
91 quatre-vingt-onze

100 cent
101 cent un
102 cent deux
156 cent cinquante-six
200 deux cents
215 deux cent quinze
1 000 mille
2 000 deux mille
1 000 000 un million
5 000 000 cinq millions

les nombres ordinaux   ordinal numbers

To make the equivalent of 2nd/3rd/4th/12th, etc, add *-ième* to the cardinal numbers, e.g.: *deux* → *deuxième*. If the cardinal number ends in *e*, delete that *e*, e.g.: *quatre* → *quatrième*.
Exceptions: *un/une* → *premier/première*   *neuf* → *neuvième*
Second(e) can be used when there are only two in a sequence.

B L'heure

6.00 six heures
6.05 six heures cinq
6.10 six heures dix
6.15 six heures quinze/six heures et quart
6.20 six heures vingt
6.25 six heures vingt-cinq
6.30 six heures trente/six heures et demie
6.35 six heures trente-cinq/sept heures moins vingt-cinq
6.40 six heures quarante/sept heures moins vingt
6.45 six heures quarante-cinq/sept heures moins le quart
6.50 six heures cinquante/sept heures moins dix
6.55 six heures cinquante-cinq/sept heures moins cinq

18.00 dix-huit heures
18.57 dix-huit heures cinquante-sept

12.00 midi
24.00 minuit

C Le calendrier

les saisons

le printemps, au printemps	Spring, in Spring
l'été, en été	Summer, in Summer
l'automne, en automne	Autumn, in Autumn
l'hiver, en hiver	Winter, in Winter

les mois de l'année

The months are not usually written with a capital letter.

janvier   février   mars   avril   mai   juin   juillet   août
septembre   octobre   novembre   décembre

en janvier/au mois de janvier   in January
le premier mars   March 1st/the 1st of March
le dix juin   June 10th, the 10th of June
mi-mars   mid-March

les jours de la semaine

The days of the week are not usually written with a capital letter. To say 'on Monday', etc., just use the name of the day. To say 'on Mondays', i.e. every Monday, add *le* in front of it.

lundi   mardi   mercredi   jeudi   vendredi   samedi   dimanche

Je vais au cinéma mardi.   I'm going to the cinema on Tuesday.
Le dimanche on va à la messe.   On Sundays we go to mass.

D Pays et nationalités

l'Afrique du Sud	sud-africain(e)
l'Algérie	algérien(ne)
l'Allemagne	allemand(e)
l'Angleterre	anglais(e)
les Antilles	antillais(e)
l'Australie	australien(ne)
l'Autriche	autrichien(ne)
la Belgique	belge
le Brésil	brésilien(ne)
le Canada	canadien(ne)
la Chine	chinois(e)
Chypre	chypriote
la Côte d'Ivoire	ivoirien(ne)
le Danemark	danois(e)
l'Ecosse	écossais(e)
l'Espagne	espagnol(e)
l'Egypte	égyptien(ne)
les Etats-Unis	américain(e)
la France	français(e)
la Grande-Bretagne	britannique
la Grèce	grec(que)
la Hollande	hollandais(e)
l'Inde	indien(ne)
l'Irlande	irlandais(e)
Israël	israélien(ne)
l'Italie	italien(ne)
le Japon	japonais(e)
le Liban	libanais(e)
le Maroc	marocain(e)
le Mexique	mexicain(e)
la Norvège	norvégien(ne)
la Nouvelle-Zélande	néo-zélandais(e)
le Pakistan	pakistanais(e)
le Pays-Bas	néerlandais(e)
le pays de Galles	gallois(e)
la Pologne	polonais(e)
le Portugal	portugais(e)
la Russie	russe
le Sénégal	sénégalais(e)
la Suède	suédois(e)
la Suisse	suisse
la Tunisie	tunisien(ne)
la Turquie	turc/turque
le Viêt-nam	vietnamien(ne)